W9-BKV-795

Corps étrangers

Du même auteur

Le Messie de Stockholm
Éditions Payot, 1988
Points n° P1376

Le Rabbi païen
Éditions Payot, 1988
Éditions Rivages-Poche, 1990

Le Châle
Éditions de l'Olivier, 1991
Points n° P1371

Lévitation
Éditions de l'Olivier, 1993

Un monde vacillant
Éditions de l'Olivier, 2005
Points n° P1623

Les Papiers de Puttermesser
Éditions de l'Olivier, 2007

CYNTHIA OZICK

Corps étrangers

traduit de l'anglais (États-Unis)
par Agnès Desarthe

ÉDITIONS DE L'OLIVIER

L'édition originale de cet ouvrage
a paru chez Hougton Mifflin Harcourt en 2010,
sous le titre : *Foreign Bodies*.

La phrase en exergue p. 7 a été traduite par Agnès Desarthe.

La citation p. 203 est extraite de *Macbeth* de William Shakespeare,
traduction de Pierre Jean Jouve, Éditions Garnier-Flammarion, 2010.

La citation p. 245 est extraite de *Docteur Faustus* de Thomas Mann,
traduction de Louise Servicen, Éditions Christian Bourgois, 2007.

ISBN 978.2.87929.814.6

« Je vois, mais, quoiqu'il en soit, deux choses fort distinctes – étant donné l'endroit extraordinaire où il vit – sont susceptibles de lui être arrivées : dans un cas, il aura gagné en brutalité, dans l'autre, en sophistication. »

Henry James
Les Ambassadeurs

1

23 juillet 1952

Cher Marvin,

Eh bien, me voilà de retour. Londres n'était pas trop mal, Paris épouvantable, et je ne suis jamais arrivée jusqu'à Rome. On dit que c'est l'été le plus chaud depuis l'avant-guerre. En dehors du temps, je crains qu'il n'y ait pas grand-chose d'autre à raconter. L'adresse que tu m'avais donnée – Julian l'a quittée il y a environ une semaine. Il semble que je l'aie manqué d'à peine quelques jours. Tu n'aurais pas apprécié : une pension dans un quartier miteux à l'extrême périphérie de la ville. J'ai fait de mon mieux pour retrouver sa trace – j'ai tenté ma chance partout où tu m'avais dit qu'il pourrait travailler. Avec sa logeuse, j'ai fait chou blanc. Une vague allusion à propos d'une petite amie, rien d'autre. Il a tout emporté avec lui, apparemment peu de chose, d'ailleurs.

Je te renvoie ton chèque. Vu l'endroit où ton fils logeait, ces cinq cents dollars lui auraient certainement été fort utiles. Désolée de ne pas avoir pu t'aider davantage. J'espère que toi et (tout particulièrement) Margaret allez bien.

Bien à toi,
Doris

2

Au début des années cinquante du siècle dernier, une vague de chaleur féroce assaillit l'Europe. Suffocante, elle se fraya un chemin depuis le nord de la Sicile, où elle calcina la moitié de l'île, ne laissant derrière elle qu'une traînée de végétation roussie, jusqu'à Malmö, à la pointe sud de la Suède ; mais ce fut Paris qu'elle embrasa le plus sauvagement. Une vapeur chaude s'élevait en sifflant des ronds humides dessinés par les ballons de vin sur les tables en métal des terrasses de café. Depuis le ciel, juste au-dessus, une colonne d'air bouillant exhalait, tel un haut fourneau, des bouffées brûlantes, ou encore, un geyser incandescent, jailli du centre du soleil, précipitait sur les toits et les pavés un jet de lave en fusion. Les gens faisaient tantôt l'une, tantôt l'autre comparaison – soit le haut fourneau, soit le geyser –, et d'autres fois encore, on considérait la chaleur terrible comme un mal plus général, un résidu de la guerre récente, comme si le continent lui-même avait été changé en province de l'enfer.

À cette époque, il y avait des étrangers partout dans Paris, endurant les mêmes souffrances que la population autochtone, essuyant les ruisselets de sueur le long de leurs clavicules, se plaignant en chœur d'une sensation d'étouffement ; mais, pour le reste, ils n'avaient rien de commun avec les Parisiens, ni d'ailleurs les uns avec les autres. Ils se divisaient en deux catégories : l'une constituée de vigoureux, d'ambitieux, de joyeux lurons portés sur la bouteille, l'autre de créatures pâles, querelleuses, abandonnées – une escouade de fantômes volatils et divagants.

Les premiers cherchaient à faire revivre le passé : un genre de théâtre ivre de lui-même. C'étaient, pour la plupart, de jeunes Américains de vingt ou trente ans qui se disaient « expatriés », alors qu'ils n'étaient que des touristes littéraires en visite prolongée, entichés de légendes sur Hemingway et Gertrude Stein. Ils se réunissaient dans les cafés pour cancaner, calomnier et se régaler des contes anciens de générations perdues, non sans mépriser ce qu'elles avaient laissé derrière elles. Ils échangeaient amants des deux sexes selon un savant système de rotation, jouaient à l'existentialisme, créaient des magazines d'avant-garde dans lesquels ils se publiaient les uns les autres, se vantaient d'avoir aperçu Sartre aux Deux Magots et revendiquaient fièrement, constamment, ardemment et consciemment leur jeunesse. À la différence de la troupe d'exilés qui les avaient précédés, avaient grandi et fini par regagner leurs pénates, ceux-ci avaient l'intention de toujours rester jeunes à Paris. Ils constituaient une microcité de fronts blancs et luisants ; mais leurs dents étaient tachées par l'excès de whisky, de vin et de cigarettes françaises trop fortes. Ils ne parlaient qu'américain. Leur français était mauvais.

L'autre contingent d'étrangers – les fantômes – était polyglotte. Ses membres jacassaient dans une dizaine de langues différentes. De leurs bouches jaillissaient toutes les cadences de l'Europe. À l'inverse des Américains, ils fuyaient le passé, exempts du plus petit soupçon de nostalgie, libres de tout folklore ou d'un idyllique renouvellement. Ces Européens avaient subi une attaque de l'Europe ; ils portaient le tatouage de l'Europe. On ne pouvait dire d'eux, comme on le disait forcément des Américains, qu'ils appartenaient à une vague d'après-guerre. Ils n'étaient pas d'après-guerre. Bien qu'ils eussent afflué à Paris, la guerre était encore en eux. C'étaient des déplacés, des temporaires, des temporisateurs. Paris était un lieu de transit ; ils n'étaient à Paris que pour en partir, dès qu'ils sauraient qui les accepterait. Paris était une ville où l'on attendait. Une ville à fuir.

Doris Nightingale n'appartenait ni à l'une ni à l'autre de ces catégories. Cela faisait vingt-quatre ans qu'en public on l'appelait « Miss Nightingale », et ce aussi bien durant son mariage qu'après son divorce ; il lui arrivait parfois de penser à elle-même sous ce nom, ne fût-ce que pour éviter l'effet de bercement de son diminutif, Do, sur son être intime : dodo, l'enfant Do. Elle appartenait à cette espèce ridiculement reconnaissable des professeurs d'âge moyen qui économisent pour des vacances d'été bien méritées dans les capitales les plus romantiques d'Europe. Que ces capitales, après la guerre, fussent blessées, épuisées et vidées de tous leurs enchantements si bien promus, ne lui échappait pas. Elle était endurante, intelligente, et ne manquait pas d'expérience (le mariage lui-même lui avait enseigné une ou deux choses). Elle avait, après tout, quarante-huit ans, était à peine grisonnante et dure avec ses élèves, des collégiens coiffés en banane qui se moquaient de Wordsworth et ridiculisaient Keats : quand ils arrivaient à *Ode to a Nightingale*, l'*Ode à un rossignol*, ils se dissipaient, la huaient et échangeaient des regards concupiscents – mais elle savait comment les mater. Elle connaissait son métier et n'en avait pas honte. De plus, au bout de vingt ans d'exercice, elle ne se sentait toujours pas usée.

Elle avait réservé pour Londres, Paris et Rome, mais avait renoncé à Rome (alors que cette destination était incluse dans le voyage organisé par l'agence) lorsqu'elle avait lu, dans sa chambre d'hôtel chaude et bruyante qui donnait sur Piccadilly, que les températures étaient dangereusement élevées dans le Sud. Londres avait été tout juste supportable – en se maintenant à l'ombre –, mais Paris était atroce, et Rome aurait été tout bonnement infernale. « Cette espèce ridiculement reconnaissable » était la formule sarcastique qu'elle s'appliquait à elle-même (voyageant seule, elle ne pouvait en faire profiter personne d'autre), mais qu'elle avait vraisemblablement dégottée dans un guide désinvolte et humoristique, de ceux qui valent davantage par le style que par les informations distillées. Un guide plus consciencieux, comme celui qu'elle séquestrait au fond de son vaste sac à main – sous son passeport, son carnet de notes, un appareil photo, des mouchoirs, de l'aspirine, etc. –, était tout sauf désinvolte. Il était minutieux jusqu'à l'épuisement, et si on obéissait à sa cartographie quasi sacerdotale, on s'en retournait plein d'exaltation après ces tableaux, sculptures et places historiques encore vibrantes des décapitations passées.

En ce jour de juillet, la page que Doris consultait dans son guide n'évoquait ni Monet, ni Gauguin, pas plus qu'une excursion dans un château. Elle était intitulée « Cafés par quartier ». Tout l'après-midi, elle avait marché de café en café, à la recherche de son neveu. Un voile gras lui troublait la vue – c'était comme si sa cornée avait fondu – et les battements de son cœur étaient tantôt trop rapides, tantôt si lents qu'on les aurait crus près de cesser totalement, sans les spasmes sporadiques qui les accéléraient brutalement. Les pavés et les murs des immeubles dégageaient des vibrations torrides. Paris était devenu subsaharien, la ville cuisait dans une grande cuve équatoriale. Do s'effondra sur une chaise en osier accolée à une table ronde brûlante et commanda un jus de fruits frais. Elle resta assise un instant, haletante, à demi remise seulement, ses yeux flous fixés sur le garçon qui l'avait servie. Son neveu travaillait comme serveur dans l'un de ces cafés en terrasse, de cela, elle était sûre. Il lui était cependant difficile de penser à lui comme à un neveu : c'était le fils de son frère, trop éloigné, aussi incertain, pour elle, qu'une rumeur. Marvin lui avait envoyé une photographie : un garçon d'une vingtaine d'années, cheveux filasse, expression indécise. Comment le distinguer des autres qui lui ressemblaient tant, avec leur tablier blanc taché de vin attaché autour de leur maigre taille ? Elle imaginait qu'elle pourrait le repérer s'il venait à ouvrir la bouche et à révéler ainsi ses origines américaines ; il lui suffisait pour cela de demander au premier jeune homme aux cheveux couleur paille venu : Excusez-moi, ne seriez-vous pas Julian ?

– *Pardon ?*

– Je cherche Julian Nachtigall, il vient de Californie. Vous le connaissez ? Vous savez s'il travaille ici ?

– *Pardon?*
– *Un Américain.* Julian. *Un garçon. Est-il ici?*
– *Non, madame.*

Il existait sans doute un moyen plus efficace de le retrouver. Marvin avait écrit en grosses lettres impérieuses, aussi grosses que sa grosse voix impérieuse, l'adresse précise de son fils. C'était la troisième fois qu'elle gravissait les marches cassées du perron menant à l'immeuble brun et trapu situé dans ce quartier décati que son guide méticuleux mentionnait seulement pour conseiller à ses lecteurs de ne pas s'en approcher. La logeuse osseuse avait surgi d'une porte en haut du petit escalier; le garçon, avait-elle expliqué dans un galimatias aussi tordu que ses dents, habitait au-dessus, au premier, mais là, il n'était pas chez lui, pas rentré depuis quatre jours. *Oui, certainement*, il travaillait dans un café du coin, qu'est-ce qu'un garçon comme lui pouvait bien faire d'autre? Au moins, il lui payait son loyer. *Dieu merci*, il avait un père fortuné, là-bas, dans son pays.

Parfait! Une vraie chasse à l'oie sauvage, inutile, vaine, qui lui rongeait son temps de vacances, et tout cela pour complaire à Marvin, pour servir Marvin qui – après des années de désapprobation, de répudiation, de ce qui ressemblait presque à de la haine – faisait soudain appel aux liens sacrés du sang. Cette quête stérile, dans une chaleur meurtrière. Cette Europe rétrograde, où l'on était obligé de demander crûment les toilettes chaque fois qu'on voulait utiliser les commodités, et où il semblait que nulle part, vraiment nulle part, il n'y eût l'air conditionné – chez elle, à New York, on avait l'air conditionné partout, on était quand même au milieu du vingtième siècle, nom d'un chien! Le guide ne se préoccupait pas de la vessie des touristes et dans son fervent souci des trésors et vestiges du passé ne songeait pas une seconde à un rafraîchissement d'atmosphère. Il recommandait de petites boutiques baroques dans des quartiers à la mode – si vous vouliez quelque chose de plus américain, grognait-il, vous n'aviez qu'à rester en Amérique. Mais elle en avait assez du petit, du baroque et de l'élégance hors de prix, et plus qu'assez de cette sotte errance de café en café ; ce dont elle avait besoin, c'était d'air conditionné, de toilettes, et vite. Elle poursuivit son chemin dans les miasmes rôtissants de la fin d'après-midi, et voyant devant elle un grand édifice gris, orné d'une frise gravée au-dessus de ses deux imposantes portes, elle crut un instant qu'il s'agissait encore d'un site historique datant de Richelieu. Mais il y avait des lettres sculptées dans la pierre : GRAND MAGASIN LUXOR. Sauvée ! L'air froid se précipita sur elle en une étreinte salvatrice et familière. Les commodités étaient semblables à celles qu'elle aurait trouvées chez, mettons, Bloomingdale's, toutes de miroirs et de marbre. Considérez ça comme le style américain, si ça vous chante, moquez-vous de l'imitation barbare : Louis XIII à l'extérieur, New York à l'intérieur – ce lieu lui rendait la vie.

Les commodités donnaient, via un couloir, sur quelque chose comme un restaurant, bien que l'endroit ressemblât davantage à une cafétéria bondée de Broadway, où les badauds venaient s'asseoir, entourés des sacs ou des cartons de leurs récents achats. Du plafond pendait un épais brouillard de fumée ; tous ces gens tiraient avidement sur leurs cigarettes. Elle repéra une place libre près d'une table jonchée d'assiettes emplies de mégots et occupée par trois hommes bruyants et une femme.

Elle posa la main sur le dossier de la chaise vide.

– Puis-je m'asseoir une minute ?

La femme haussa les épaules, l'air de dire *Faites comme chez vous ça m'est égal.* Il était impossible de savoir si elle comprenait l'anglais, ou si le geste avait suffi. Les hommes poursuivaient ce qui semblait être une dispute. Autour d'eux, point de tas débordant de paquets : sans doute ce petit cercle intense n'avait-il, comme Do elle-même, rien de particulier à faire ici, hormis échapper à la plaque chauffante des rues. Odeurs d'œufs et de café alentour. Effluves flottants de parfum : un mannequin s'avançait par là, presque inquiétante par la taille, la longueur des pieds, une traîne de vêtements soyeux posée sur son long bras, pas de seins, des yeux de verre, une bouche rouge Matisse, une mâchoire et des membres parfaits, des cheveux raides, le modèle même de la Parisienne modèle, exsudant des flots de fragrance. Les hommes avaient les yeux qui leur sortaient du crâne, comme s'ils avaient vu apparaître un tigre du Bengale dans ce lieu qui sentait la cuisine. « *Imbéciles* », marmonna la femme assise à côté d'eux ; ces syllabes, adressées à Do, étaient durcies par un accent non identifiable. Un accent qui s'accordait au physique âpre de la femme : boucles brunes serrées jaillissant d'une tête irascible. Le robot chimérique poursuivit sa route en ondulant, et les hommes reprirent leur querelle – si tant est qu'il se fût agi d'une querelle. Leur parler était français et pas français en même temps, métissé par les traces mêlées d'une douzaine de langues étrangères : un précipité d'Europe. Une querelle, une contestation, une lamentation, un aboiement de résignation ? Do s'enfonçait dans le soulagement parfait dû à l'immobilité et à la lente dissipation de la chaleur – elle aurait presque pu s'endormir sur ce fond de voix énigmatiques et tendues qui dansaient, telle une flore subaquatique, aux confins lointains de sa fatigue. Le retour mortel à pied jusqu'à l'hôtel était encore devant elle. Ces gens, qui étaient-ils, d'où venaient-ils ? Trop dépenaillés, trop provisoires pour être des citoyens ordinaires. Ils n'étaient pas d'ici, ils étaient déplacés et inclassables. Ils laissaient pendre leur cigarette sur leur lèvre inférieure simplement pour faire passer le temps. La femme, au visage couvert de rougeurs, encadré de spirales furieuses et impatientes, se leva brusquement et l'un des hommes tira sur sa manche pour la faire rasseoir. Elle se leva de nouveau, pour aller où ? D'où venaient-ils, où pourraient-ils aller ?

Do finit par les quitter. Elle en avait vu d'autres comme eux partout dans Paris.

Elle retourna une dernière fois s'enquérir du fils de Marvin. La logeuse aux dents de travers se matérialisa comme les fois précédentes, mais en savates de coton, armée d'une serpillière et ceinte d'un grand chiffon autour de la taille. Elle lavait l'escalier. Le garçon était parti depuis deux jours, parti pour de bon avec son sac à dos et une fille qui était venue l'aider à porter le sac de voyage. Qu'est-ce qu'il pouvait bien y avoir là-dedans, des barres de fer ? Il avait payé une semaine de loyer d'avance ; un miracle, quoi qu'il en soit, qu'il n'ait pas laissé d'ardoise, ce bon à rien, grâce à son père en Amérique. La fille ? Une petite chose silencieuse, l'air d'une Arabe ou d'une gitane.

– Comment saurais-je où ils sont partis ? Il ne me l'a pas dit, et pourquoi l'aurait-il fait ?

– Il faut que je lui parle, je suis sa tante.

– Désolée pour vous, un garçon pareil. Mes deux neveux à moi, ils ont un vrai travail, pas un jour ici, un jour là, et un nouveau patron à chaque fois. Peut-être qu'il a emménagé avec elle, avec cette fille-là, mais pas un garçon si jeune quand même, elle a déjà une ride entre les yeux, c'est ça qu'ils font au bout d'un moment, ils s'installent avec elles. Si vous voulez aller jeter un coup d'œil là-haut, je n'y vois pas d'objection, faites juste attention aux marches, elles sont encore mouillées. J'y suis allée moi-même pour constater les dégâts. Deux ou trois clous dans le mur, presque rien, comme si c'était le genre à accrocher des tableaux !

– Bon, et il a laissé quelque chose ?

– J'ai trouvé ça, si vous le voulez, il est à vous, je ne vois pas ce que j'en ferais.

La logeuse lui tendit un livre abîmé.

Dans le taxi qui la ramenait à son hôtel, elle examina le livre. Un genre de dictionnaire, une langue indéchiffrable en colonne face à une autre colonne en français, pas de nom sur la couverture, pas le moindre indice. Il était vieux ; les pages étaient cassantes et se détachaient facilement. À quoi bon le garder ? Quand elle paya le taxi et en sortit, elle y abandonna le livre.

Le lendemain, elle se rendit au Louvre, et durant le reste de la semaine – pour autant que son argent et la chaleur mortelle le lui permettaient –, elle se fia à son guide pour la mener de scènes historiées en gloires anciennes. Puis elle rentra chez elle, dans son deux pièces et demie sur la 89e Rue Ouest, où la silhouette massive d'un appareil à air conditionné assombrissait la fenêtre et vibrait comme un tambour usé. Et où on ne tirerait pas Dodo l'enfant Do de son sommeil avant longtemps.

3

28 juillet 1952

Chère Do,

Tu l'as manqué ? Tu étais à Paris, tu savais exactement où il habitait, tu savais à peu près où il travaillait, et je m'en étais totalement remis à toi. Et qu'est-ce que je reçois ? Un bulletin météo ! Les affaires, comme tu le sais, m'ont beaucoup occupé ces derniers temps, et je n'aurais pu me permettre, pour l'amour ou l'argent, d'y aller moi-même. Pendant ce temps ma sœur prend des vacances, ne pense à rien d'autre qu'à son petit plaisir, et me laisse dans le brouillard. Tu ne t'es tout simplement pas donné assez de mal. Je me rends compte que tu ne connais pas Julian, mais si tu n'as pas de sentiments familiaux, tu pourrais au moins avoir le sens des responsabilités familiales, non ?

Tu parles d'une fille. Comme en passant. Julian a vingt-trois ans. À l'âge qu'il a, je ne vois pas d'un très bon œil qu'il entretienne là-bas des relations avec une inconnue. Tu comprends bien que Margaret irait elle-même si c'était faisable, mais, comme tu n'es pas sans le savoir, elle est quelque peu neurasthénique et parfaitement incapable de voyager seule. Bien sûr, nous sommes tous les deux épouvantablement affectés, Margaret encore plus que moi. Elle trouve intolérable que parfois nous n'ayons aucune idée de l'endroit où il est, il écrit si peu. Je vois bien qu'il traverse une sorte de période expérimentale typique de sa génération, ils veulent essayer ceci, essayer cela, et plus c'est rosse, mieux c'est. Le problème avec ces gamins, c'est qu'ils n'ont pas eu l'armée pour les endurcir, non que je sois fâché qu'on lui ait épargné ce que j'ai vu dans le Pacifique. Et compte tenu que j'ai fait la guerre comme lieutenant-colonel, alors que j'avais largement dépassé l'âge, ça n'a pas été une partie de plaisir pour moi non plus. C'était un enfant têtu, et j'imagine qu'on l'a gâté. Mais peut-être pas – il n'y a rien d'extraordinaire à passer un an à l'étranger après les deux premières années d'université, ils font tous ça de nos jours. Un an parmi les meshugas parisiens, pourquoi pas ? Mais ça fait trois ans, et il ne montre pas la moindre intention de rentrer pour terminer ses études. Je peux t'assurer que ni Margaret ni moi n'avons un seul instant pensé qu'il pourrait les abandonner ! En tant qu'ancien diplômé ayant multiplié les contributions substantielles à mon université d'origine, je suis carrément gêné.

Il n'a jamais laissé supposer qu'il ne terminerait pas ses études, malgré toutes ces lectures à la noix dans lesquelles il se plongeait, Camus et j'en passe, quelle perte de temps pour un scientifique. Enfin, plutôt un historien des sciences, la version allégée, il n'a pas la tête qu'il faut pour les sciences dures. Iris l'a, elle tient de moi, une tête pleine de bon sens sur les épaules, une tête assez douée en chimie aussi – à mi-chemin de sa thèse, en fait. J'espère qu'elle se mariera avec un homme digne d'elle intellectuellement. On ne peut jamais prévoir comment les gènes vont ricocher, je me dis parfois qu'il y a un peu de toi en Julian, et Dieu sait que je ne peux pas me permettre qu'il fasse un mauvais mariage, sans parler d'enseigner à des voyous traînassant sur une voie de garage.

Pour ce qui est des cinq cents dollars, tu sous-entends qu'ils devaient servir à le sortir de ce taudis et à lui trouver un meilleur logement. Sûrement pas ! J'imagine parfaitement le genre de gourbi répugnant où il a pu traîner ces derniers temps, et j'ai effectivement évoqué la possibilité d'une remise en état du garçon, chemise, costume, etc., quelque chose de respectable, quel qu'en soit le prix, mais je t'ai dit explicitement que je voulais que mon fils parte de là, de l'Europe, de la fichue crasse de cet endroit, et qu'il rentre chez lui, en Amérique ; c'est là qu'est sa place. Il se plaint du fait que sa mère et moi, nous le manipulions – je me demande bien ce qu'il entend par là –, quoi qu'il en soit, si quelqu'un joue les manipulateurs ici, c'est lui. Je n'ai de ses nouvelles que lorsque ses poches sont vides. Les autres fois où il prend la peine d'écrire, il écrit à Iris. Ils ont toujours été proches, ces deux-là, les deux doigts de la main, malgré leurs trois ans d'écart et la tendance de Julian à toujours avoir la tête dans les nuages, d'ailleurs, je n'ai jamais compris ce qu'ils pouvaient bien avoir en commun.

Mais si quelqu'un peut deviner ce qu'il a dans le ventre, c'est bien sa sœur. Qui sait ce qu'il lui dit – elle lit ses lettres et les fait disparaître immédiatement. Et si on lui demande, elle dit qu'il va bien, il est en forme, il suit des cours, il a un genre de boulot – tu parles, il passe le chiffon sur des tables.

Alors, voilà mon idée, et cette fois j'espère que tu ne me décevras pas. Dès que nous aurons vent de l'endroit où il se trouve, je veux que tu prennes une semaine ou deux pour retourner là-bas et nous le ramener. Je me fiche de savoir comment tu t'y prendras. Fais comme avec tes apprentis mécanos quand tu les gaves de poésie et de ritournelles. Tu as l'air de penser que tu es douée pour ça. Si tu dois le soudoyer – je veux dire, à coups de $$$$$ –, n'hésite pas. Tout ce que je te demande, c'est de le ramener à New York, pour commencer. Il n'aura sans doute pas envie de revenir ici, dans sa famille, du moins pas tout de suite. Je suppose qu'il prendra son air de chien battu. D'un côté on a Iris au sourire faussement innocent, de l'autre, Julian, le renfrogné – mais qu'est-ce qu'il a à bouder comme ça, d'ailleurs ? Il a toujours fait ce qu'il voulait. Quand tu descendras de l'avion à Idlewild, je veux que tu l'amènes chez toi et que tu le gardes deux ou trois jours, histoire qu'il se calme. Je ne garantis pas qu'il ne t'en voudra pas, mais si tu sais t'y prendre avec tes voyous d'élèves, je ne vois pas pourquoi ce ne serait pas possible avec un garçon comme Julian. Tu n'auras qu'à parler livres avec lui – ça lui plaira.

Mais ce n'est qu'une partie de mon idée. Je ne dis pas que ce sera du gâteau de l'arracher aux griffes de Paris. Il s'est aménagé sa petite vie, là-bas – Iris dit qu'il lui écrit parfois à moitié en français. Je ne suis pas bête au point de croire qu'une personne de sa famille qu'il n'a jamais rencontrée et qui débarque de nulle part ait de grandes chances d'avoir de l'influence sur lui. Il faut que tu apprennes à le connaître, que tu le comprennes, non que j'en aie été personnellement capable moi-même. Je ne peux pas l'atteindre, c'est la réalité, et Margaret – Margaret est atrocement fatiguée. Certains jours, elle est même trop fatiguée pour simplement penser à Julian, au temps qu'il a déjà passé loin de nous.

C'est donc Iris la bonne personne. Je l'expédie sur la côte Est la semaine prochaine, pour qu'elle t'apprenne à connaître Julian. Qu'elle te fasse un « rapport », comme on dit en jargon de la marine. J'aurais dû arranger quelque chose de ce genre avant que tu partes en vacances – mais je l'ai su trop tard pour faire quoi que ce soit, à part t'envoyer un chèque. Tu devrais me donner davantage de tes nouvelles. Quand je vois à quel point Iris et Julian sont proches, je me rends compte combien ma propre sœur s'est montrée négligente. Depuis que maman et papa sont morts, dix-huit ans pour maman, et dix pour papa, que sais-je de ta vie ? Que tu as connu une période difficile avec ce type qui jouait du hautbois, ou d'un machin dans le genre ? L'avion d'Iris atterrit à LaGuardia jeudi après-midi à 16 h 10. Elle passera le week-end sur place et rentrera lundi – elle doit être au labo mardi matin à neuf heures.

Pensées,
Marvin

•

31 juillet 1952

Cher Marvin,

Je suis impatiente de rencontrer ta fille. Par chance, je n'ai aucun projet en dehors de la ville pour le week-end, comme j'en ai parfois en été, et je serai là pour l'accueillir. Je crois qu'elle avait à peine deux ans la seule fois où je l'ai vue. C'est une très bonne chose qu'Iris comprenne si bien Julian – elle ferait sans doute un bien meilleur émissaire que moi, alors pourquoi n'est-ce pas le cas ? Je te trouve un peu cavalier de supposer que je peux entreprendre un autre voyage, au pied levé, sur un simple mot de toi. J'ai un travail, figure-toi, que tu l'estimes ou non.

b à t,
Do

•

3 août 1952

Do :

Je ne veux pas entendre parler de ton soi-disant boulot, ils ne se rendront même pas compte que tu n'es pas là. Tu fais ce que tu fais et tu es ce que tu es parce que tu n'as jamais eu le désir profond d'être autre chose. Iris est en plein dans sa thèse, je te l'ai dit, c'est du sérieux, c'est vraiment quelque chose – c'est une gamine ambitieuse, elle est sur des rails, elle termine toujours ce qu'elle a commencé.

C'est toi que je veux envoyer là-bas, j'ai donné mes raisons. Tu peux te dégager du temps – trouve-toi une remplaçante quelconque au syndicat des enseignants, ou que sais-je ? Comme je te l'ai dit, je te ferai savoir où se trouve Julian dès que nous aurons eu de ses nouvelles. En attendant, Iris te mettra à la page.

Marvin

4

Les rodomontades de Marvin, la fureur de Marvin pleine de contradictions et de dénonciations boiteuses. La bestialité de son langage, même lorsqu'il se croyait au comble du raffinement. Cette vieille, cette vilaine condescendance. Un aveu inconscient de désespoir : son fils était un cas difficile, en un mot comme en cent. Et cependant, il avait l'intention, d'un geste seigneurial, de l'envoyer, elle et pas une autre, de nouveau au front.

Marvin avait la folie des grandeurs. Comme il aurait été heureux, disait Do à Mrs Bienenfeld, qui enseignait l'histoire (c'était à l'heure du déjeuner, dans la salle à manger des professeurs), d'être le descendant d'un Bourbon ou même d'un Borgia. Un Lowell ou un Eliot auraient aussi bien fait l'affaire. Malheureusement il était le petit-fils de Leib Nachtigall, un blanc-bec misérable, originaire d'un village misérable de la province de Minsk, en Russie Blanche. Ce pauvre Marvin n'avait aucun lien avec la famille du tsar de toutes les Russies – à moins d'en avouer un plutôt négatif : grand-père Leib avait fui la conscription du tsar et effectué la traversée en troisième classe pour atterrir à Castle Garden et y entamer sa vie dans le Nouveau Monde, avec pour tout bagage une vieille besace en cuir. Marvin, le miraculeux Marvin, était l'œuvre miraculeuse de la miraculeuse Amérique. À présent, c'était un Californien convaincu. Et, à la stupéfaction générale, c'était aussi un tory (un républicain, en fait), un Bourbon américain, un Borgia américain ! Ou, si l'on tenait à descendre plus bas dans la gamme, un Lowell ou un Eliot. Si l'on insistait vraiment pour descendre plus bas encore – à peine –, on découvrait qu'il avait épousé une Breckinridge, la sœur d'un camarade de Princeton. Le sang de cette dernière était d'un bleu satisfaisant. Elle avait de la famille au département d'État.

Il se rendait rarement à New York – un voyage d'affaires de temps à autre ; les deux enterrements, à presque dix ans d'écart, de leur mère, puis de leur père. Do n'avait jamais vu le fils de Marvin. Elle avait aperçu Iris, l'autre enfant, une fois seulement, l'unique fois où Marvin avait amené sa femme et sa fille à l'Est, à l'occasion d'une réunion des anciens de son université. Iris et Julian, Do pouvait tout juste retenir leurs prénoms. À la naissance de Julian, elle avait expédié un cadeau ; la femme de Marvin en avait poliment accusé réception : « Tous nos remerciements pour vos bons vœux, et je suis certaine que Julian jouera beaucoup avec la jolie petite girafe » – quelque chose de cet acabit, sur un papier à lettres épais et parfumé, portant un cimier ridicule en haut à gauche.

Cependant Marvin avait conservé le patronyme ancestral, alors que Do, par égard pour ses élèves, avait opéré un autre choix : qu'auraient bien pu faire ces gros durs aux larynx new-yorkais d'un nom comme Nachtigall ? Dans les premiers temps, un croassement, un gargouillis, un éternuement, jusqu'à ce qu'elle eût renoncé – Nightingale avait cependant d'autres corollaires burlesques. Miss Titi Canari. Miss Coco-veut-un-gâteau. Miss Pie voleuse. Miss Rouge-gorge – ce dernier, en particulier, avait provoqué ricanements, éclats de rire, sifflets, et un dessin clandestin sur le tableau noir représentant un gros oiseau à lunettes avec une paire de protubérances en forme de ballons. En punition, elle ordonnait aux ricaneurs d'apprendre par cœur *To a Skylark*, l'ode *À une alouette* de Shelley, et les notait ensuite sur leur performance d'acteur. Et dire qu'elle en était arrivée là : une poésie comme punition ! La villégiature estivale n'aurait-elle pas dû représenter un antidote à tout cela, un petit plaisir bien mérité ?

« Mais, tu t'imagines, disait-elle à Mrs Bienenfeld, le culot qu'il a de m'obliger à retourner là-bas alors que je viens de rentrer chez moi. Il claque des doigts et s'attend à ce que je bondisse aussitôt. Comme si je n'avais pas de vie… »

Ces armoiries ! Depuis la rustre Californie, un cimier agrandi – un bouclier d'argent orné de deux sabres croisés émergeant d'une rivière verte. Un hommage au lignage remarquable de Margaret : Marvin les avait dégottées dans un livre d'héraldique écossaise.

5

L'air conditionné fonctionnait partout à plein régime, ronflant comme toujours. Il était huit heures. Elles avaient dîné sur des plateaux dans le salon, là où la machine produisait l'air le plus frais – œufs pochés sur toasts. Il y avait une carafe de thé glacé sur la table basse.

– Il fait aussi chaud qu'ici à Los Angeles ? demanda Do.

– Oui. Parfois plus. Comment c'était à Paris ?

– Pire. Horrible. À s'évanouir.

– Et tu t'es évanouie ?

– Non, mais j'ai bu des litres et des litres. Les gens de l'hôtel m'ont dit que c'était le pire été qu'ils aient connu en quinze ans. Tu es fatiguée par l'avion ou tu veux qu'on aille se promener ? Il fait encore jour. Je pourrais te montrer notre célèbre Upper Broadway.

– Je préfère rester ici avec toi, dit Iris.

– Nous n'avons pas besoin de nous y mettre tout de suite. On a encore demain et les deux jours suivants.

– Nous mettre à quoi ? Ah, oui… Julian.

– C'est pour ça que tu es là.

– Selon papa, oui.

Iris étira le cou pour regarder ce qu'il y avait autour d'elle.

– Ça fait combien de temps que tu habites seule ?

Intrusion ! Impertinence !

– Depuis le début de ma vie d'adulte, ou presque, répondit Do en réprimant son énervement.

– Je crois qu'en fait, je le savais. J'ai entendu dire que tu avais été mariée autrefois.

– Il semble donc que ton père pense beaucoup plus à moi que je ne l'aurais imaginé...

– Papa a parlé de ce mariage il y a très longtemps. Ça m'a marquée, parce qu'il ne parle presque jamais de sa famille.

– Et ta mère, elle parle de la sienne ?

– Pas vraiment. Mais elle ne peut pas éviter de le faire, parce que les gens en parlent tout le temps. Surtout de mon oncle qui est mort. Tu sais qu'il faisait partie du Congrès, il pensait se présenter pour la course aux présidentielles.

– C'est ce que les journaux disaient à l'époque.

– Je ne l'ai jamais rencontré, lui non plus.

La jeune fille avait une façon particulière de dégager les mèches de cheveux de ses yeux, un léger coup de tête à mi-chemin entre le tic et le frisson. Il n'y avait là pourtant rien qui pût trahir un manque de confiance en soi. C'était plutôt un signe d'audace : la saccade d'un poulain impatient. Ses cheveux étaient longs, ni clairs, ni foncés – un genre de bronze. Une qualité métallique, et lorsqu'elle les agitait, ils produisaient, de manière très assourdie, le bruit de piécettes prises dans un filet. Sa ressemblance avec sa mère évoquait une vieille photo floue, pour autant que Do parvînt à faire remonter à la surface l'impression quasi effacée qu'avait laissée en elle le visage de Margaret. Iris avait la même peau opalescente – une fumée blanche et fragile, un nez fin aux petites narines ovales, et de pâles iris. Iris : avaient-ils pensé aux yeux lorsqu'ils l'avaient nommée ainsi ? Ceux de sa nièce étaient plus éteints que vifs – des écrans. Elle avait le pouvoir de vous regarder sans que vous puissiez discerner ce qui se tramait derrière ce regard.

– J'ai pensé que pendant ton séjour, tu aimerais peut-être aller voir une pièce. Je nous ai réservé des places – un petit théâtre dans le Village. Ça te dirait ?

C'était de l'autodéfense. Qu'avait imaginé Marvin en lui confiant sa fille ? Qu'elle l'emmènerait se promener, voir une pièce, visiter les monuments, qu'était-elle censée faire avec cette jeune femme pleine d'assurance ? L'Empire State Building, le tour de la ville ? Comment occuper le temps, et combien de temps faudrait-il pour connaître les habitudes de Julian, comprendre sa situation… son âme ? Et à quelle fin ?

– Ces deux jours dont tu parles, dit Iris. En fait, je ne les ai pas.

– Mais c'est ce que m'avait dit ton père… Tu ne restes pas jusqu'à lundi ?

– Je pars demain. Je suis désolée pour les places de théâtre, si elles sont perdues…

– Demain ?

– Oui, et si ça ne t'embête pas de téléphoner à papa, je sais que d'habitude, tu lui écris, mais ça ne le dérangera pas de prendre ton appel en PCV. Surtout si c'est urgent. Tu n'auras qu'à dire que tu préfères me garder toute la semaine, et je te promets que je serai de retour vendredi.

Do prit une profonde inspiration.

– De retour d'où ?

– De là où est Julian. Tout est arrangé, l'avion et tout ce qui s'ensuit, mais j'ai besoin de ton aide. Si papa l'apprenait, il exploserait.

– Ton père m'a dit qu'il fallait que tu rentres pour tes cours, ça, c'est une chose. La seconde, c'est qu'il est hors de question que tu ailles seule à Paris…

Mais elle se rappela que c'était précisément ce qu'elle avait suggéré à Marvin : Iris dans le rôle de l'émissaire.

– J'ai l'argent du billet et pratiquement tout ce qui restait en plus. En traveller's chèques. L'argent que papa m'a donné pour toi en vue de l'opération de sauvetage : le ramener vivant.

– Tu ne sais pas où il se trouve.

– Maman et papa ne savent pas. Une lettre est arrivée, mais elle ne leur était pas destinée. Elle était pour moi. Je l'ai piquée dans le courrier, je fais ça tout le temps, ils ne l'ont jamais vue. De toute façon elle est en grande partie illisible, même pas écrite en français, une écriture bizarre, encore une blague de Julian – c'est un drôle de type, parfois.

– Je ne peux pas être complice de cette histoire. Je ne peux pas te laisser partir. Ton père t'a envoyée ici, tu ne peux pas te sauver…

– Je n'ai pas douze ans, et toi, tu n'as pas envie d'y aller. Tu as dit à papa que tu devais travailler, tu ne peux pas partir.

– Ce n'est pas si facile, bien que je ne comprenne pas tout. Pourquoi Marvin n'envoie-t-il pas d'argent à ton frère s'il en a besoin ? Pourquoi ne lui fiche-t-il pas la paix ? À quoi bon tout ce trafic d'ambassadeurs…

– Papa ne fiche jamais la paix à personne. Pauvre Julian… C'est à cause du scénario mis en place par papa. Je suis censée être la Marie Curie de la famille, et Julian… le bon à rien. Il ne se donne pas de mal, c'est un parasite, il n'a pas une once de pragmatisme, il ne sait pas ce qu'il veut, manque de concentration, il est trop émotif… et j'en passe.

– Et tu es vraiment Marie Curie ? demanda Do.

– Je n'ai pas la volonté de papa, personne ne l'a. Il me fait suivre les études auxquelles il avait destiné Julian, je suis la doublure de la vedette. Sauf qu'il n'y a pas de vedette.

Léger coup de tête, tic-frisson.

– Je veux dire, je me représente parfaitement le point de vue de papa. *Merlin* – c'est un magazine publié à Paris, tu connais ? Il est édité par une bande d'Américains là-bas, et Julian a écrit un article pour eux. Sur les pigeons.

– Les pigeons ?

– Oui, enfin, les colombes. « Les colombes du Marais », c'est comme ça qu'il l'a appelé. Ça parle de gens qui valent aussi peu que des pigeons, des nuisibles qui picorent dans les rues, toujours dans les pattes des autres, rejetés par tous. Et puis il a publié autre chose, un genre de poème, mais pas exactement, dans un gros volume appelé *Botteghe Oscure*. C'est une riche Américaine qui a fondé ça, une princesse, en fait, mariée à un véritable prince italien. Alors Julian nous a envoyé ces machins et papa est devenu fou et lui a écrit je ne sais quoi. Et depuis, Julian ne raconte plus rien de ce qu'il fait.

La jeune fille était en plein tumulte. Do se rendit compte qu'elle l'avait jugée un peu vite. Ce qu'elle avait pris pour la force d'une personnalité ardente, n'était que l'élan d'une feuille projetée par la tempête. Pour la première fois, elle remarqua la façon qu'avait la lèvre supérieure d'avancer légèrement au-dessus de la lèvre inférieure ; de profil, cela dessinait une petite protubérance arrondie. La bouche de Marvin ! Les liens du sang, une surprise après tout.

– Iris, dit-elle en ouvrant brusquement la main pour dissiper cet attendrissement, et si ton frère est heureux ainsi ?

– Papa envisage de lui couper les vivres. Il a déjà essayé. Le mois dernier. Mais Julian est tout à fait prêt à vivre d'expédients, sur la corde raide, et donc ça ne marche pas.

– Alors qu'est-ce qui te fait croire qu'il t'écoutera ?

– Il ne m'écoutera pas, je le sais très bien. Je veux le voir, c'est tout. Et je veux qu'il me voie. Je veux lui donner l'argent moi-même. Surtout si c'est la dernière somme qu'il reçoit. C'est pour ça qu'il vaut mieux que ce soit moi qui y aille, tante Do, mieux pour moi et pour toi…

– Pas besoin de m'appeler tante.

Un sursaut inattendu dans sa cage thoracique la surprit.

– C'est exactement ça. Qu'est-ce que tu représentes pour Julian ? Julian et moi n'avons pratiquement jamais su que nous avions une tante. Aller là-bas n'a aucun sens pour toi, quels que soient les arguments qui ont permis à papa de se convaincre que c'était une bonne idée. Il a l'impression de ne pas avoir d'autre choix, il dit que les affaires le retiennent, mais ce n'est pas ça. Il comprend… eh bien, il comprend qu'il a perdu tout pouvoir sur Julian.

– Et sur Iris, il en a encore ?

– Je ne suis pas différente de Julian. Je lui fais croire que je le suis. Ça m'a pris longtemps.

– De quoi faire ?

– De m'enfuir.

Elles se figèrent un instant. Puis la jeune fille se leva et se mit à faire les cent pas, de la bibliothèque à la fenêtre – alors que le soleil du soir commençait tout juste à basculer vers le crépuscule –, des vieilles affiches de Käthe Kollwitz sur les murs au divan à rayures et coussins bruns usés, pour finir par buter sur l'encombrement grotesque du piano à queue, d'une énormité hurlante dans cet espace modeste : un lion formidable dans une cage étriquée. En regardant la fille de Marvin examiner les entrailles de son passé (affiches de la boutique du musée, livres de poche à la couverture écaillée, piano dressé sur ses pattes épaisses, le doigt d'Iris tapant sur une touche), Do comprit, avec une acuité renouvelée, combien tout dans cette pièce éminemment familière semblait très certainement étranger et pauvre aux yeux de cette enfant de l'abondance. Sur les photos vantardes envoyées par Marvin, la grande maison de Californie ressemblait à un château aux allures d'hacienda de conquistador. Marvin le conquérant ! La jeune fille se rendit dans la chambre puis revint dans le salon : comme elle était lisse, comme elle était jeune, quelle étendue illimitée d'années immaculées devant elle, et qu'est-ce que c'était que ce fatras, se tança Do, si ce n'était de l'envie, une chose bien ordinaire chez une femme d'âge mûr ? Son corps entier ne valait pas mieux qu'un panier d'osier laissant s'écouler de rances désirs perdus. Ce fichu piano ! Ce fichu Léo !

Et à présent, cette intruse qui osait l'appeler tante. Tante ? Eh bien, que ça te plaise où non, endosse le rôle et joue ton texte comme il faut.

– Tu dois être fatiguée, dit Do. Tu peux prendre la chambre, je dormirai sur le divan. Il se déplie facilement.

– Je pensais plutôt aller à l'hôtel…

– Tu auras tous les hôtels que tu veux à Paris.

– Non, à Paris je dormirai chez Julian… Paris ? Tante Do ! Alors tu es d'accord ? Tu vas appeler papa ?

Une conspiration. De l'audace pure.

– D'accord, dit Do.

Elle ressentait une sorte de plaisir à désobéir à Marvin – non, à tromper Marvin.

6

La jeune fille partit le lendemain matin. Do l'accompagna à pied jusqu'à Broadway où, même à cette heure matinale – quand les immeubles sont encore gris de sommeil –, on était sûr de trouver un taxi. Iris avait refusé de prendre un petit déjeuner.

– Ça va aller, il y a toujours quelque chose à manger au terminal. Ou même dans l'avion...

– Et pendant ce temps-là, dit Do, ton père me mangera toute crue.

– Je me demande comment ça a commencé, papa et toi, pour que les choses en soient là...

Do jugea que cette question ne méritait pas mieux qu'un grognement.

– Mon frère ne m'aime pas, c'est tout.

– Mais pourquoi ?

– Ce n'est pas si inhabituel. Nous avons Caïn et Abel, Jacob et Ésaü...

Mais à cet instant, une loupiote jaune clignota près du trottoir, et Iris disparut. Un fantôme. Une visitation. Une brièveté ! Et sans un seul moment d'intimité. Une jeune étrangère qui s'en était venue et s'en était allée. Ou encore, s'en était venue, avait appuyé sur une touche du piano au hasard, et s'était dissoute avec le son.

Le coup de téléphone à Marvin s'avéra une véritable épreuve. Do avait anticipé des reproches et des mugissements ; la tactique habituelle de Marvin l'esbroufeur. Mais il se montra presque pacifique, jusqu'à être prévenant : pas d'humeur, semblait-il, à la manger toute crue.

– Parfait, dit-il, on dirait que vous vous entendez bien toutes les deux. Elle t'a parlé des magazines ridicules auxquels a collaboré mon garçon ? Ça ne lui a pas rapporté un radis. Il ne grandira jamais. Sa sœur en vaut deux comme lui, tu as vu. Bien sûr, qu'elle prenne quelques jours de plus, quel mal y a-t-il à ça ? Presse-la comme un citron, elle connaît son frère comme si elle l'avait fait, alors pas de problème pour moi, du moment qu'elle te fait son portrait, vous avez mon accord…

Faire son portrait ! Marvin crânait, une fois de plus, *Tu comprends bien que Margaret irait elle-même si c'était faisable, mais, comme tu n'es pas sans savoir, elle est quelque peu neurasthénique*, ou peut-être se lançait-il dans la pratique d'une langue nouvelle, qu'il croyait être celle de Do, la langue arrogante de la poésie : le chœur des oiseaux imbéciles. Elle ne pouvait l'accuser de satire ou même de sarcasme. On était bien loin de Princeton en souliers vernis, Marvin, au plus vrai de son être, était la voix de la rue. Il y avait une sorte d'innocence là-dedans : il était sérieux, oublieux, il s'efforçait honnêtement de lui faire plaisir, il avait décidé d'être conciliant. Il la voyait, l'espace d'un instant, comme potentiellement utile.

– Même si ça l'oblige à rater le labo ? fit Do, risquant le tout pour le tout.

À ce moment précis, elle avait rapidement fait le calcul, la jeune fille était dans les airs depuis déjà trois heures.

– Ne t'inquiète pas pour ma fille, elle rattrapera sans problème. Cette petite est capable de tout – écoute, si elle n'avait pas cet examen en vue, cette espèce de soutenance, je l'aurais envoyée faire le voyage elle-même. D'ailleurs, tu as eu la même idée. Mais deux ou trois jours de plus avec sa tante, ça me va, c'est un investissement. Plus tu passeras de temps avec Iris, plus tu auras les idées précises, et comme ça il n'y aura pas de trop grosses surprises quand tu découvriras ce que tu dois affronter. Alors laisse-la te mettre au parfum, ne la lâche pas, emmène-la faire du tourisme si ça peut aider, montre-lui la ville.

Pauvre Marvin, il était hors d'haleine, tâchant de rentabiliser au mieux le cas très, très difficile de Julian.

– J'ai pris des places pour une pièce de théâtre, dit Do.

Bel exemple de mentir-vrai. Afin de ne pas gâcher le deuxième billet, elle pensait inviter Mrs Bienenfeld. C'était *Othello*. Après le spectacle, si Mrs Bienenfeld en était d'accord (elle avait un mari et un fils adolescent à la maison), elles pourraient aller prendre un dessert dans un de ces petits cafés mal éclairés du Village : une bougie sur chaque table.

– Une pièce, pourquoi pas ? dit Marvin. Si c'était moi, j'aurais plutôt choisi une de ces comédies musicales qu'on donne à Broadway, j'ai entendu dire que *South Pacific* se jouait encore. Et, au fait, tu t'es arrangée pour ton congé ?

– Pas encore.

Poussière de trahison.

– Écoute, n'attends pas la dernière minute, je veux que tu te rendes sur place dès que nous aurons les renseignements. De temps en temps, il jette un os à ronger à sa mère, il lui parle du nouvel endroit où il loge. Il déménage sans arrêt. C'est comme ça qu'ils font tous. Je veux dire les traîne-savates dans son genre. Je veux que mon fils rentre à la maison, un point c'est tout !

Les mugissements reprenaient.

– Mes amitiés à Margaret, dit Do avant de raccrocher.

7

Au bout du compte – de quel compte, au fait ? ah, oui, elle savait, elle savait –, elle n'avait pas invité Mrs Bienenfeld à venir voir *Othello*. La représentation avait lieu dans une de ces caves réservées au théâtre d'avant-garde, situées dans une partie du Village encore considérée comme le Lower East Side. On descendait une volée de marches en pierre craquelées qui sentaient l'urine, canine ou humaine (des indices liés aux deux espèces jonchaient le sol : ici une crotte séchée, là un talon de soulier cassé avec un clou pointé vers le haut), pour pénétrer dans un antre obscur où des rangées de chaises pliantes défoncées faisaient face à une estrade. Des costumes de fortune fabriqués avec trois bouts de ficelle, des coulisses où l'on voyait les acteurs se débattre avec leurs perruques et leurs épées au moment d'entrer en scène. Et aussi une rangée comique de bouteilles de ketchup Heinz, noble sang shakespearien, reposant sur une étagère en bois. Le principe de ce genre d'endroits était de faire dans l'inattendu (le mot clé étant « subversif ») : le Maure interprété par une femme blanche au visage noirci, vêtue d'un pantalon bouffant, poitrine comprimée par un large bandeau de soie ; Desdémone jouée par un jeune Nègre barbouillé de rouge à lèvres et arborant une perruque blonde. Pour le reste, afin d'éviter les dépenses, l'histoire se déroulait à Manhattan, avec toile peinte représentant des gratte-ciel façon impressionniste, et acteurs en vêtements contemporains.

Donc – au bout du compte – elle déchira les deux billets. C'était à cause du piano : les corrélations étaient peut-être invisibles, mais elles étaient réelles, palpables et audibles. Audibles à l'évidence! Le piano avait appartenu à Léo; des années auparavant, il l'avait abandonné là. Pas pour toujours, disait-il, pour quelques semaines tout au plus – un jour, très bientôt, il enverrait des déménageurs le prendre. Do, de son côté, était une nullité musicale. Un chromosome sourd, une vertèbre manquante. Léo le savait en l'épousant: il appréciait cette caractéristique. Do, en y repensant (elle dérivait souvent dans cette direction, aujourd'hui encore), était convaincue que c'était cette absence essentielle, plus prononcée qu'une simple inaptitude, qui avait séduit son mari dès le début. Cela permettait à Leo de demeurer pur: elle ne risquait pas de le contaminer à force de vagues notions ou de louanges infondées. Le piano était son esprit, son esprit était le piano. Elle n'avait jamais touché l'instrument, sauf (bien sûr!) pour en épousseter les pieds, le chatoiement renflé du cadre. Son chiffon docile effleurait à peine les dents blanches et les rectangles noirs plus fins; elle n'osait pas déclencher le marteau secret à l'intérieur, évoquant la forme d'un pied dans une chaussette de velours, le crieur à l'origine du cri. Le piano était un territoire protégé. Elle n'avait pas le droit d'y pénétrer, en partie par ignorance, en partie par déférence. Le piano était l'objet d'un culte.

Et voilà que depuis l'éther, sans y avoir été invité, envahissant tout, ce corps étranger calamiteux, cette nièce inconnue, cette Iris à l'œil bleu indiscret, intrusif, avait actionné une touche et produit un son. Un son unique, solitaire, détaché, désolé. Chaste même. Alors que Léo avait en son temps fait jaillir des essaims déchaînés, des armées tonitruantes, des bataillons rageurs et hirsutes, des huées guerrières – avions de combat jetant des étincelles et plongeant en piqué, gigantesques tanks s'écrasant avec fracas sur des voies défoncées. Les bruits de dieux extatiques capables de tuer.

À cette époque, Leo était un beau garçon. Il n'y avait pas d'autre façon de le dire. « Joli garçon », l'expression consacrée, avait quelque chose d'extérieur et d'éphémère. La beauté de Leo était platonicienne, prise dans une théorie de l'univers et de sa réalité aléatoire.

Ses yeux ronds évoquaient le cycle des choses éternelles, et, quelques centimètres au-dessus, on découvrait les sillons légers et débutants d'un front ridé par l'intelligence. Il n'était pas très grand, mais ce détail ne faisait qu'attirer encore davantage l'attention sur sa tête. La tête bouclée de Leo paraissait plus grosse qu'elle n'était, à cause des cheveux très noirs qui se dressaient agressivement depuis les oreilles et le front, sans le moindre soupçon d'un châtain ordinaire, ni aucune trace de cette tendance vers le roux typiquement juive. Sous cette forêt hérissée de vagues noires, dont les renflements, les creux et les tourbillons étincelaient aussi sporadiquement qu'un feuillage au soleil, deux yeux d'acier vous observaient, vous jugeaient sans relâche. Le nez était d'une perfection sévère, comme tracé par une écolière ; juste au-dessous, le doux sourire. C'était cette contradiction déroutante : la bouche tendre couplée au regard impudent, strict et autoritaire de Leo, qui avait choqué Do, jusqu'à la faire tomber dans ce qu'elle avait du mal à admettre : un accès instantané d'engouement total. De son côté, il reconnaissait qu'ils étaient faits pour se rencontrer. Le destin était opposé à leur non-rencontre ; si l'on tentait de défier le destin, en particulier lorsqu'on n'habitait qu'à un pâté de maisons l'un de l'autre, on risquait l'implosion. Et tac, le sourire désinvolte.

Leo était le cousin de Laura Coopersmith, qui était une camarade de Do à l'université Hunter : les deux amies, en robe taille basse au-dessus du genou – nouveautés de l'époque –, étaient assises côte à côte en cours d'histoire et d'anglais. Laura s'était fabriqué une paire d'accroche-cœurs, chacun dessinant une virgule brune au centre de la joue. À son cou pendait un sautoir en fausses perles de chez Woolworth : c'était, disait-elle, « l'allure garçonne », copiée d'après les photos des échos mondains où l'on découvrait débutantes et vie nocturne. Elle ne souhaitait cependant pas pousser l'audace plus loin. Elle était déterminée quant à son avenir de professeur de lycée et avait choisi d'enseigner l'histoire parce que, croyait-elle, c'était un domaine factuel et objectif qui ne laissait aucune place à la discussion.

Elle admirait Leo autant qu'elle le détestait : lorsqu'il ne la taquinait pas, il l'ignorait. Il était originaire de la banlieue de Chicago et étudiait le piano à la Juilliard School. Afin d'arranger ses parents aux revenus modestes, il avait accepté de prendre pension dans la famille de son oncle à New York – le père de Laura et le père de Leo étaient frères. Ils étaient tous deux représentants de commerce, le père de Laura dans la papeterie et celui de Leo dans le textile. La musique, expliquait Laura, venait du côté de la mère de Leo. Elle avait espéré devenir chanteuse lyrique et avait donné autrefois un concert de lieder de Schubert au YMCA de Des Plaines. Quelque part dans l'héritage génétique de Leo survivait la trace d'un lointain ancêtre, chantre renommé. À en croire le folklore, les chantres, quand ils n'étaient pas des imbéciles patentés, étaient dotés d'une intelligence médiocre. Pareille diffamation ne pouvait s'appliquer à Leo. Il lisait Nietzsche et Aldous Huxley.

Do, à sa façon discrète, dissimula son engouement à Laura, qui n'aurait pu que se moquer de la vanité d'un tel sentiment : *Leo n'est pas fait pour les filles dans ton genre.* Les filles dans le genre de Do ! Les ambitions de Laura étaient maigres. En troisième année, elle se fiança à Harold Bienenfeld. Sa robe de mariée avait une traîne en dentelle de deux mètres de long. À la fin de la cérémonie, le garçon d'honneur, qui était également responsable de la cage de location, avait lâché quatre colombes blanches apprivoisées. Elles avaient tournoyé au-dessus des invités stupéfaits, avant de retourner docilement dans leur prison, dont le sol était jonché de fientes sèches.

– Je suppose que tu seras la prochaine sur la liste, dit Leo.

– La prochaine quoi ? fit Do, bien qu'elle le sût parfaitement.

Ils se tenaient côte à côte, près d'une sculpture en glace – deux sirènes enlacées – au pied de laquelle se trouvaient de grands plateaux ovales couverts de tranches de melon, couche sur couche de rose, d'orange et de vert, rehaussées de fraises gonflées, encore attachées à leur tige feuillue. Les fraises ressemblaient à des organes fraîchement prélevés d'un coup de scalpel dans un ventre non anesthésié.

– Fiancée, épouse, mère, professeur.

– Et pourquoi pas chef indien plutôt ? répliqua Do.

– Il ne peut pas y avoir deux chefs dans la même tribu.

– Qui est l'autre ?

– Ton frère, le prince Marvin. Sauf que c'est une autre sorte d'Indien, un maharadjah de Princeton. Toi, tu es la pauvresse qu'on envoie à l'université publique, gratuite.

– Marvin est bon en maths. Il a reçu une bourse.

– Et toi, tu es bonne en quoi ? demanda Leo.

Elle était presque certaine qu'il ne l'asticotait pas. Il semblait à la recherche d'informations utiles. Mais il y avait une autre hypothèse – celle qu'elle craignait : tout ce qu'elle pourrait dire ne signifiait rien pour lui, ce n'était que du bavardage pour passer le temps.

À dix-neuf ans, Do était sincère.

– Je veux laisser ma marque dans ce monde, lui dit-elle.

À l'instant où ces paroles franchirent ses lèvres, elle se sentit humiliée.

– Une aspiration aussi admirable que son expression est banale, répondit Leo en la poussant légèrement dans le dos d'un geste impatient. Allez, viens, c'est une valse, même s'ils jouent avec leurs pieds. Des babouins à l'harmonica, quelle importance ?

Banale : devait-elle se vexer ? La sincérité était risquée. Il la jugeait à l'aune de sa cousine Laura, des deux sirènes enlacées (« Saphistes », avait-il marmonné), de l'orchestre bas de gamme ; il la jugeait à l'aune d'Harold Bienenfeld qui allait prendre la suite de son père dans son cabinet de comptable. Si on a l'intention de laisser sa marque, comment peut-on l'exprimer autrement ? Mieux vaudrait ne jamais l'avouer. Si on le dit, on se rend forcément ridicule.

À la fin de la danse, il la fit basculer vers l'arrière d'un coup, une figure qu'elle n'avait vu exécuter que dans des films. Ce mouvement rapide de bascule, qui l'avait projetée de tout son long vers le bas, la tête à quelques centimètres du sol, pour la faire aussi soudainement remonter et se blottir dans la caverne chaude des longues manches de veste de Leo, la fit sombrer dans un vertige momentané. Le visage de Leo tournoya devant ses yeux.

– Ta marque ? Quel genre de marque ? – comme si de rien n'était. N'importe laquelle ou tu as quelque chose de plus précis en tête ?

Une vague de nausée. Elle inspira longuement, dans l'espoir de réprimer la bulle de gaz qui se frayait un chemin le long de son gosier.

– Parce que, poursuivit-il, je suis à fond pour l'explicite. Il faut que tu saches, et il faut que tu saches que tu sais. Beethoven et le vingtième siècle, par exemple, c'est moi. Stravinsky peut-être. Hindemith peut-être. Appelle-moi Dr Faustus, ma puce. Capitaine de mon destin.

Elle vit que sous la moquerie – qu'il lui adressait et s'adressait à lui-même – il était aussi déterminé que Marvin, le maharadjah de Princeton. Mais il n'était qu'un pauvre garçon de Chicago coincé chez la famille de son père, dans un cinquième sans ascenseur du Bronx. Laura avait dit à Do qu'il dormait sur un canapé convertible dans la salle à manger et que, le matin, il était dans les pattes de tout le monde.

– Tu ne danses pas trop mal, admit-il. J'ai connu pire. Mais tu n'entreras jamais au Bolchoï, alors quoi ? Qu'est-ce que tu as en tête ?

Il ne perdait jamais le fil, aussi ténu fût-il. Il ne laissait rien de côté, il allait jusqu'au bout. La chaleur dans sa voix – était-elle artificielle, enflée ? Quoi qu'il en soit, elle capitula.

– Tu vas rire, dit-elle, parce que j'ai eu des idées différentes à différents moments, mais elles reviennent toutes au même. Parfois, j'imagine que je pourrais travailler comme correspondant à l'étranger, ou même comme détective, j'irais enquêter partout pour tout comprendre. D'autres fois, je penche vers l'archéologie, je déterrerais des secrets oubliés par tout le monde. Mais plus récemment... elle déblatérait, et aurait-elle l'audace ?... j'ai pensé constituer une sorte de dictionnaire.

– Miss Samuel Johnson, lexicographe. Enchanté de faire votre connaissance.

Quel soulagement : il ne riait pas. Au lieu de ça, il l'examinait, comme si elle avait été un insecte ou un oiseau inconnu, une espèce de racine bizarre mais réputée comestible.

– Mais Miss Johnson, m'dame, on ne peut pas s'empêcher de constater que ces projets n'ont rien à voir les uns avec les autres…

– Au contraire, ils sont exactement semblables. On part de quelque chose de caché pour aller vers sa mise au jour. Je veux dire, ce ne serait pas un dictionnaire de mots, rien de ce genre. Rien qui ait déjà existé.

– Sur la forme des nuages, par exemple ? Éléphants, girafes, chaussures, cheminées surmontées de fumée, tartes, gâteaux, fromages. Ballons, bien entendu. Thon en boîte ou hors boîte, avec des petits dessins de nuages tout autour. Et pourquoi pas un dictionnaire des escrocs célèbres, des tueurs en série, disons, par ordre alphabétique…

– Si tu le prends comme ça, dit-elle (tandis qu'une rafale de panique lui brouillait les yeux), je me tais. Mais elle se contredit aussitôt : Un dictionnaire des sentiments. Des humeurs. Des odeurs. Des sentiments que tout un chacun a éprouvé un jour sans pouvoir mettre de nom dessus. Écoute, s'écria-t-elle, tu ne peux pas te moquer de tout ce qui existe !

– Je peux me moquer de tout ce qui n'existe pas. Selon moi, dit-il avec douceur, tu es sur la bonne voie pour devenir une enseignante de lycée parfaitement quelconque. Spécialisée en littérature anglaise… avec toute cette sensibilité.

– Et toi, répliqua-t-elle du tac au tac, tu n'es qu'un faux prophète parfaitement quelconque. Et le pire, c'est que tu n'es pas sur la bonne voie, tu es déjà arrivé à destination.

Elle avait honte : pourquoi n'avait-il pas entendu ce qui battait, incandescent, sous le flot malheureux de ce galimatias incontrôlé ? C'était incomplet ; pire que des nuages, ça n'avait pas la moindre forme. *Je veux laisser ma marque.* Ce n'était pas vraiment ce qu'elle voulait dire, c'était banal (oui !), un fantasme, un poème atrophié ; elle était coupable. Le problème quand on aimait la poésie (et elle l'aimait, elle l'aimait immensément), exhalant les mots presque à voix haute, mais principalement dans un souffle afin que personne n'entende ce murmure pathétique et grotesque, c'était qu'on s'enflammait, on se mettait à vouloir que sa vie sur terre compte, comme le poète et le poème comptent. *Ah mon amour, soyons fidèles l'un à l'autre. Le monde, bien qu'il semble s'étendre devant nous comme un pays de rêve aussi varié que beau et neuf*... Une marque, une marque, une encoche dans l'histoire, une trace – même (oui, même!) si ce n'était pas la sienne. Elle la ferait sienne; oui, c'était cela qu'elle recherchait: être attachée, de façon intime, à un miracle, une force, un prodige, l'autre côté de la lune, là où les mortels ordinaires jamais ne vont. Ou sonder le cœur même du soleil! La grande salle obscure était surchauffée: corniches dorées, murs de miroirs, chandeliers ternes faisant fleurir de grosses bougies électriques, statuettes de divinités sur des piédestaux cannelés. Un chanteur arborant une houppe gominée geignait lentement dans un micro, étirant les voyelles comme du caramel mou. L'orchestre se lança ensuite dans un fox-trot; les couples se collaient, épaules et hanches pressées, les nœuds papillons des hommes se défaisaient, les aisselles des femmes suaient. Et voilà que le gâteau de mariage faisait son entrée sur un chariot roulant, tel un invité paralytique arrivant en retard, et magnifiquement orné – quoique à l'excès – de franges et de pompons. Au sommet se dressaient, bien raides, les petits mariés en sucre aux yeux de jouets minuscules taillés dans de la réglisse. Une enfant, vêtue d'une longue robe rose et portant une guirlande dans les cheveux, accourut, s'empara des yeux pour les sucer et les recracha presque aussitôt. La sculpture en glace fondait rapidement. Personne ne s'en souciait; sa gloire était passée, et Leo, qui traînait là, mit la main à plat sous la queue froide et dégouttante d'une des sirènes, recueillant l'eau qui tombaient avec la régularité d'un métronome. Do le sentait brûler tout près d'elle; c'était comme si la main de Leo avait pris feu et qu'il dût la refroidir au contact de l'eau glacée. Regardant tout autour d'elle avant de fixer ses escarpins de soirée en satin bleu, si pointus qu'ils lui écrasaient les orteils, elle comprit qu'il était fait de soufre – il était comme une allumette, il pouvait faire naître des flammes !

L'un comme l'autre méprisaient le mariage de Laura.

Il commença par l'emmener à des concerts d'étudiants. Parfois il jouait lui-même dans le programme, mais peu souvent. Il se plaignait de ne pas progresser assez au piano – les salles de répétition de la Juilliard étaient trop demandées, les listes d'attente trop longues, il manquait de temps. Il y avait bien un piano chez son oncle (Laura avait pris des leçons quand elle était petite), mais c'était un piano droit d'occasion, complètement désaccordé et qui ne convenait pas. Il s'était entraîné quand même dessus, grimaçant lorsqu'une note sonnait faux, jusqu'à ce que sa tante se mît à hurler qu'elle ne pouvait pas supporter ce boucan une minute de plus, ses oreilles sifflaient et les voisins l'avaient avertie que le vacarme les empêchait d'écouter leurs émissions préférées à la radio.

– Regarde un peu mon imbécile de cousine, dit-il à Do. Elle et son idiot de Mister Débit-et-Crédit ont trois pièces rien qu'à eux, et moi, qu'est-ce que j'ai ?

– Le lit de Laura, répondit promptement Do. Au moins tu as quitté le canapé. En plus, ils peuvent se le permettre, Harold a un emploi et Laura passe son diplôme…

– Il me faut un endroit à moi. Il me faut un instrument digne de ce nom. Un grand queue, et l'espace pour l'accueillir.

– Tu pourrais peut-être changer, non ? Choisir un instrument plus petit, et… portable.

– Portable ? Fourre-le dans ton sac et emmène-le partout avec toi. Pourquoi pas un kazou ? Un kazou me conviendrait parfaitement, je pourrais même le glisser dans ma poche. Et pourquoi pas un sifflet ? Jouer Bach au brin d'herbe, ça ne coûterait pas un centime. Je pourrais m'asseoir dans un placard pour m'entraîner et ça ne dérangerait personne. Ou un hautbois, c'est une idée du maharadjah, ça, ne me dis pas le contraire…

C'était le hautbois qui l'avait piqué au vif – un sarcasme de Marvin ; non que Marvin eût été capable de faire la différence entre un hautbois et un orgue de Barbarie actionné par un singe. Le mot lui-même, ridicule : hautbois, hautbois, un bêlement de singe, un écho de la jungle. Marvin avait depuis longtemps déclaré la guerre à Leo. Leo, disait-il, n'allait nulle part, et que pouvait-on attendre d'un hautbois de toute manière, que pouvait-on attendre d'un type pareil ? Deux ans plus tôt, Marvin avait été intronisé par la très élitiste fraternité universitaire Kappa Bêta Kappa ; il était aux anges. C'était la première fois qu'ils acceptaient un boursier comme membre, sans parler d'un juif répondant au nom de Nachtigall. Un Lehman, un Schiff à la rigueur, le sang bleu des anciens Hébreux. Il n'avait pas le physique, il n'avait pas l'argent, il ne parvenait pas tout à fait à comprendre pourquoi il avait été élu (c'était d'ailleurs ainsi qu'ils l'appelaient, « l'Élu »), et il était vrai qu'ils faisaient bon usage de ses services, sans pour autant en abuser – il donnait des coups de main en maths et en chimie, et rédigeait parfois leurs devoirs, dans cette prose ampoulée et faussement prétentieuse dont il supposait qu'elle plaisait à leurs professeurs. Elle lui plaisait aussi à lui, et il l'avait essayée dans des lettres adressées à la sœur de Breckinridge. Il était une commodité à lui tout seul, un tuteur maison. Il soupçonnait que sa fraternité n'était pas la seule à avoir admis un juif dans ses rangs à des fins utilitaires, mais il en repoussait l'idée : c'était trop mesquin, d'une mesquinerie qu'il convenait de dépasser. Si venir en aide (il refusait le mot « servir ») était le prix à payer, cela valait le coup, c'était un investissement susceptible de rapporter dans le futur. Et, dans l'immédiat, il retirait un bénéfice de leur fréquentation : il observait leur manière de s'habiller, de parler, les chaussures qu'ils portaient, le pli de leur pantalon, la lassitude qu'ils manifestaient entre deux syllabes. Il apprenait à boire comme eux, avec gaieté et exubérance. Ils étaient tous de *jolly good fellows*. Quand ils buvaient, ils le taquinaient : ils l'appelaient l'Élu, Fils de quincaillier ; et parfois – avec tendresse, dans un style propre aux fraternités – Fils de juif. Et d'autre fois, pas si tendrement que ça, ils lui disaient : *Qu'aimerais-tu pour ton petit déjeuner ? Des bagels, des knishes ? Ou bien le sang d'un petit chrétien ?* Mais ils l'avaient accepté ! Lui, le petit-fils d'un immigrant qui vendait des marmites et des casseroles. « Et toi, disait-il à Do d'un ton de reproche, tu veux te mettre à la colle avec un hautbois. » Kappa Bêta Kappa – les trois lettres grecques initiales de courage, bravoure, conquête – aiguisaient sa capacité à injurier. Depuis le tout début, Marvin n'avait rien compris à Leo.

Il faut dire que Leo était du vif-argent : Do avait du mal à le suivre. « Quoique, si je dois vraiment me débrouiller avec un brin d'herbe », lui lança-t-il avant de changer de cap en affichant son sourire de côté. C'était le type d'autosatisfaction qu'elle avait fini par identifier chez lui : il était têtu, il avait une tendance à ce qui, de temps à autre, la frappait comme relevant du fanatisme. Mais Marvin aussi était un fanatique dans son genre, il s'était décidé pour un parcours ascendant sans détour. Il était perspicace, jouait des coudes, était en campagne. Il gardait un œil sur la sœur de Breckinridge. Il y avait de l'argent par là, et une défiance qui n'était pas sans séduction, une façon calme et presque réprimée de l'observer, lui, à la dérobée, en faisant semblant du contraire. Marvin ne convoitait pas l'argent – il comptait en gagner par ses propres moyens –, c'étaient plutôt la timidité et le calme qui l'attiraient, Margaret en robe blanche, la tête baissée, levant à peine les yeux vers lui d'un air interrogateur, anxieux et plein de nervosité. Elle gardait sa serviette pliée façon tricorne sur les genoux. Un bouton de fleur, trois pétales à peine, ornait ses gants.

Le parcours de Leo était étrangement, presque mystiquement, intérieur – ce n'était pas du tout un parcours en fait, c'était le contraire, quelque chose d'indéfinissable, connaître ce parcours, c'était ne pas le connaître, c'était la cadence d'une rivière, un trait de lumière qu'il suivrait, car il était inconstant, protéen, il n'était pas pour l'explicite après tout, il était illuminé ! Il expliquait que l'instrument en lui-même importait peu, que tous les instruments du monde se joignaient dans une clameur opératique qui envahissait son cerveau ; des orchestres entiers. Il n'était pas né pour régurgiter ou pour copier – il n'était pas destiné à devenir un musicien comme les autres, quel que fût leur talent (là, il reniflait une pleine narine de mépris) pour « l'interprétation ». Ils n'avaient qu'à interpréter comme bon leur semblait, tous ces praticiens de la musique, ces mécanos inspirés : lui, il était la corne d'abondance qui nourrissait leurs cors, leurs clarinettes, leurs tubas, leurs flûtes, leurs violoncelles et leurs violons ! Il était le faiseur de tonnerre qui commandait à la grosse caisse, aux tambours, aux cymbales ! Eux n'étaient que les doigts, les langues, les poumons, les mains ; les créatures des notes, de la partition, la peau des choses. Lui, il était un prophète – leur Wagner, leur créateur, leur dieu. À ce qu'il prédisait, ils devaient obéir. Il était la chose en soi – la vibration qui s'élevait en vapeur d'un chaudron sur le feu attisé par des démons, ou encore d'une tornade soulevée par la course d'une armada de divinités. Il allait composer des symphonies, ne le comprenait-elle pas ?

La pauvre Do protestait, arguant qu'elle le prenait au mot, mais, justement, ne se contredisait-il pas lui-même : s'il n'avait pas besoin de piano, alors pourquoi…

– Ne me dis pas que nous sommes revenus à cette histoire de kazou dans la poche ? Ton célèbre principe de portabilité ? Écoute, Do, fit-il, courroucé, un homme ne vit pas seulement selon les règles du tao. Il y a aussi un principe de réalité. Il faut que j'aie un piano, un Baldwin à la rigueur, mais plutôt un Steinway, j'ai besoin d'un endroit à moi – combien de fois vais-je devoir le répéter ? Surtout alors que tu es en position de m'aider et que tu ne fais rien.

Do, en position de l'aider ?

– Tes parents, dit-il.

– Ils sont au magasin toute la journée.

– Ce gourbi ? À entendre ta mère, on croirait qu'elle est dans l'acier, qu'elle règne sur un empire.

– Ma tante pense que ce serait le cas si on la laissait faire.

« On » n'était autre que le père de Do. La mère de Do avait la bosse des affaires. Elle était ambitieuse; son mari ne l'était pas. Il était satisfait de son héritage modeste, produit de l'ascension sociale de son père, qui était passé de colporteur – porte-à-porte avec trois monstrueuses valises remplies de couteaux, louches, spatules, ouvre-boîtes, tamis, poêles à frire, tournevis, pinces, et même services à thé – à boutiquier. La mère de Do avait fait poser une grande enseigne au néon qui se balançait en grinçant, écarlate, sur un bras en métal : L'EMPIRE DE LA MAISON AMÉRICAINE. Mais, au-dessous, ce n'était que la petite quincaillerie sombre de Leib Nachtigall, malgré ce nouvel éclairage fluorescent. Les parents de Do connaissaient chaque clou, chaque rondelle, chaque crochet rangés dans de minuscules tiroirs à l'intérieur de grands placards en bois alignés le long des murs sombres. Sa mère espérait pouvoir un jour agrandir le magasin; elle projetait d'acheter le commerce vacant qui jouxtait le leur. Mais son père s'y opposait : une boutique, c'était assez, disait-il. Il était communément admis (par les trois tantes de Do, les sœurs célibataires de sa mère) que Marvin avait hérité sa détermination d'une mère frustrée dans ses ambitions. Abonnée au *Cutlery Courier* et au *Hammer & Saw Digest,* deux magazines spécialisés, elle rêvait de fonder une chaîne de quincailleries, tandis que le père de Do, dès qu'il y avait un creux à la boutique, se retirait dans un recoin privé pour lire George Meredith et Henry James. Les creux étaient fréquents.

– Pas la peine d'en faire autant que Laura, dit Leo. La foule, l'extravagance de la robe, le gâteau absurde, ces oiseaux à la noix, les placeurs, les demoiselles d'honneur, mon Dieu, la fillette avec le bouquet, le petit garçon d'honneur avec la bague, un son et lumière, une parade, une cavalcade, une kermesse, tout ce bordel fantasmagorique...

Les afféteries de Leo. *Bordel,* vraiment ?

– Leo, de quoi tu parles ?

– De parcimonie, ma chère, d'un bordel de parcimonie. On saute la cérémonie et on garde la lune de miel.

C'était donc une demande en mariage. C'était aussi une directive. Do devait convaincre ses parents de renoncer aux salons de mariage habituels avec tout le tintouin (pas de parade, pas de cavalcade !). Le coût de toutes ces imbécillités équivalait peu ou prou à celui d'un Steinway à queue, d'occasion, certes – mais, quoi qu'il en soit, Leo connaissait quelqu'un à la Juilliard qui connaissait quelqu'un chez Steinway qui pourrait lui avoir un bon prix sur un neuf. Tout ce qu'il leur faudrait, c'est une pièce assez grande pour contenir l'instrument, une glacière et un réchaud, rien de plus. Pour le loyer, Do devrait faire comme Laura et enseigner. Tout cela était raisonnable et pratique ; fondé sur un pur et simple principe de réalité.

– En plus, remarqua Leo, tes études supérieures n'ont pas coûté un sou à ta famille, ils te doivent donc quelque chose, non ?

– Leo, je ne veux pas enseigner.

– Qu'est-ce que tu pourrais faire d'autre ? De toute façon, ce ne serait que pour une petite période, le temps que je me lance.

– Est-ce que les compositeurs finissent forcément par se lancer ? demanda-t-elle.

– Celui dont je parle y parviendra, dit-il.

Cette fois, c'était le principe de certitude qui s'appliquait.

Dans leur nouvel appartement minuscule (mais Leo préférait l'appeler « mon atelier »), le père de Do apporta des cartons pleins de choses utiles : un assortiment de couteaux de cuisine, une demi-douzaine de casseroles en aluminium, de la plus petite à la plus grande, une série de flacons à épices à couvercle d'argent, un minuteur pour les œufs, un moulin à poivre, une paire de ciseaux, une planche à découper, une bouilloire, une passoire, une cocotte-minute, une cruche et trois grandes bouteilles d'encaustique. Il contempla le piano avec respect – ce n'était pas un Steinway, finalement, mais il était à queue et avait coûté suffisamment cher. Où que l'on allât, il barrait la route. Pour atteindre le lit, il fallait contourner le piano. Le lit était un cadeau des tantes, qui s'étaient senties lésées : c'était irresponsable, c'était inconvenant – faire ça en vitesse à la mairie, sans la moindre cérémonie, sans la famille, sans fête de mariage ! Les tantes se disaient que, de même que Marvin avait hérité de sa mère, Do ressemblait trait pour trait à son père ; quant à celui-ci, il estimait que le piano constituait la dot de sa fille. Cela lui procurait un frisson voilé, comme la réminiscence d'un conte ancestral.

– Eh bien, Do, dit-il, on dirait que tu as épousé un futur concertiste, alors n'oublie pas de bien nourrir le bois. Ce serait dommage de laisser un si joli bois se dessécher.

La mère de Do laissa échapper un soupir exaspéré.

– Concertiste, mon œil, ce ne sont que deux gamins sans cervelle, ils ne savent pas ce qu'ils font. Puis elle ajouta, à voix basse, mais Do l'entendit : Marvin s'en sortira mieux.

Ses parents furent bientôt partis. Il était rare qu'ils s'absentent ensemble du magasin ; l'un ou l'autre restait toujours pour garder la boutique et servir un client éventuel à la recherche d'une clé à molette.

Leo se jeta sur le lit et attira Do à ses côtés. Ses orteils étaient à quelques centimètres du flanc noir du piano.

– Le voyeurisme virginal, c'est vraiment dégoûtant, dit-il.

– De qui tu parles ?

Presque tout ce que disait Leo était nouveau pour elle, et inattendu.

– Des sœurs de ta mère, ces vieilles filles. Pourquoi crois-tu qu'elles nous ont offert un lit ?

– Par générosité, dit Do avec courage. Elles n'ont pas beaucoup d'argent, mais elles ont entendu dire que nous avions besoin de meubles…

– Et pour quelle raison faut-il toujours que tu parles d'argent ?

Quelle injustice ! C'était Leo qui était obsédé par l'argent, autrement pourquoi l'aurait-il poussée à suivre les traces de Laura dans cette école épouvantable ? Ces jeunes brutes sauvages aux voix rauques qui planchaient sur des moteurs pleins de graisse, pourquoi se passionneraient-ils pour *Sire Gauvain et le Chevalier vert*, et comment pourrait-elle jamais parvenir à les y intéresser ? Le directeur avait accepté d'engager Do alors qu'elle n'avait aucune expérience ; il avait le besoin urgent d'une enseignante d'anglais. Et, comme Leo l'avait promis, c'était le salaire de Do qui permettait de payer le loyer de leur atelier.

– Dieu sait, persista-t-il, ce que ces vieilles bonnes femmes lubriques s'imaginent qu'on va faire dans leur lit…

Do n'avait jamais imaginé ce que ses tantes pourraient imaginer.

– Alors je vais te montrer, dit Leo.

Le lit et le piano, le piano et le lit : Do avait l'impression que le piano, à proximité brûlante du lit, enfiévrait le matelas jusqu'à des paroxysmes imprévisibles. Elle ne pouvait dire quand il se déclencherait ; chaque fois c'était pareil, et chaque fois différent. Le piano était un délire, un maelström. Le piano la secouait et la bousculait ; il l'avalait et la recrachait. Il était insidieux, il nageait dans son sang puis la vomissait comme un corps étranger. Leo, chevillé à ses touches, inventait tous ces sons : ils étaient, disait-il, le fracas de ses pas s'écrasant au milieu d'un désert, il se frayait un chemin dans un bosquet grandiose où personne avant lui n'avait pénétré, il escaladait les hauteurs jusqu'à un pic jamais découvert et aussi périlleux que l'Everest, ou encore il cheminait sur la pointe des pieds, soporifique comme une berceuse, ou bien aussi explosif que vingt tonnes de TNT. Il disait à Do de prêter l'oreille aux détonations des armes à feu et au rugissement des machines de guerre, aux hurlements aigus des avions qui tombent en piqué ou aux lamentations des femmes. Il était en guerre avec le piano ; le piano était en guerre contre lui-même. Puis il s'effondrait sur le lit, coureur épuisé de retour d'un royaume lointain bruissant de canonnades.

Do se rendait chaque matin dans sa classe. La salle sentait la sueur masculine, les postérieurs exhalant des fumets désagréables, les sandwiches au saucisson, la gomme des baskets, et, plus vaguement, l'urine. La bière aussi. Les muscles brutaux des jeunes gens s'arrondissaient sous leurs chemises à manches courtes. Leurs voix sombres produisaient un vacarme bleu-noir. *Jules César* les faisait rire, alors elle essayait *La Chevauchée de Paul Revere* par Longfellow. Ils riaient aussi.

Leo commença à grommeler à cause des journées qu'il passait à la Juilliard.

– Mais tu m'as dit que l'entraînement comptait beaucoup, que cela te permettait de rester concentré, contra Do.

– Pas concentré, entravé. Je me sens étriqué, comme un infirme là-bas, je ne peux pas respirer. Cet endroit est un caveau, sans air, c'est la faute de personne, c'est simplement qu'ils ne savent pas comment s'y prendre avec les gens originaux.

– Mais la plupart des compositeurs ne sortent-ils pas d'une école de musique ?

– La plupart ? Tu as bien dit « la plupart » ? Bon Dieu, Do, les vrais, les bons, ne poussent pas en grappes, Juilliard n'en forme pas une douzaine par an, ça arrive une fois toutes les cinq générations, pourquoi refuses-tu de le comprendre ? « École de musique », charmant, j'adore que tu utilises ces mots. École de musique, école pour mécanos, bonnet blanc et blanc bonnet, ce que j'ai en tête toute la journée n'est pas différent de ce qu'il y a dans la tienne, c'est ça que tu essaies de me dire…

– Bon, qu'est-ce que tu veux faire ?

– Faire ! C'est exactement ça, je veux faire, je veux faire pour de bon, arrêter de faire semblant, comme si j'étais un pauvre âne bâté de la composition qui essaie de se ménager une place, alors que j'ai déjà une place. J'y suis, je le sais, je sais que j'ai ça en moi, j'ai mes idées. Gershwin, Schönberg, Cage, ne crois pas que je ne suis pas à leur niveau, que je ne suis pas à la hauteur. Tu peux parier ta vie que j'ai bien l'intention de les surpasser…

Leo déblatérant, Leo roucoulant, déroulant sa bobine, mi-satirique, autoséduit. Dissimulant ce qu'il voulait vraiment dire en exprimant ce qu'il voulait vraiment : laisser sa marque, elle le voyait, elle le croyait, cela n'avait rien à voir avec ses propres fantasmes vaporeux, auxquels elle avait renoncé d'ailleurs, oh, facilement, si facilement, ils s'étaient évaporés, ne laissant pas même une traînée derrière eux ; ses fantasmes n'étaient rien d'autre qu'un dictionnaire de nuages.

Le discours de Leo n'était qu'artifice, caquetage et plumes au vent ; mais (elle en avait la conviction) cela masquait les détonations de sa volonté. C'était aussi tortueux et fabriqué que le fracas de la musique dans sa tête.

C'est pourquoi, en fin de compte, Do déchira les billets. L'aplomb de cette fille, cette soi-disant nièce : une étrangère, une intrusion, une invasion. Une violation ! Ces yeux réservés et vagabonds, ce doigt désinvolte et usurpateur qui avait osé produire une note, n'importe quelle note, une touche interchangeable avec une autre, un poison aussi amer que n'importe quel autre, une transgression, une violation ! Laura aurait été accommodante, elle était toujours prête à rendre service, mais que signifiait *Othello* pour elle ? Laura et Harold préféraient le cinéma ; ils y allaient souvent.

Do aussi y allait, mais seule, clandestinement : elle avait ses raisons.

8

14 août 1952

Chère tante Do – tu ne veux pas que je t'appelle comme ça, mais c'est dur de changer. Je t'ai toujours considérée comme la tante inconnue, et peut-être m'as-tu toujours considérée comme la nièce inexistante. Quand j'ai fait irruption chez toi à New York (j'imagine que c'est l'impression que ça t'a fait), nous n'étions pas très à l'aise l'une avec l'autre, tu ne trouves pas ? Ça n'a duré qu'une soirée, et même si ça peut sembler déraisonnable et égoïste, je voulais vraiment que tu me connaisses un petit peu, du moins assez pour pouvoir me défendre. Qu'as-tu bien pu penser quand je n'ai pas réapparu vendredi dernier, alors que c'était ce que j'avais promis ? Une semaine entière s'est écoulée et je me demande si tu as eu des nouvelles de papa, ou s'il en est resté à la version que tu as mijotée pour lui, une jolie fable bien rassurante sur le fait qu'il te fallait plus de temps pour obtenir tous les détails concernant Julian.

Ce que j'espère maintenant, c'est que tu vas m'aider à refourguer un autre gros mensonge à papa, histoire qu'il nous laisse tranquilles, sauf que je n'ai pas la moindre idée de ce que ça pourrait être. Je sais qu'il va s'effondrer et, la vérité, c'est que je ne peux pas le supporter. Alors je te laisse le soin de le faire à ma place, et pour ça, je compte sur ce fameux sens de la famille dont papa a soudain découvert qu'il existait en se souvenant de sa sœur perdue de vue depuis des lustres. Tu as vu le cachet de la poste, et tu as donc compris que je n'ai pas quitté Paris. Je ne compte pas rentrer, en tout cas pas dans l'immédiat, je le savais quand on s'est vues, et tu as raison de penser que je suis la plus horrible dissimulatrice qui soit, mais il fallait absolument que je trouve un moyen de partir sans avoir mon père sur le dos. Je suis avec Julian et Lili (Julian nous appelle les Botaniques, elle et moi, le lilium et l'iris), et je ne peux pas te dire combien de temps ça va durer – il y a beaucoup de choses à comprendre. Je ne peux pas tout expliquer dans cette lettre, vu que je veux finir par la poster, et je sais que j'aurais dû t'écrire il y a déjà plusieurs jours. S'il te plaît, ne m'en veux pas trop, c'est juste que c'est tellement compliqué ici, plus que je ne l'aurais jamais imaginé. Quoi que tu puisses faire du côté de mon père, je t'en serai éternellement reconnaissante.

Iris

P.S. Tu peux toujours lui faire savoir que Julian ne vit pas dans un trou à rats, si c'est ce qui le préoccupe. On dirait plutôt un palais. Je crois aussi qu'il vaut mieux ne pas parler de Lili, pas pour l'instant, qu'en penses-tu ?

Les Botaniques. C'était le premier indice susceptible de révéler à Do que Julian, bien que boudeur et têtu, avait un soupçon d'esprit. Pour le reste, c'était soupçon sur soupçon : la petite amie, à peine plus certaine que la rumeur ou la menace qu'elle avait d'abord constituée. Quant à cet exaspérant *je t'en serai éternellement reconnaissante*, sûr de son bon droit, gonflé d'une attente que l'on devait honorer ; ruisselant d'autorité. Iris avait peut-être le physique pâle de Margaret, mais oh ! elle était bien la fille de Marvin. Et elle n'en démordrait pas, la duplicité engendrait la duplicité : non contente d'avoir enjôlé Do, afin que celle-ci l'aide à prendre Marvin à revers, elle avait mis au point une deuxième manœuvre. La première avait été relativement facile à exécuter ; il avait tout avalé avec bienveillance, ou presque, et n'y avait-il pas un certain parfum de triomphe à tromper Marvin ?

Mais aller jusqu'à la récidive, faire un nouveau tour de passe-passe, alors qu'elle n'avait aucun intérêt dans la vie de ces jeunes gens, leurs intrigues et leur intimité, leurs corps inconnus et l'effluve quelconque qui leur faisait office d'âme. Iris et Julian, nièce et neveu, chair de sa chair, qui n'avaient jamais pris la peine de partir à sa recherche, pas plus qu'elle-même n'avait cherché à les connaître. Ils étaient réciproquement indifférents et réciproquement superflus. C'était la peur (la peur de Marvin) qui les avait tous fourrés dans le même sac – Marvin qui, chez lui en Californie, tirait sur les cordons pour refermer le sac en question. Il avait peur de l'Europe. Il avait peur de Paris. Do voyait en lui un genre de primitif terrorisé – le Paris qu'il se représentait n'était rien d'autre que celui des platitudes et des cartes postales, la tour Eiffel, l'Arc de triomphe ; et, plus bas, plus tristes, les donjons de miasmes et de sang qui engouffraient son garçon. Sous ces monolithes publics et renommés se trouvaient des intérieurs dont aucun touriste ne pouvait parvenir à percer le mystère ; et, d'après la compréhension sans fard que Marvin en avait, son fils, n'étant plus un touriste, avait dû finir par pénétrer ces noirceurs inquiétantes. Julian était captif de l'Europe. Il devenait peu à peu étranger.

Sa sœur était complice. Pire encore, elle contraignait Do à inventer un nouveau stratagème pour lequel cette dernière n'avait finalement pas le moindre goût – que pourrait-elle dire à Marvin ? Si Marvin était un lion que l'on devait défier, alors Iris aurait dû s'en charger elle-même. Elle avait menti et s'était enfuie – pourquoi ne ressentirait-elle pas maintenant l'impact des rugissements de son père ? Ce n'était que justice, c'était ce qu'elle méritait ; Do, pour sa part (mais elle n'avait aucune part dans tout cela), avait l'intention de rester extérieure à cette crise californienne – la Californie, où la séduction capricieuse d'un air trop chaud et d'un soleil trop présent faisait fondre les liens familiaux, éloignait les parents des enfants, les maris des femmes ; où, depuis bien des années à présent, Leo avait fini par devenir le capitaine de son propre destin ; et où, alors qu'ils vivaient dans leurs maisons de luxe avec tuiles à l'espagnole et balcons suspendus, peut-être à un kilomètre à peine l'un de l'autre, Leo et Marvin ne se rencontreraient jamais.

Les exhortations de la jeune fille : arrogantes, dictatoriales – mais n'était-ce pas aussi un plaidoyer ? Un plaidoyer pour le faux et l'usage de faux. Il vint à l'esprit de Do que tous deux, Iris et Marvin, lui avaient donné les moyens de les punir : le père pour sa tyrannie, la fille pour ses faux-fuyants.

Alors qu'allait-elle dire à Marvin ?

La froide et dangereuse vérité.

9

18 août 1952

Cher Marvin,

Il est assez surprenant que je n'aie pas reçu ne serait-ce qu'un mot de ta part concernant le retard d'Iris, qui aurait dû être rentrée depuis plusieurs jours déjà, mais j'imagine que tu dois quand même commencer à t'impatienter. Tout en sachant qu'elle raterait sa séance de labo (ce qui, je le reconnais, doit te contrarier), tu nous as donné, à elle et moi, une grande liberté d'action. En fait, je m'attendais à ce que le téléphone sonne sans arrêt. Je ne puis attribuer ton indulgence qu'à la confiance que tu as en moi et dans la validité de ton plan. Je t'écris à présent pour te dire quelque chose de désagréable, avec une mise en garde particulière : si après avoir reçu cette lettre, tu tentes de m'appeler, je te jure que je refuserai de prêter l'oreille à tes déclamations habituelles. Si tu commences, je raccrocherai aussitôt. Je ne suis pas d'accord pour me faire hurler dessus, me faire accuser ou rabaisser. Je n'ai pas la moindre responsabilité dans tout ça. Voilà les faits : ta confiance et ton plan, ainsi que ma propre confiance erronée en ta fille, ont failli. Il semble qu'Iris n'ait jamais eu l'intention de m'apprendre quoi que ce soit sur l'état d'esprit et la situation de son frère – pour autant qu'elle ait pu les deviner à distance. On ne peut plus, aujourd'hui, parler de distance. Elle est avec Julian à Paris. Un coup de tonnerre dans un ciel bleu, autant pour moi que cela doit l'être pour toi. L'aspect positif, c'est que, si tu te rappelles bien, tu avais envisagé, un bref instant, certes, d'envoyer Iris seule comme émissaire. Apparemment, elle a eu la même idée. Elle est très proche de son frère et à même, plus que n'importe qui, et certainement plus que moi, de trouver le moyen de le convaincre de rentrer. L'aspect négatif, c'est qu'elle n'a pas l'air d'envisager son propre retour pour l'instant – fais-en ce que tu voudras.

Pensées,
Do

•

23 août 1952

Do :
C'est bon, tu as réussi ton coup, je suis sous le choc. Je suppose que c'était ce que tu voulais. Et non, je ne vais pas téléphoner. À ce stade, je n'ai tout simplement pas envie d'entendre ta voix, pas plus que l'histoire à dormir debout que tu vas me servir dans ton charabia répugnant de maîtresse d'école. Ça marche peut-être pour clouer le bec aux voyous de banlieue auxquels tu as décidé de sacrifier ta vie, mais pas avec moi. Et, s'il te plaît, ne me fais pas croire que tu n'avais pas idée que ma fille avait l'intention d'aller à Paris ! Pas question que j'avale cette couleuvre, je sais très bien ce que tu as fabriqué, j'ai tout compris à la seconde où j'ai trouvé le tas de merde que tu m'as envoyé. Figure-toi que j'étais au Mexique pour affaires – on leur vend des hélicoptères, ne va pas croire pour autant que la moitié des patrons là-bas savent faire la différence entre un

moteur et le cul d'un âne. La vérité, c'est que j'ai simplement pensé qu'Iris était retournée directement à la fac. Elle a un petit chez-elle, tout près du campus – elle a dit qu'elle voulait son indépendance, alors je lui ai dégotté ça, et peu importe le prix. J'ai toujours fait mon possible pour satisfaire mes enfants, et qu'est-ce que je reçois en retour ?! Quoi qu'il en soit, ce n'était pas facile pour Iris de vivre avec Margaret dans l'état où elle est. En ce moment, depuis un mois environ, Margaret est en traitement dans une excellente maison de repos, le Royal Spa Bel Air, ici, à Beverly Hills. À mon retour, j'ai trouvé une maison vide, hormis la gouvernante, et je ne nierai pas que je maintiens exprès cette femme dans la plus complète ignorance – je n'ai pas envie qu'une domestique fourre son nez dans les allées et venues de ma famille. J'ai viré la dernière parce qu'elle avait demandé pourquoi Margaret passait tellement de temps à dormir l'après-midi. Bien entendu, je ne peux rien dire à Margaret sur Iris ; en tout cas pas pour l'instant. J'aurais trop peur qu'elle bascule carrément de l'autre côté. Elle a toujours été sensible des nerfs, mais ce qui la rend plus malade encore qu'à l'accoutumée, c'est la disparition de Julian. C'est ainsi qu'elle en parle : la disparition de Julian. Comme s'il s'était évanoui en fumée, comme si on lui avait fait une chose atroce. Et maintenant, c'est le tour d'Iris ! Alors je te demande un peu, comment tu as pu laisser faire ça ? Pourquoi tu as laissé ma fille faire une chose pareille ? Qu'est-ce que c'est que cette histoire de fous ? Comment ça, elle ne rentre pas ? Pourquoi, nom de Dieu, ne l'as-tu pas empêchée de partir ? Espèce de merde, tu n'as pas bougé le petit doigt ! Mes gosses me fuient, et pour quelle raison ? Qu'est-ce que j'ai fait ? Qu'est-ce que je n'ai pas fait ? Est-ce que je les ai négligés ? Est-ce que je leur ai fait du mal ? Parfois, j'ai l'impression que c'est une malédiction, mais pour me punir de quoi ? Je ne sais pas, je ne sais pas. Tout ce que je sais, c'est que je veux que mon fils revienne à la maison. Il n'a rien à faire là-bas, ce n'est pas le bon endroit pour lui, ils n'en ont fait qu'une bouchée dans ce trou. Tu me dis qu'Iris le ramènera. Et si elle aussi se faisait croquer, comme Julian ? Je suis un homme mort, je suis mort, bordel de merde, Do, tu peux essayer de comprendre ce que je traverse ?

Marvin

Espèce de merde, le tas de merde, bordel de merde. Marvin rendu à l'argot des rues. Marvin anéanti.

10

Le nouvel hôtel était étonnamment plein pour septembre, et bien qu'il fût moins onéreux que le précédent, il était aussi, vu le prix, incroyablement minable. Mais, s'y étant prise au dernier moment, elle pouvait s'estimer chanceuse d'avoir trouvé une chambre tout court, et puis elle ne pouvait rien se permettre de mieux – quelle folie : un second voyage deux mois après le premier ! L'été était officiellement terminé, pourtant les touristes grouillaient encore, et les Parisiens les plus argentés, qui avaient coutume de quitter la capitale durant le mois d'août, commençaient à rentrer. Le taxi de l'aéroport l'avait déposée devant deux marches étroites menant à une porte en bois ordinaire, alors qu'elle s'attendait à trouver une marquise et un portier en uniforme. Elle fut obligée de maintenir la porte ouverte d'un pied et de balancer sa valise pour lui faire franchir le seuil, avant de pénétrer dans le cagibi qui faisait office de réception. Le jeune employé derrière le comptoir ne leva pas le petit doigt pour l'aider.

La chambre s'avéra étouffante. Son unique fenêtre, en partie bloquée par une penderie décatie, donnait sur une ruelle sale. Un large lit creusé par une ravine en son centre occupait pratiquement tout l'espace, et un passage étriqué sur l'un des côtés menait à ce que les patrons avaient jugé bon d'appeler une « Salle de bains spacieuse avec douche ». Les toilettes et le lavabo étaient collés l'un à l'autre en diagonale, et presque masqués par la présence d'une énorme baignoire au fond de laquelle gisait un flexible de douche enroulé comme un serpent.

Mais au matin, elle trouva la réception transfigurée par une ronde de petites tables illuminées de longues estafilades de soleil et animée par les staccatos britanniques et les basses catarrheuses allemandes. Elle but l'excellent café, grignota un morceau de croissant et de brie, puis se mit en route. Elle n'avait pas jugé bon de s'encombrer de son guide – il ne lui serait d'aucun secours dans sa présente confusion –, mais avait extrait de son rabat un petit plan de Paris. Ce plan était, quoi qu'il en soit, un mystère ; on y lisait le nom des rues, on voyait où elles se rejoignaient, où elles divergeaient, et en larges caractères rouges des chiffres romains indiquaient les différents arrondissements : tout cela n'avait pas le moindre sens. À New York, on connaissait d'avance la différence entre les fastes de la Cinquième Avenue côté musées et sa pauvreté côté immeubles de rapport, bien qu'aucune carte ne puisse évoquer ce qu'une distance d'à peine trois kilomètres signifie. Ici, à Paris, à quoi bon être toqué de Proust (elle avait emporté son exemplaire jaunissant de *Du côté de chez Swann* pour lire dans l'avion) ou avoir une connaissance livresque de l'histoire des rois, des révolutions et des philosophes ? Cela ne comptait pour rien quand on se demandait comment se rendre du IXe au VIIe, par un mardi ordinaire, au cœur d'une existence ordinaire, et qu'on se sentait rejeté par les visages consciencieux arborés les jours ouvrables par la foule d'inconnus que l'on croisait en chemin, des visages concentrés sur des tâches ordinaires, dont ils connaissaient l'exacte nature autant que les moyens de les accomplir. Elle ne parvenait pas à comprendre cette ville. Cette ville était une énigme, ou bien c'était Paris qui comprenait tout ce qui circulait dans ses artères de pierre, et elle, l'intruse, qui constituait l'énigme.

Elle était une énigme pour elle-même. Elle avait préparé son départ plutôt calmement, dans un calme étrange, un calme somnambulique : le bus jusqu'à la banque, les valises faites d'une main mécanique, comme sous hypnose, l'entretien avec son proviseur brut de décoffrage.

– Vous me demandez ça, maintenant ? À la dernière minute, juste avant la rentrée ?

– Mrs Bienenfeld dit qu'elle peut me remplacer, ça devrait aller, non ?

– C'est trop, elle a déjà ses propres classes. Et elle n'est pas qualifiée pour enseigner l'anglais, faudrait pas mélanger les torchons et les serviettes !

– Elle s'en sortira parfaitement. Elle est ravie de le faire, c'est une amie.

– Vous voulez dire que c'est un pigeon, oui ? Eh bien, si c'est ça qu'elle veut, elle peut prendre deux de vos classes, mais pour les deux restantes, il va falloir engager un professeur en plus avec une paie en plus, et nous avons certaines directives et un budget à respecter. D'accord, c'est vrai que vous faites du bon travail ici, vous nous donnez une certaine allure, alors j'accepte, mais Mrs Bienenfeld a intérêt à maintenir l'ordre dans vos troupes, vous y parvenez parfaitement vous-même. Bon sang mais c'est quoi toutes ces histoires, Do, une nouvelle escapade à Paris Ville lumière, vous avez dégotté un mâle français, un pro du french kiss ? Miss Nightingale, reine de la nuit, hou, là, là !

Puis Laura, dans un autre registre :

– Do, je ne peux pas faire le programme que tu as conçu, avec Whitman et Hawthorne, sans parler du *Conte de deux cités* de Dickens, ils vont vomir tout ça. Tu ne peux pas changer et choisir des œuvres abordables pour moi ?

– Improvise, Laura, improvise.

Son proviseur brut de décoffrage, Laura brute de décoffrage. Sa propre vie minable et déprimante, méprisée par Marvin, méprisée par Leo – par Leo qui l'avait mise lui-même dans ce pétrin ! Pourquoi n'avait-elle jamais essayé de s'en sortir ?

Rue Mouffetard (elle lut ce nom sur une plaque vissée dans la pierre d'un immeuble), elle s'arrêta et regarda autour d'elle. Elle avait marché dans la mauvaise direction – elle était bien loin des numéros qu'Iris avait écrits sur l'enveloppe. La fraîcheur du matin avait commencé de refluer. Malgré la foule qui enflait – un tourbillon frénétique de touristes armés d'appareils photo et de sacs –, elle était maladivement seule. Elle s'était immiscée clandestinement dans ce décor factice où elle demeurait déplacée, abandonnée, et dans quel but ? Marvin, Marvin le creux, le sans fond – elle n'avait pas répondu à sa lettre, elle ne lui avait rien dit. Elle était toute de contradiction – rancœur et indifférence – et maintenant ça... cette plongée écervelée dans Paris. Pour faire quoi ? Pour sauver qui ? Marvin de ses tourments, ce frère qui l'avait rabaissée ? Elle-même de sa vie déprimante et minable ? Cette note, ce souffle brisé, comme du verre qui éclate, une claque au cerveau – elle s'était crue satisfaite, réconciliée, pleine de ressort, coulant des jours tranquilles dans une vie tranquille, jusqu'à la seconde où le doigt d'Iris l'avait bouleversée, jetée dans le tumulte. Cette note unique, sinistre et perçante, un son comme un miroir au reflet bref et chavirant – elle avait une certaine hauteur, une certaine inflexion, grave ou aiguë, retentissante ou stridente, elle ne s'en souvenait pas, une écharde de verre qui vrillait dans ses veines, flottait dans les flots de son sang... tirée de l'instrument intouchable de Leo. Le toucher de la jeune fille, une jeune fille dorée, et Do, qu'était-elle en comparaison, si ce n'était âgée, minable et déprimée ?

Elle tourna dans une rue bordée de boutiques caverneuses de souvenirs : porte-clés, bagues, cendriers, tous à l'effigie de la tour Eiffel gravée en minuscule, cravates, foulards et drapeaux peints, rangées sur rangées de vétilles en porcelaine. Coincé entre ces échoppes importunes, dans ce quartier non identifié, elle découvrit un nouveau café en terrasse. Elle commanda des œufs brouillés et un jus de fruits, plus par politesse que par faim, et montra son plan au vieux serveur en désignant la rue qu'elle cherchait. Madame – fit le vieux visage ridé et levantin dans un rire – c'est loin d'ici, très loin ! Madame ne doit pas y aller à pied, sous ce soleil et dans cette chaleur, elle tombera en pleine rue, et la police viendra pour la mettre à l'hôpital, l'hôpital pour ces fous d'Américains qui tombent comme des mouches! Peu importe, lui, il aimait beaucoup les Américains, il aimait surtout le cinéma américain, là-bas en Amérique, est-ce qu'elle avait vu *Visperine Vine*? Un très bon film, et la femme, tellement belle, y avait qu'au cinéma américain que les femmes avait les lèvres si rouges et de si belles dents, d'ailleurs y se jouait en ce moment, pas loin, dans le cinéma du coin, à dix mètres à peine...

Oui, dit-elle, *Whispering Winds*, je connais. Elle paya le plat auquel elle n'avait pas touché (ainsi que le jus, bu goulûment) et se dirigea dans la direction que lui indiquait le serveur, vers les immenses affiches écarlates sur lesquelles deux stars dont elle connaissait parfaitement les visages étaient enlacées dans un baiser: l'héroïne, chemisier déboutonné, juste assez pour dévoiler le renflement supérieur de son opulente poitrine, l'homme, bras nus, à la musculature presque caricaturale. À sa grande surprise, elle trouva le guichet ouvert, alors qu'il était encore tôt dans l'après-midi. Dans la nuit soudaine et frappante de la salle, elle sentit quelque chose de collant et vaguement dégoûtant: un chewing-gum fraîchement mâché sous sa semelle, des boissons renversées sur la moquette rapiécée. Le film avait déjà commencé; elle ferma les yeux. Elle connaissait presque chaque image par cœur, et la plupart des dialogues. Elle n'avait pas le moindre désir de regarder l'écran. Chez elle, du nord au sud de la ville, dans le Village, vers la 80e, à Times Square, elle avait traquée la même piste, de cinéma en cinéma, en secret, seule, pour écouter l'esprit de Leo. L'esprit de Leo! « Je veux, lui avait-il dit un jour, me débarrasser des composants conventionnels de l'orchestre, tu vois ce que je veux dire? » Elle ne voyait pas. Il savait qu'elle ne voyait pas, mais le fait qu'elle l'écoute le gratifiait. Le soir, après avoir passé cinq ou six heures dans la compagnie assourdissante des élèves de sa classe assourdissante, elle écoutait. Leo, au lit depuis le matin, rêvait de symphonies, rêvait d'opéras. « Ce que je tiens là, c'est quelque chose qui n'a jamais été fait auparavant: deux pianos électriques, deux guitares basses, deux saxophones altos, des percussions, un garçon soprano, un chœur de femmes… » Puis, un autre jour : « L'idée, c'est d'avoir cinquante choristes, une mezzo-soprano pour chanter le rôle d'Anna Karenine, ou, je n'ai pas encore décidé, peut-être de Madame Bovary. » Leo exalté, emporté (et reposé, se disait Do malgré elle), écrasant les touches pour lui faire entendre une série de passages particulièrement bruyants, mais soudain c'était assez, il voulait seulement lui donner une idée, qu'elle distingue le thème dramatique, il l'agrippait par la nuque, son regard enflammé, le moteur enflammé de ce qu'il aimait appeler leur jeu d'harmonie et de contrepoint… Les amants s'embrassaient, le film était terminé, le générique défilait, presque trop vite pour être lu, mais ses yeux étaient bien ouverts à présent, prêts pour le nom, il apparut une seconde – *Musique de Leo Coopersmith* –, et les lumières se rallumèrent, elle contempla toute la poussière que personne ne s'était donné le mal de balayer, et les quatre autres spectateurs assis chacun dans un coin, dont l'un, à l'air de clochard, dégageait une odeur pestilentielle.

L'esprit de Leo.

La rue était aussi brillante qu'avant : le fameux soleil parisien dont on disait qu'il attendait dix heures du soir pour se coucher. Julian pouvait patienter un jour de plus. Elle le trouverait demain. Elle attrapa un taxi et retourna à son hôtel pour récupérer de la fatigue mortelle du décalage horaire.

11

Un palais, avait écrit Iris. Aux yeux américains de Do, en ce dimanche matin, il était surtout vénérablement européen : fenêtres romanes, les plus basses protégées par des grilles en fer forgé, renflées comme des bedaines, épaisses pierres oblongues et sombres s'élevant en vastes murs, double porte en bois, lourde et sculptée de grappes de raisin prêtes à éclater et d'un glorieux Bacchus ventripotent, l'ensemble produisant l'effet d'une opulence quasi olfactive. Mais peut-être était-ce un pastiche récent, Paris souillé par la guerre et rénové, la tromperie délibérée ou l'hommage obséquieux d'un architecte, l'Europe moderne et rance se prenant pour l'Europe ancienne. L'un des battants de la porte était ouvert : une obscurité percée par le halo d'une lampe, un comptoir en marbre et une concierge juste derrière – ce manoir ducal n'était donc, après tout, qu'un immeuble petit-bourgeois de plus, mais d'un genre qu'on n'aurait jamais vu à New York.

Julian vivait là. Elle dit le nom de son neveu à la concierge, qui s'avéra parler anglais avec un accent cockney et tenir absolument à expliquer pourquoi : c'était triste de rester assise toute la journée dans l'ombre sans personne à qui parler, rien que des allées et venues des gens du haut et, dans les oreilles, le sifflement bizarre de l'ascenseur. Et, bien sûr, elle était anglaise, tout le monde s'en rendait compte immédiatement, on ne pouvait pas confondre, elle avait épousé son deuxième mari, un Français de La Rochelle, ils s'étaient rencontrés alors qu'elle traversait la Manche pour se rendre sur la tombe de son premier mari en Normandie. C'était un soldat britannique, vous savez, et puis voilà qu'aujourd'hui elle se retrouvait coincée à Paris, parce que son deuxième mari était mort de la maladie dont on ne parle qu'à voix basse… C'était quoi le nom, déjà ?

– Nachtigall, dit Do. Julian Nachtigall.

– J'ai personne de ce nom sur mon registre, et, croyez-moi – elle se donna une petite tape sur le front –, y sont tous là-dedans.

– Un jeune homme d'une vingtaine d'années, un Américain.

– Il y a un docteur américain au dernier étage, il parle assez bien français. Mais il est presque jamais là, vous voulez pas parler du Dr Montalbano ?

– Non, non, Nachtigall.

– Tous ces noms étrangers, on se croirait chez les juifs, dit la concierge en plissant les commissures de ses lèvres en un sourire grimaçant. Je sais de qui vous parlez. C'est un juif, le garçon que vous recherchez, mais j'aime pas trop le crier sur les toits. Il est ici clandestinement, avec une autre dans son genre, et voilà que maintenant, y en a une troisième, ne me demandez pas pourquoi. C'est un miracle qu'il les héberge là-haut, c'est un drôle d'oiseau, ce Dr Montalbano, qui sait ce qu'ils manigancent tous les quatre…

Loquace au-delà du plausible. Mais qu'est-ce qui était plausible ? Était-il plausible que Julian ait effectué cette irrésistible ascension, du taudis au palais ? La femme était prête à poursuivre son bavardage, étirant ses lèvres brunes dans un sourire omniscient, tandis que Do la fuyait, empruntant le couloir tapissé jusqu'à la faible lueur projetée par une minuscule cage d'ascenseur. Celui-ci s'éleva à grand-peine et dans un sifflement strident : un, deux, trois, quatre, cinq et, à la hauteur du sixième palier, s'arrêta devant une porte unique.

Une sonnette ordinaire.

Il faisait frais ici, tout était calme. Elle tendit l'oreille. Pas un bruit de l'autre côté de la porte, une expectative féroce – elle-même prise dans une fixité, un instantané tiré d'une scène critique, l'instant figé du doigt levé vers le bouton, index à l'approche, anticipant le son qu'il allait produire, violant le silence de l'autre côté de la porte (le doigt levé d'Iris quelques secondes avant de s'abattre aveuglément sur la touche qu'il allait violer)... Un tintement étouffé ; puis rien ; puis toujours rien ; et, finalement, le bruit d'un aboiement staccato, un aboiement dont le timbre était – à n'en pas douter – humain. Le raclement lourd de chaussures, un grattement, un boitillement, comme si les lacets étaient défaits, et depuis une distance qui allait s'amenuisant, une voix américaine qui grognait : « Putain, comme d'habitude, dès que je m'endors, il faut que vous sonniez parce que vous avez oublié votre clé... »

Un jeune homme au cou légèrement empâté, fine moustache blonde horizontale, yeux rêveurs, un mouchoir sur la bouche. Toux volcanique, suivie d'une cascade de français.

– Anglais, s'il vous plaît, dit Do.

– Oh, pardon, c'est à cause de ce rhume à la noix, alors j'ai cru que c'était... et comme c'était pas... De nouveau la toux, mais plus douce. Il est absent pour le moment ; il est à Milan pour le mois...

– Non, non, dit Do. Et puis, comme si elle avait été catapultée : Je suis déjà venue en juillet, j'ai essayé de te retrouver. Julian ? Julian Nachtigall ? J'ai la lettre de ta sœur.

Elle s'interrompit pour le regarder ; ce n'était vraiment qu'un tout jeune garçon. Même sa moustache était clairsemée.

Il la dévisagea en retour – elle en fut aussitôt frappée, c'étaient les yeux de son propre père : les paupières tatares étirées vers le bas aux extrémités.

– Ma sœur.

Deux grognements pleins de mépris. Il lui tourna le dos – son col était déchiré – et s'éloigna nonchalamment vers une vaste pièce centrale qui ouvrait sur d'autres pièces : impossible de dire combien. Un palais, et trop de meubles, des sofas et des fauteuils éparpillés partout. Des vêtements féminins jetés ici ou là, un bas qui pendait d'un abat-jour, un autre lancé en travers d'un cadre. Une couverture sur le sol. Elle referma la porte derrière elle – il s'en fichait pas mal, ouverte ou fermée, qu'elle restât ou qu'elle partît, il était indifférent. Elle remarqua ses lacets qui traînaient, défaits. Un désert, un lieu provisoire. C'était incohérent. Il ramassa la couverture, s'en couvrit les épaules et se blottit contre les coussins d'un divan.

– Vous devez être la tante d'Iris, dit-il.

– La tienne aussi.

Sa compréhension des choses – qui était cette femme et ce qu'elle semblait pouvoir menacer – était presque trop immédiate pour qu'il l'assimilât véritablement ; il avait saisi sans hésiter ce qu'il estimait être le sens global de sa présence ici. Un instinct sûr de soi, gonflé d'arrogance. Un instinct qui laissait supposer des mouvements intuitifs. Une vie intérieure. Mais oh, la vie extérieure !

– Elle m'a dit qu'elle avait passé une nuit chez toi. Précisément pour t'empêcher de venir. Elle t'a dit de rester chez toi. Une quinte rocailleuse le secoua ; il s'essuya les yeux d'une main rageuse. C'est mon père qui t'envoie, pas vrai ? C'est lui qui t'a fait venir.

– Je suis venue parce que j'en avais envie.

– Mais lui aussi avait envie que tu viennes, tu ne peux pas le nier. Même si tu penses que c'est ton idée à toi, c'est lui qui est derrière tout ça. C'est toujours comme ça qu'il fait, et ne dis pas le contraire. Il finit forcément par obtenir ce qu'il veut.

– Pas avec toi. Il t'a demandé de rentrer, et tu refuses.

– Ma mère pense que je me suis fait enlever, j'imagine que tu as entendu parler de cette hypothèse. Par de petits hommes verts, peut-être. Il lâcha un grognement plein de rancœur et flanqua la couverture sur sa tête. Bon Dieu, tu débarques ici, et t'es quoi, au juste, le représentant de la compagnie, le porte-parole de la famille ? Quand est-ce que j'ai eu affaire à toi depuis que je suis né ? Quoi que tu en penses, ce que je fais ne te regarde pas. Pas plus que ça ne regarde mon père. Il sortit la tête de la couverture en frissonnant. Putain, pourquoi elles sont pas encore rentrées ?

Elle vit les lèvres sèches et enflées, les ailes du nez rougies, le piteux état fiévreux de l'enfant malade s'apitoyant sur lui-même. Maussade et têtu. Mais elle l'avait pris par surprise, elle était une irruption, une apparition – injustifiée et brutale. Indécise et piquée au vif, elle demeurait debout face à son neveu – Julian, le cas difficile – sans même chercher autour d'elle, parmi toutes les petites tables basses, les tapis usés, les bureaux et la pléthore de chaises, un endroit où s'asseoir. La vaste pièce ressemblait à une salle de réunion, usée, abusée, publique, élimée. Elle y était entrée, il y avait moins de trois minutes, et déjà l'agressivité montait. Avait-elle traversé un océan pour subir un mépris si immédiat ?

Elle se ménagea délibérément une petite place à l'autre bout du divan, près des pieds de Julian.

– Ton père ne sait pas que je suis là. Je ne lui ai rien dit.

– Alors qu'est-ce que tu veux ?

La question, toute trempée de flegme qu'elle fût, était limpide. Que voulait-elle ? Ce n'était pas qu'elle eût pris Marvin en pitié, aussi inconcevable que cela pût paraître – Marvin lui avait-il jamais inspiré pareil sentiment ? Le garçon avait raison : au bout du compte, pour une raison ou une autre, elle accomplissait la volonté de Marvin. Il faut dire que la volonté en question avait quelque chose de raisonnable. Il fallait évidemment sortir le garçon de là. Il empestait le chaos – c'était comme une vapeur autour de lui. Le chaos de sa colère, le chaos de cet appartement négligé, précaire, abandonné. Comment se maintenait-il en vie ? Il était sans domicile, sans travail, sans avenir. Il était sans gêne – il n'avait pas pris la peine de nouer ses lacets. Et pire encore : il n'avait même pas enfilé ses chaussettes, elle découvrit qu'elle était assise sur une paire sale, trouée au talon.

Couinement de l'ascenseur, vacarme dans le couloir, voix aiguë de femme. Cliquetis dans la serrure – la clé n'avait pas été oubliée. Une fille déboula – c'était Iris –, suivie, dans un style plus sobre, par une autre. Iris cria :

– Salut, le grippou, on t'a apporté un remède miracle, et une bonne vieille bouillotte à l'ancienne pour les pauvres petites mamies malades. Tiens, attrape !

Une forme rouge caoutchouteuse et flasque atterrit sur les genoux de Do. Un genre de bonhomme sans visage au cou épais. La main d'Iris resta suspendue en l'air, sa bouche s'ouvrit comme pour laisser fuser un cri ; mais le cri fut bien vite réprimé, et lentement, froidement, les yeux pâles d'Iris se promenèrent de sa tante, qui venait de recevoir le machin en caoutchouc, à son frère renfrogné, dont le menton charnu était en feu, en passant par son propre bas diaphane qui pendait sur le cadre d'une reproduction de cascade.

– Tante Do… dit-elle, laissant les syllabes se consumer entièrement.

L'autre femme tira une fiole cylindrique de son emballage de papier et la posa ; puis se tint immobile, muette.

– Ça n'a aucun sens, dit Iris. C'est allé trop loin. Ta présence est parfaitement inutile. Il n'y a rien que tu puisses faire, et ça n'a plus d'importance maintenant.

Mais Julian, se libérant de ses emmaillotements, se leva et alla enlacer l'autre femme. Elle était petite, le teint foncé, mince et pas étonnée pour un sou. Maigre, se dit Do, plutôt que mince, avec les os des épaules qui saillent. Elle n'était pas jeune – ou du moins pas jeune au sens où Iris était jeune ; c'était une femme accomplie. Ses clavicules étaient apparentes. Le regard méfiant fixé sur Do – Do l'intruse – elle se pelotonna, avec familiarité mais aussi une certaine conscience du geste, contre la poitrine de Julian, attirant les mains du garçon sur le devant de la chemise qu'elle portait. C'était une chemise d'homme, avec des manches longues ; ses seins chauds étaient cachés là. Elle se fichait de ses vêtements, se fichait de quoi elle avait l'air. Manches longues par temps chaud.

– Lili, dit Julian d'une voix si grognon et si possessive que Do sut immédiatement – c'était aussi insaisissable et pénétrant qu'une odeur – que le sexe rôdait derrière tout ça. Des pulsions lubriques. Les doigts du garçon pressaient sans doute les tétons jumeaux à travers le tissu de la chemise. Do l'imaginait parfaitement, elle imaginait ses propres seins sous les paumes avides d'un homme, écrasant, pétrissant, les articulations noueuses blessant la chair fragile, les tendres glandes, elle imaginait son corps comme une vitrine flottante dans laquelle on voyait tout, elle l'imaginait comme un film, la musique du film qui tourbillonnait vers son point culminant, tandis que la caméra roulait vers l'avant pour effectuer les gros plans, on observait le renflement des ovaires et la contraction de l'utérus, sans oublier la glu luisante du foie et de la bile… La bile, une des humeurs de la médecine médiévale, quelles étaient les trois autres ? C'était le fils de son frère – son neveu. La vie intérieure ? Le garçon ne valait pas mieux qu'un sauvage. Il était étonnamment gras, même ses paupières étaient roses, enflées et replètes comme des pétales. Une goutte égarée pendait au bout de son large nez. Les narines dilatées suintaient le mucus. Et, tout en toussant à s'en arracher les poumons entre chaque mot, il prit la peine de se moquer d'elle.

– Lili, dit-il, puisque cette affaire tourne à la réunion de famille, je te présente la sœur de mon père, qui est venue nous délivrer du mal.

La bile, c'était ça, il était plein de bile !

12

Il s'avéra, lorsque Iris retrouva son frère, qu'il vivait avec Lili dans une clinique. Un genre de clinique, équipée d'une vaste salle d'attente dégageant une certaine atmosphère thérapeutique – non qu'il y eût le moindre accessoire médical, ni même une table d'examen en vue. Durant les mois que le Dr Montalbano passait loin de Paris – il avait d'autres cliniques à gérer dans d'autres villes – Julian, en échange de la jouissance de l'appartement, avait pour mission d'informer les visiteurs éventuels que la clinique était fermée jusqu'au retour du docteur. Les visiteurs en question étaient, la plupart du temps, de nouveaux patients, dans la mesure où les habitués connaissaient le rythme des allées et venues du docteur ; Julian n'était pas censé prendre les appels téléphoniques. La ligne du Dr Montalbano était coupée pendant ses absences, et, quoi qu'il en soit, tous ses patients, les nouveaux comme les anciens, étaient traités de manière ultra-confidentielle et personnelle et devaient se déplacer jusqu'à lui. Bon nombre d'entre eux venaient par le biais d'une annonce – les annonces du Dr Montalbano étaient nombreuses et variées, certaines conventionnellement publiées dans les journaux, d'autres simplement imprimées à la main et affichées dans les pharmacies du quartier. Mais la plupart des recrues (des centaines, dit Julian) arrivaient par la voie du bouche à oreille.

La valise d'Iris était posée contre le pied d'une chaise. Le vacarme des réacteurs vibrait encore dans sa tête. Julian avait surmonté sa surprise initiale : une demi-heure plus tôt, sa sœur – sa sœur qui n'avait rien à faire là, sa sœur qui aurait dû être là où son esprit à lui l'avait plantée, à la maison, en Californie, très loin – sa sœur était ici, les bras autour de son cou, déposant des baisers partout sur sa tête qu'elle tenait prisonnière, lui souriant. Julian était choqué, dérouté, content, malheureux. Soupçonneux.

– Tu n'es pas venue seule, hein ?

– Si, toute seule. Il n'y a que moi.

– Tu veux dire, pour le moment. Papa va débarquer juste après toi, pour l'instant, il se cache au Ritz ou je ne sais où – il ne t'aurait jamais laissée venir seule.

– C'est vrai. Sauf qu'il pense que je suis à New York chez tante Do. C'est elle, tante Do, qui était censée venir. Une vieille bique tatillonne, qu'est-ce que tu aurais bien pu faire d'elle ? Alors je suis venue à sa place.

– Et qu'est-ce que je vais bien pouvoir faire de toi ?

– Me laisser t'admirer. À la maison, on avait peur que tu crèves la faim dans un grenier, et, en fait, tu es gras comme un goret !

– Quand on travaille comme serveur, on voit passer des tas d'étrangers qui s'en vont grignoter d'un café à l'autre…

Des étrangers, vraiment ? Et qu'était-il lui-même ?

– … Et qui, poursuivit Julian, laissent la moitié de leur plat. Je crois que j'ai léché un peu trop d'assiettes.

– Oh, mon pauvre Julian, tu n'as pas eu de repas réguliers…

– Oh, ma pauvre Iris, tu viens juste de dire que j'étais trop gros.

Une séance de taquinerie impromptue, un écho de leur enfance : cela enhardit Iris. Certes, il y avait eu toutes ces lettres – il n'avait pas renoncé à leur complicité de toujours –, mais elle avait senti quelque chose de voilé dans l'écriture : comme si la voix de son frère lui était parvenue étouffée. Se croyait-il, après trois ans d'immersion, européen de naissance ?

– Je t'ai apporté de l'argent, en tout cas, dit-elle, ce qu'elle regretta aussitôt. Elle vit le début d'une tension liée à la colère montante – quelque chose dans son cou. Une crispation.

– Un pot-de-vin de papa…

– Rien à voir avec papa. C'est que je n'aime pas te savoir dans le besoin.

La crispation se changea en haussement d'épaules.

– J'ai tout ce qu'il me faut. Contemple donc l'étendue de mes biens…

– Et qu'est-ce qu'il arrivera quand le Dr Montalbano rentrera ?

– Il nous jettera dehors, je suppose, Lili et moi. Mais en attendant, le lieu est à nous et ne coûte pas un centime.

– Et après ?

– Après, on verra.

– Tu parles comme si tout à coup la religion signifiait quelque chose pour toi, tout est entre les mains de Dieu. Tu peux être sûr que papa n'en reviendrait pas !

– Qu'est-ce que ça peut me fiche, ce qu'il pense, j'en ai fini avec lui. Et je n'ai pas plus de lien avec la religion qu'avant. J'ai Lili.

Il l'avait entraînée jusqu'à une double porte qu'il ouvrit pour elle. Un balcon étroit, avec une rambarde en fer forgé et un aperçu de Paris en contrebas. Elle baissa les yeux vers un éparpillement de piétons, ceux en promenade, ceux en retard ; une femme aux épaules nues tirant par la main un enfant qui geignait. Langage universel du geignement. Tout le reste, bizarre, pas comme il faut : l'étroitesse de la chaussée, le museau rond des voitures (en Amérique, elles avaient des ailerons profilés, comme de longs requins d'acier), l'immeuble tout en briques en face et la hauteur languissante des fenêtres. Même la lumière semblait en porte-à-faux, comme si le soleil s'était levé selon un angle erroné, un vaisseau aux mains d'un navigateur erratique. La lumière était différente de la lumière californienne : elle tombait d'un ciel beaucoup plus petit, beaucoup plus ancien : un vieux, vieux ciel, charriant des nuages ridés.

À l'extérieur, sur le balcon, deux chaises en bois usées – il se mit à parler de Lili. En dépit de tout (mais qu'est-ce que c'était, se demanda Iris, que ce « tout » ?), Lili était la personne la plus forte qu'il eût jamais rencontrée ; mais sa force n'avait rien à voir avec l'emprise dictatoriale et leurrée d'illusions qu'ils avaient subie leur vie durant – elle était comme une petite pousse solide : on pouvait la ployer, elle ne se briserait jamais…

C'était le Julian de toujours, aussi insaisissable qu'un nuage de vapeur. Iris sentait qu'elle pouvait plonger le doigt jusqu'au tréfonds de son discours sans jamais atteindre le moindre fait. La pensée de Julian ne se développait jamais directement, elle tournicotait dans les coins, se fondait dans les mots, on ne pouvait jamais la saisir – c'était comme ces saletés de pigeons dont il avait fait de glorieuses colombes. Qui était cette Lili, d'où venait-elle, qu'avait-il l'intention de faire d'elle ? Ou elle de lui ? Il avait toujours été sujet à ce genre d'exaltation soudaine. Il était inconstant, cyclique. Il passait du grognement à l'emphase. Il n'avait pas les commandes de la vie en main – c'était ainsi que le formulait son père, mais son père… enfin, son père était comme il était, un homme qui ne ressentait rien. Ne voyait rien. Il ne voyait pas Julian, l'autre aspect de Julian. Son frère, elle le savait, était né pour ressentir. Mais à l'écouter maintenant, il ne restait rien de cette prédisposition ! Il était prêt à croire qu'une herbe était douée de volition. Et cette Lili, malgré son nom – « lili of the valley », petite fleur des champs – était-elle une herbe folle, une de ces aigrettes européennes transportées par les vents ? Ces drôles d'incises dans les lettres de Julian, cette étrange calligraphie ronde, à quelle langue appartenaient-elles ?

– C'est du roumain, dit Julian.

Distant, discordant, irréel. Le gâchis et la guerre, les gutturales lasses d'un enfer inimaginable. Un endroit qui n'apparaissait dans aucun livre d'histoire – pas en Californie, en tout cas.

– Quel intérêt de faire ça, ç'aurait aussi bien pu être du chinois…

– C'est moi qui l'y ai obligée, dit Julian. C'était une façon de dire les choses sans les dire. Parce que personne à la maison ne pourrait les lire.

– Tu aurais pu écrire ce que bon te semblait, ils ignoraient tout de tes lettres. J'avais un système, je te l'avais dit.

– Mais si papa était tombé dessus par hasard…

– Ça n'est jamais arrivé. Et tu sais qu'il n'aurait rien montré à maman qui puisse la bouleverser.

– La bouleverser ? Mais c'est le contraire, c'est un miracle. On ne pouvait pas encore en parler à l'époque, on n'avait rien décidé – Lili n'était pas décidée. Alors je lui ai fait écrire ça, dans une sorte de code secret, pour elle-même, pour qu'elle s'en convainque.

– Mais de quoi ?

Julian se mit à rire, ou plutôt à glousser comme un enfant.

– Elle était censée écrire : « Nous allons nous marier »…

– Julian ! Vous n'avez pas… vous n'êtes pas…

– Mais en fait, elle a écrit : « C'est un jeune idiot d'Américain. » Après que la lettre fut partie, elle me l'a avoué. Elle est comme ça. Elle dit ce qu'elle pense.

– Dans une langue que personne ne comprend, alors comment peut-on savoir ce qu'elle pense ? Julian, tu n'as pas fait une chose pareille, tu ne t'es pas marié ? Avec quelqu'un dont personne n'a jamais entendu parler…

– Il y a deux mois, début juin.

– Tu es un jeune idiot d'Américain.

Sa moustache blonde frémit : chaque brin clairsemé luisait d'humidité. Était-ce des larmes, ces gouttelettes qui glissaient tout à coup sur les poils de sa lèvre supérieure ? Un idiot, oui, parfaitement, un idiot ! Qu'avait-il fait ? Comment s'était-il laissé piéger ? À peine sorti de l'œuf et déjà une épouse ? Avec sa moustache en désordre, comme une bannière de son inexpérience.

– Voilà ce que tu es. Un idiot, un imbécile heureux.

Mais il tirait un mouchoir de la poche de sa chemise ; ce n'était que son nez qui coulait, un début de rhume, dit-il. Lili l'avait eu en premier, il était forcé de l'attraper, les gens là où elle travaillait, c'étaient des réfugiés, des personnes déplacées, ce genre d'individus, la moitié mal en point, elle rapportait les reniflements à la maison, quand ce n'était pas pire. La plupart étaient dans le pétrin, plaidant et baragouinant dans leurs vieilles langues scrupuleuses, inutiles aujourd'hui, à la merci d'une troupe de traducteurs (Lili en faisait partie), et une foule, une armada de lettres, contenant toutes le même cri fêlé : montrez-moi une issue, trouvez-moi une nièce, un cousin au second degré perdu de vue, sortez-moi de là, sortez-moi de là ! Lili enregistrait ces supplications, ces appels affamés, elle les tapait à la machine sobrement, sur du papier blanc à en-tête officiel. La palpitation de la vie était intense en elle, dit-il, elle lui avait tout appris. Il était arrivé à Paris, comme tous les autres, s'était familiarisé avec la bande, au début, il restait en périphérie, il n'était personne, mais il était facile d'avoir vent des endroits où on faisait la fête, ça commençait au Tabou vers neuf, dix heures du soir et ça continuait jusqu'à l'aube, il suivait le flot jusqu'au Monaco, puis au Napoléon, et, toujours, il y avait Alfred, un type de Brooklyn, yeux délavés presque jaunes, pas de cils, chauve comme un manche de pioche, le bassin large dans un corps court à la Humpty Dumpty, des doigts de guimauve frémissants et boudinés, ainsi qu'une perruque jaune (sans exagération !) vacillant sur sa caboche ; Alfred les connaissait tous, George Plimpton, Jimmy Baldwin et tous les autres, et puis un jour, il avait même fait du gringue à Julian et lui avait proposé de faire passer des choses à lui dans l'un des magazines qui fleurissaient partout dans Paris, des poèmes, des textes – c'était comme ça qu'il avait été publié dans *Merlin* et *Botteghe Oscure*, et tu te souviens comme cette histoire a mis papa dans tous ses états –, mais quand on approfondissait un peu, on se rendait compte que tout ça, c'était du flan, pareil pour toute cette bande, jouant le jeu pour continuer à faire la fête, pour le whisky, les filles du quartier, les Beauvoir à la manque, les jeunes New-Yorkaises, la frime, les fantasmes de gloire, c'était plutôt excitant à l'époque, un style de vie qu'il n'aurait pas pu imaginer de retour en Californie, le trou stérile dans lequel il s'était laissé piéger, ou dans lequel on l'avait poussé, les ambitions maladroites qu'avait eues son père pour lui, une échelle qui ne menait nulle part, sans barreaux au sommet…

Les narines suintantes, le visage rouge, son frère poursuivait sa diatribe, déversant son venin, sans qu'Iris pût tout absorber – c'était et ce n'était pas le Julian d'avant. La proximité d'antan, les confidences d'antan, le déversement digne des chutes du Niagara, mais le rythme était différent, une autorépudiation, il lui expliquait qu'il avait renoncé, il en était venu à mépriser le simulacre rance de lui-même. Tout était fini… ou presque. Il y avait, en un sens, une unique survivance : le Dr Montalbano.

– L'homme qui a l'intention de te jeter dehors, dit Iris.

– De nous jeter dehors, Lili et moi, mais seulement à son retour. Peu importe, nous serons ensemble…

– Parfait, et ensuite, vous irez où ?

Une grimace.

– Tu as déjà posé cette question. Arrête de laisser papa parler par ta bouche.

Elle l'entendait elle-même : cette poussée d'impatience, d'exaspération. L'argent qu'elle lui avait apporté fondrait en moins d'un mois ; et après ? En plus il avait une femme. Une étrangère ! S'il avait abandonné son ancien moi, celui du vagabond sans attaches, que croyait-il être devenu à la place ?

– C'est un Américain, quoi qu'il en soit, dit Julian.

– Qui ça ?

Elle n'arrivait pas à suivre ; il avait fait une ellipse, ou était revenu en arrière.

– Et ce n'est pas un docteur en médecine, et puis c'est pas non plus son vrai nom. Il vient de Pittsburgh.

– Julian…

– Le problème, poursuivit-il, crachant ses mots comme des insultes, c'est qu'ils sont presque tous américains, et ce sont tous des bidons.

– Celui avec la perruque aussi ?

– La perruque était vraie. Il détestait avoir à la porter, alors il a fini par se tuer. Et, d'ailleurs, tous ces cafés sont syndiqués jusqu'à la garde. Je me suis faufilé – c'est le Dr Montalbano qui m'a fait démarrer. Ce pauvre vieil Alfred nous a présentés, je lui dois beaucoup, il m'a mis en relation avec quelqu'un qui me trouve des boulots.

– Mais il est quoi, alors, s'il n'est pas docteur…

– Un escroc patenté pour ce que j'en sais, mais il est très demandé, il a des clients partout, il a une clinique à Milan et une autre à Lyon, et ça l'a rendu riche. Lili ne l'aime pas, elle veut toujours qu'on parte. Il prépare des potions à base de navets et d'oignons.

C'était comique et c'était affreux. Suicide, charlatanisme, légumes. Et une épouse, une épouse, par-dessus le marché ! Elle lui avait tout appris, disait-il – bon Dieu, mais c'était quoi ce tout ? Une créature sans but comme lui, mais en pire, un débris humain sorti des boyaux malades de l'Europe centrale – la Roumanie, où était-ce en fait, et qu'est-ce que cela signifiait ? –, et n'était-ce pas précisément, Iris le reconnaissait, ce que son père avait eu en tête ? Il n'y avait pas moyen d'échapper à son père : il habitait dans son cerveau. Elle voyait que Julian avait choisi l'Europe. Il avait l'intention de rester. Il ne rentrerait jamais à la maison.

… Pas moyen d'échapper au cerveau de son père ? Mais Julian y était pourtant parvenu, lui, non ?

13

Paris, le 5 septembre

Cher Marvin,

Cela fait une semaine que je suis arrivée, et je t'ai laissé dans le brouillard le plus complet ; il me semble donc que je te dois des explications. Tu voulais que je vienne ici, j'y suis ; qui sait pourquoi ? Il ne peut s'agir de ce que tu appelles le sentiment familial – le mien, si tant est que j'en aie un, remonte à maman et papa, surtout papa, mais disparaît tout bonnement à la génération suivante. À l'inverse de toi, je n'ai aucun descendant, et par conséquent personne sur qui me lamenter. Je vois bien que tu te lamentes, et Margaret aussi. Puis-je me permettre de dire que je considère ces jérémiades comme aussi illégitimes qu'inappropriées ? Tu te comportes comme si tes enfants étaient morts, alors qu'ils sont parfaitement vivants, à tel point que je les ai invités à dîner avec moi, ici, à l'hôtel. L'endroit est relativement décevant, en dépit du prix, mais le chef est un véritable magicien, peut-être est-ce d'ailleurs le propriétaire lui-même qui œuvre en cuisine. J'ai pris mes repas sur place presque tous les soirs, et toujours seule, malgré mes efforts – Iris n'a de cesse de se débarrasser de moi. Je ne me sens pas le moins du monde la bienvenue depuis mon arrivée, et il y a peu de chances que quoi que ce soit de bon découle de mon insistance. Ils esquivent toutes mes propositions, Julian en particulier. À ce stade, je commence à me demander pourquoi j'ai fait l'effort de venir (c'était vraiment un effort, j'ai dû abuser de la gentillesse d'une collègue pour qu'elle prenne en charge mes cours). Je crois que c'est surtout à cause d'Iris – cette soirée qu'elle a passée chez moi à New York. Son allure, ses cheveux, sa voix de Californienne, sa façon californienne de s'habiller. J'ai ressenti de la jalousie – oui, je crois que j'ai été jalouse, une vieille dame comme moi, absolument, et s'il te plaît, ne me demande pas pourquoi.

Quant à Julian – ton fils a ses goûts et ses dégoûts, n'est-ce pas ? Pour commencer, il n'aime pas beaucoup son père, et il y a, par conséquent, peu de raisons qu'il envisage d'apprécier la sœur de son père. Ce n'est pas seulement de l'obstination. D'après le peu (le très peu !) que j'ai observé, il résiste parce qu'il a peur. Il te craint, apparemment ; j'en conclus qu'à cause de toi il a aussi peur de moi. Certes, je te l'accorde, ce ne sont que des intuitions – des perceptions –, rien ne justifie donc qu'on les considère comme paroles d'Évangile. Tu as toujours méprisé les impressions et valorisé ce que tu appelles des preuves. Tu seras surpris d'apprendre que moi aussi je les méprise, elles ne sont pas plus solides que des nuages – Leo m'a accusée un jour de vouloir établir un dictionnaire des nuages ! Crois-le ou non, je suis aussi pragmatique que toi, même s'il est improbable que j'en vienne un jour à penser comme toi. Il y a bien longtemps, tu professais déjà qu'on peut réduire les gens à de simples formules – des formules chimiques. Eh bien, si tu souhaites appliquer cette théorie à ton fils, il te faudra peut-être prendre en compte un élément plus lourd que ce que tu as considéré jusqu'ici…

Comme si ce qu'elle s'apprêtait à révéler était la prise de poids excessive de Julian ! Et de quel recoin obscur de sa mémoire était sortie cette histoire de nuages, d'où avait jailli ce spectre incompréhensible de Leo ?

Elle déchira la feuille en morceaux (du papier pelure d'hôtel, l'encre bavait). Pas le genre de lettre qu'elle était censée écrire à Marvin. Radoteuse. Potentiellement périlleuse – elle voyait très bien où ses spéculations erratiques menaient : à la femme qui portait des manches longues par temps chaud.

Elle reprit du début :

Cela fait un certain temps que je suis arrivée – exactement là où tu voulais que je sois ! –, il semble donc que je te doive des nouvelles. Les nouvelles ne sont pas bonnes. Je ne suis parvenue à rien, et il apparaît qu'il y a bel et bien une jeune femme dans l'histoire, qui, d'ailleurs, n'est pas française...

Pas française ? Cela mettrait sans doute Marvin sur la voie d'une de ces jeunes aventurières new-yorkaises qui n'avaient pas froid aux yeux et envahissaient Paris ces derniers temps – leurs photos apparaissaient dans tous les numéros de *Life*, des gamines excitables vêtues de jupes violettes jusqu'aux chevilles, à la mode d'après-guerre ; alors elle raya *pas française* et poursuivit en mêlant aux considérations ordinaires une pincée de mensonge.

... quant à savoir si c'est du sérieux, ou une simple passade, difficile à dire. Iris a emménagé avec eux dans une maison dont ils sont, en quelque sorte, les gardiens durant l'été, mais j'ignore comment on appelle ce type d'arrangement ici. La beauté de la chose, c'est qu'ils n'ont aucun loyer à verser (en tout cas, la jeune femme paraît avoir une bonne situation – je ne l'ai rencontrée qu'une fois). C'est un appartement spacieux dans un immeuble avec concierge, plutôt respectable, et Julian a renoncé à son emploi de serveur. Mais je ne suis pas la bienvenue, c'était une expédition vouée à l'échec, et il n'y a pas une once d'espoir pour que je puisse faire quoi que ce soit avec ton fils ou ta fille – je n'arrive même pas à obtenir qu'Iris accepte de dîner avec moi ! Il ne sert à rien que je reste plus longtemps, une semaine d'efforts, c'est plus que suffisant. Iris est une énigme et ton fils ne veut pas bouger d'un pouce.

Tout ce qu'elle avait laissé de côté ! Quelle retenue risquée. Lili, une simple passade ? Et même si cette tromperie était décevante au point d'en devenir cruelle, la vérité aurait été pire encore. Elle n'avait pas dit à Marvin que la femme avec qui Julian vivait était une étrangère (une étrangère en France aussi) qui parlait un anglais indubitablement maladroit, aussi fortement teinté d'accent que celui de leur grand-père, le blanc-bec qui vendait des casseroles et des poêles. Bien que, pour être honnête, elle n'ait pas encore entendu le moindre mot de la bouche de cette femme.

La lettre demeura inachevée. Comment poursuivre ?

14

Iris avait mis Julian au lit. Son rhume s'aggravait. Il était fiévreux ; il somnolait, se réveillait, sombrait de nouveau. Do n'avait pas pu le voir.

– Tu ferais mieux de garder tes distances, lui dit Iris. Il est atrocement irritable, il déteste être malade. Il était déjà comme ça à la maison. Personne ne pouvait l'approcher.

– Il ne devrait pas consulter un médecin ? – une remarque typique de tante.

– Lili sait quoi faire, elle est très douée pour ça. Elle lui prépare une sorte de grog tous les soirs, pour sa toux…

Une chiquenaude : Do était chassée, inutile. L'autre – la fameuse Lili – était invisible. Elle avait son emploi, elle était au travail du matin au soir. Son « emploi », son « travail », comme si cette métropole scintillante, structurellement impénétrable, pouvait avoir le moindre besoin de quelqu'un comme elle ! Elle n'avait sa place nulle part, elle était dans l'égarement, à la dérive. Julian s'était attaché à elle, ou elle à lui. Il dépendait d'elle, elle était son soutien. La situation était pire encore que ce que Marvin aurait pu imaginer : son fils vivant des revenus d'une femme, aussi maigres fussent-ils.

– Alors je repasserai quand il se sentira mieux, dit Do. Demain matin ?

– Ce sera trop tôt.

– Tu me diras quand ? Je ne vais pas rester encore très longtemps. Et je serai la plupart du temps dans ma chambre.

– Quel dommage, dit Iris. Tu es ici, à Paris, pourquoi ne pas en profiter pour voir des choses ?

Était-ce du mépris ou de l'indifférence ? La jeune fille croyait-elle qu'elle était là en vacances ? Do avait déjà pris ses vacances. Elle percevait de moins en moins clairement le sens de sa mission ; tout cela devenait de plus en plus brumeux.

– C'est Julian que je veux voir, dit-elle.

– Julian va bien.

– Je vais bien, cria une voix cassée depuis une chambre lointaine. Dis-lui de partir, c'est pas compliqué quand même ?

Le frère et la sœur : deux doigts de la main ; pourtant c'était du passé. Mais il y avait encore quelque chose entre eux, une cabale toute neuve, une complicité pour se protéger, en premier lieu, des investigations de Do.

Tout cela l'embrouillait. Elle avait un sentiment de désordre, elle ne supportait pas sa chambre, et l'après-midi ne faisait que commencer. Elle n'avait que Paris à se mettre sous la dent, tout Paris, mais à quoi bon Paris à présent, avec le poids de son histoire ancienne et ces rues illuminées par l'automne ?

Elle demanda au jeune réceptionniste de l'hôtel où se trouvait le cinéma le plus proche. Il fouilla sous le comptoir et ouvrit une brochure froissée.

– Quel film madame désire-t-elle voir ?

– N'importe lequel.

– Un film américain ?

– Ça n'a pas d'importance.

– *Whispering Winds*, grand succès. Deux salles, une rue Mouffetard, l'autre dans le Marais. Je vous déconseille le Marais, madame, c'est un quartier très désagréable.

Désagréable ? C'était exactement ce qu'il lui fallait, cela s'accordait à sa fureur. Elle se jeta dessus comme si un horoscope avait prédit une récidive foudroyante : c'était écrit, Leo la menait de nouveau par le bout du nez, exactement comme à New York, où il la forçait à avancer, d'une enseigne lumineuse à une autre, en quête de ses humeurs, de son travail de faussaire. Fureur là-bas, fureur ici ! Elle était répudiée, la manière qu'ils avaient de la faire tourner en bourrique, le frère et la sœur, les deux doigts de la main, qui se débarrassaient d'elle, la méprisait !... Yeux bien fermés dans une caverne sale, une de plus : lumières d'ambiance pas assez basses, cabine de projection qui vrombit, congestion générale, sueur humaine confinée, bruits de papiers, murmures tronqués tout autour, incessants, que disaient-ils ? Le bateau en Technicolor absurde brûlait dans les flots, les amants terrifiés s'agrippaient à un mât brisé, de ridicules hurlements gaulois s'échappaient de leurs bouches quelques secondes après que leurs lèvres les avaient formés... Rue Mouffetard le film aurait été en version originale. Ses paupières s'ouvrirent soudain, refusant d'obéir, elle ne pouvait chasser les images flamboyantes, ces scènes criardes qui explosaient devant elle, tandis que la musique se dissolvait, s'évaporait dans les périls de pacotille envahissant l'écran : tempête de cymbales, tonnerre de cors et roulements de tambour, les idioties de Leo !

Elle tourna la tête vers le public, houle hilare et mastiquant qui se balançait en exhalant des odeurs malsaines, trop matérialiste, trop brisée pour ressentir une terreur artificielle, et vit, cinq rangées derrière elle – ou crut voir –, la femme repérée au Luxor, le magasin où, en juillet dernier, le mannequin parfumé et éthéré avait traversé la cafétéria comme un songe. Était-ce la même tête farouche surmontée de boucles serrées, noires et sauvages ? Ou bien toutes ces têtes irritées et hilares étaient-elles semblables ?

Une fois dans la rue, elle comprit où elle était. Elle avait échoué dans le quartier des personnes déplacées. Ils envahissaient les trottoirs, se querellant, haussant les épaules, riant. Toujours ce rire ironique ! Ils riaient aux mauvais films, ils riaient du temps, ils riaient de la splendeur et aussi de l'absence de splendeur. Ici, rien n'était splendide, tout était pauvre et usé. Il était cinq heures et demie, le soleil éclairait encore les vitrines ; un café pas plus grand qu'un étal lâchait des bouffées de pâtisseries sucrées, mêlées à l'haleine des insomniaques. La rue était encombrée de voitures, petits dômes râblés, mais pas un taxi en vue. Elle en avait pris un pour venir, comment s'y retrouver, autrement, dans les recoins de Paris? Un tourbillon indistinct de langues, et personne à qui demander son chemin – mais si elle continuait à marcher, elle finirait bien par tomber sur un bus? C'était de la perversion de s'être précipitée une deuxième fois en une semaine sur les traces de Leo, et dans une ville étrangère avec ça! Mais c'était aussi de la perversion de la part de Leo que de l'avoir poursuivie de l'autre côté de l'océan! Il l'avait attirée dans cet endroit hallucinatoire où la femme aux cheveux bouclés du Luxor et ses compagnons oisifs se multipliaient comme des fous, se répandant hors des boutiques, dressant des barricades humaines et volubiles en travers du trottoir. Des pigeons battaient des ailes à leurs pieds, picorant les miettes et les épluchures qui jonchaient le sol, sautillant sans crainte: même le claquement brutal d'une semelle sur le pavé ne parvenait pas à les faire fuir. Clochards des airs, avec leurs yeux de poissons, se nourrissant d'ordures. Les colombes du Marais, à des années-lumière des tourterelles apprivoisées et grassouillettes du mariage de Laura... Julian connaissait ces rues, il avait vu ces scarabées humains grouillant d'une boutique à l'autre avec leurs maigres emplettes, un chou, une demi-miche de pain, de quoi rester en vie. Il les connaissait, que pouvaient-ils lui apporter?

L'une des boutiques, au moment où Do s'en approcha, s'avéra ne pas être une boutique du tout. Des stores masquaient les vitrines et au-dessus de la porte, peinte en lettres noires sur le linteau, une enseigne, et juste devant la porte, s'en échappant en trottinant... Était-ce possible? Mais si la femme du Luxor était partout, pourquoi pas le mannequin parfumé aux bras interminables? Et pourquoi pas Lili? Était-ce bien elle, cette particule particulière dans un flot d'humanité urbaine? C'était certainement Lili, aussi certainement que ce n'était pas elle, et pourtant... Mais la foule de la rue, comme des sables mouvants, l'avait engloutie.

Do gratta le fond de son sac à la recherche d'un stylo, et, au dos de la souche de son billet de cinéma, copia les mots inscrits sur le linteau : CENTRE DES ÉMIGRÉS. 24, RUE DES ROSIERS.

15

C'était un long espace étroit qui avait l'allure d'un bureau ordinaire. Deux rangées de box, séparées par une allée centrale au moyen de cloisons de fortune. Do n'était pas assez grande pour regarder par-dessus, mais des voix cachées s'élevaient en nuées, une fugue aux indéchiffrables cadences, supplications et désespoir, désespoir et supplications. Et soudain, le silence, comme si l'équipage entier d'un navire avait arrêté de respirer au même instant ; puis, au cœur du silence, un sanglot, telle une déferlante qui écume. L'endroit conservait l'odeur résiduelle de ce qu'il avait été autrefois : une *boucherie*, disons, avec des carcasses assassinées pendues en rangées sanguinolentes : une série de crochets sur le mur du fond attestait cette hypothèse. Mais peut-être ne s'agissait-il que de bêtes portemanteaux ? Quant à l'odeur, peut-être s'échappait-elle des corps vivants au travail ? La queue qui s'étirait quelque temps plus tôt du vestibule jusqu'à la rue s'était réduite à trois ou quatre personnes. Les box se vidaient, les uns après les autres.

Elle était venue à la dérobée, mais pas comme une espionne... Pas encore. Une espionne aurait rôdé, observé, puis disparu. Son idée était de tendre un guet-apens à Lili en fin de journée, de l'attirer dans une embuscade à une heure inattendue... Si ce bureau ayant pignon sur rue s'avérait être le repaire de Lili (il fleurait la charité publique), Do n'aurait qu'à bondir pour lui tomber dessus ! Et dans le cas contraire ? Elle buterait, une fois de plus, dans le mur des lamentations d'Europe – elle en avait déjà eu un aperçu au cinéma, parmi ces rires blessés, les victimes, les réfugiés. Le mandement de Marvin, son oukase : regarder la chose dans les yeux (fussent-ils injectés de sang), ces essaims de gitans aux mains desquels son fils était retenu en otage… son fils !

Iris l'avait chassée de nouveau ce matin même – Julian se portait mieux, la fièvre avait baissé, mais il n'aurait pas la patience nécessaire pour parler avec elle… Elle n'avait rien dit de ce qu'elle avait vu rue des Rosiers, et pourquoi l'aurait-elle fait ? Iris aurait déformé ses propos.

Le grincement d'une chaise en métal que l'on repousse. L'homme, dans le box du fond, était plus grand que la cloison ; durant un instant, sa tête se promena juste au-dessus, sans corps. Lorsqu'il émergea, Do constata qu'il portait un costume trois pièces élimé ; avec un gilet trop large pour lui. Il avait une canne et boitait. Mais non, ce n'était pas une claudication – plutôt un petit salut désuet qui n'engageait que ses épaules et ses genoux : il était d'une immense dignité. Il avait des airs de juge ou de sénateur. Mais, à bien y regarder, il s'agissait vraiment d'une claudication : une jambe plus courte que l'autre de plusieurs centimètres. Il tendit une main cérémonieuse à la femme qui se trouvait dans le box, en murmurant quelques mots dans une langue qui devait être de l'allemand – ou peut-être du néerlandais ? Ou encore autre chose. Deux doigts lui manquaient : sectionnés – comment, où, pourquoi ?

Il fut le dernier à partir. Do ne pouvait discerner, d'après son dos soudain résigné, si quoi que ce soit de bon était sorti du temps qu'il avait passé ici. Ce qui était certain, c'était qu'il n'était pas plus juge que sénateur : ses vêtements paraissaient trop minables.

Un froissement de papiers ; une lampe qu'on éteint ; la femme sortit à son tour ; et Do bondit.

– Lili, s'écria-t-elle.

Elle se demanda si on la reconnaîtrait. Était-ce possible ? D'avoir été ainsi rejetée, quelques minutes à peine après avoir franchi le seuil de cet appartement caverneux ! La froideur d'Iris, les sarcasmes de Julian. Cela n'aidait pas – cela empirait les choses – qu'Iris eût lancé cette espèce de promesse en l'air : « Une autre fois peut-être, quand Julian se sentira mieux », tandis que Lili, dans sa chemise d'homme, n'avait pas prononcé un mot ; Lili avait gardé son calme abstrus. Des profondeurs de ce silence, elle avait fixé Do, deux sillons attentifs creusés comme une tranchée entre ses yeux. Un pli contrarié qui semblait doué d'un regard autonome. Mais fugitif.

Et les mains de Julian posées sur ses seins.

Lili répondit sereinement :

– C'est Iris qui vous envoie ? Mais Julian va bien, n'est-ce pas ? Hier soir, déjà, il paraissait presque guéri.

Comme elle était terre à terre ; formée et accomplie ; pas perturbée pour un sou, ni surprise. Elle était habituée à tout et prête à n'importe quelle éventualité. Le monde était ce qu'il était.

– Comment saurais-je s'il va bien ? Et personne ne sait que je suis venue vous trouver, Iris n'a rien à voir avec ça. Elle ne me laisse pas approcher Julian. Ça fait déjà quatre jours.

Elle était hors d'haleine ; se montrerait querelleuse s'il le fallait.

– Si je ne parviens pas à le voir, alors j'aurai perdu mon temps, il est parfaitement inutile que…

– Venez, dit Lili, asseyez-vous.

De l'autre côté de la cloison, elle ralluma la lampe. Une machine à écrire, un paquet de feuilles, quelque chose qui ressemblait à un livre de comptes. Une pendulette qui tictaquait.

– Ils sont comme des enfants nerveux, ils cachent leurs secrets, reprit-elle. Elle tira légèrement sur ses manches – comme si son chemisier n'était pas assez ajusté aux poignets – et regarda fixement Do. Moi, je ne cache rien.

– Quel genre d'endroit est-ce, ici ? J'ai vu l'enseigne, que faites-vous au juste ?

– C'est pour partir, tout ce qu'ils veulent, c'est partir. L'homme, vous avez vu dans quel état il était ? Chez lui, dans son pays, c'était un érudit, spécialiste de Goethe. *Das Land, wo die Zitronen blühn*, vous connaissez ? Ici, ils s'ouvrent volontiers.

– Vous parlez allemand, demanda Do.

– Je parle ce qu'il faut parler. Il y a tellement de lois, dans tellement de pays, pas toujours ils accordent le permis. Beaucoup n'accordent pas, et une fois le permis accordé… Elle fronça les sourcils une seconde. Votre neveu, il trouve ça romantique, il pense noblesse…

On était très loin de la conversation que Do avait escomptée ; elle ne comprenait pas tout. L'accent râpeux, l'anglais trop policé – raide, plus que désuet. Et de nouveau elle pensa : *Quel manque de goût, ces manches longues par un temps pareil.*

– Pas étonnant, si vous lui servez les histoires de gens comme ça, cet homme sans doigts, quelle horreur, protesta-t-elle, avant de s'exclamer : Julian est trop jeune pour supporter tant de tristesse.

– Julian, triste ? Non ! Théâtral, vous avez vu comme il est théâtral. Et également sa sœur. Il est comme un garçon dans une pièce de théâtre.

– Une pièce de théâtre ? Sa famille pense qu'il serait temps qu'il devienne un peu sérieux.

Ventriloquie marvinienne. Ou pas : cela crevait les yeux, ce jeune homme était un condensé d'anarchie.

– Sa sœur n'est pas sérieuse. La sauvagerie, un oiseau sauvage.

– Vous ne l'aimez pas ?

À l'instant où ces mots franchirent ses lèvres, Do sentit que c'était le genre de chose que seul un Américain manquant totalement de tact pouvait dire.

– Elle n'aurait pas dû venir. Elle constitue une complication. Vous également, vous n'auriez pas dû venir.

– Surtout si je ne peux pas parler à mon neveu. Les jours passent et je n'ai vu Julian qu'un quart d'heure, à peine. Non qu'il soit à blâmer – soudain, une imprévisible étincelle de candeur : comment pouvait-elle se reprocher une même indifférence ? –, nous ne nous connaissons pas, reconnut-elle.

– Un neveu qui est pour vous un étranger. Et pourtant, vous parlez de famille.

– New York et la Californie sont comme deux continents différents, dit Do, faiblement.

– N'avez-vous ni mari, ni fils, ni famille à vous ? Si vous ne connaissez pas votre neveu, pourquoi lui courez-vous après, pourquoi vous intéressez-vous à lui ?

– Je vous retourne la question. Et elle osa : Qu'est-ce que vous lui voulez, à Julian ?

Lili baissa la tête. Quelques fils blancs, comme une couronne au sommet du crâne.

– J'ai eu autrefois un mari. J'ai eu autrefois un fils.

Son menton remonta, un avertissement, une muraille. Elle n'irait pas plus loin.

– Aujourd'hui, j'ai Julian.

Un mari, un fils. Ces personnes-là, elle était l'une d'entre elles. Il n'y avait pas la moindre particule d'innocence chez cette femme.

– À côté de Julian, dit Do, vous avez l'air… vieille.

– J'ai au moins cent ans, oui ! Mais je suis pour lui. Je lui fais du bien, c'est comme ça qu'on dit ? Je lui fais du bien.

– Et quel bien peut-il vous faire à vous ? Un garçon dans une pièce de théâtre ! Ces deux-là, vous les traitez d'enfants…

– Il devient de moins en moins un enfant. En même temps, c'est un homme.

– Ah, dans ce sens-là…

C'était ce qu'elle avait entendu de pire pour l'instant.

– Dans tous les sens. Ne vous trompez pas sur lui. C'est un homme.

– Un homme, répéta bêtement Do.

– Vous voyez maintenant pourquoi vous n'auriez pas dû venir. Votre nièce vous le dit. Et moi aussi je vous le dis. Et vous constatez par vous-même. C'est fait. Je n'ai rien demandé, c'est Julian qui voulait, il voulait et voulait. Et voilà.

Impensable. Inconcevable. Fait ? Le garçon était donc irrécupérable.

On ne pouvait le secourir, pas plus qu'on ne pouvait le punir. Il était perdu, livré à l'incohérence abyssale.

Lili se leva ; sa main monta vers la lampe. Mais elle s'arrêta à mi-course, la paume ouverte comme pour recevoir un jugement – Do considéra qu'il s'agissait presque d'un appel.

– Vous devez me croire. Je lui fais du bien, dit Lili. Vous voyez, rien n'est caché.

Il apparut à Do que le secret des enfants nerveux était enfin révélé. Lili avait eu un mari, autrefois. Maintenant, elle en avait un autre.

16

Iris se tenait sur le seuil : sentinelle aux aguets.

– Demain soir ? Vraiment ? Pour dîner, c'est ça ? On va y réfléchir. Tu ne veux pas repousser encore un peu ? Julian aurait encore besoin de deux soirées pour récupérer, au moins – cette toux affreuse qu'il a, ça s'arrange, c'est vrai, sans doute grâce aux grogs de Lili. Il se remet, mais il est de si méchante humeur. Il vaut mieux que tu n'entres pas, persista-t-elle, il n'a presque rien avalé, et il est grognon…

Quelle grossièreté, quel égoïsme, se faire éconduire ainsi, à chaque fois, jour après jour, comme un colporteur, un mendiant !

– Nous n'avons pas eu l'occasion de nous voir comme il faut, une seule fois, nous n'avons pas échangé un mot. Il me rejette…

– Parce que tu es censée tout rapporter à papa, voilà pourquoi. Interrogatoire au quartier général, c'est ça l'idée, non ? Écoute, Julian va très bien, il peut très bien se débrouiller sans que qui que ce soit le surveille, tu peux dire ça à papa.

– Et qu'est-ce que je dois lui dire à ton sujet ?

Iris leva les yeux au ciel. Grossière, égoïste ! Et ce relent d'accusation, comme un effluve dans son haleine.

– Tu ne comprends pas que, pour nous, tu n'es qu'une autre chaîne ? Nous avons vécu enchaînés toute notre vie…

– Une chaîne ? Alors que durant des années je n'ai rien eu à faire avec vous…

– Précisément. Et soudain, te voilà, à tirer dessus pour nous rattraper.

– C'est toi qui es venue me trouver, dit Do.

– On m'avait envoyée.

Têtus comme des mules – pas un pour rattraper l'autre. Ces petits Californiens gâtés, sans une once d'endurance. Ils n'avaient jamais connu l'hiver. Et si quelqu'un enchaînait Julian à présent, obstruant son avenir, interrompant sa jeunesse, n'était-ce pas Lili ? Oraculaire, équivoque, trop étrangère pour être compréhensible. Mais refusant de mentir.

Un jour pour rien, donc. Do n'en était pas à son premier. Une heure pour changer son billet de retour, et ensuite, que faire ? Retourner au Louvre ? Pourquoi pas ? – le Louvre était inépuisable. Une reprise falsifiée de l'été, à l'époque où elle n'était pas davantage impliquée dans ces intrigues étrangères que le touriste lambda, une enseignante célibataire en vacances (*Vous n'avez pas de mari, pas de fils ?*), un poncif en quelque sorte, et pas… ce qu'elle était à présent. Quoi qu'elle fût. Une chaîne. Une chienne. Ils ne voulaient pas d'elle, ils en avaient assez d'elle – ils la laisseraient peut-être leur payer un repas, et ensuite, bon débarras. Ils avaient peur d'elle : elle était un messager, un émissaire. Ils la prenaient pour un suppôt de Marvin. Ils savaient ce dont Marvin était capable.

La longueur éblouissante de la galerie d'Apollon, plafonds et murs incrustés d'or, qui débouchait sur l'immensité de couloirs brillants qui, eux-mêmes, menaient à des salles plus brillantes encore, Étrusques, Grecs, Romains vivants, aux veines de marbre et cous épais de marbre où autrefois le pouls pulsait, et sur les murs anciens, rois, guerriers et nobles dames ruisselantes de soie, cavaliers pastoraux à l'ombre du lourd diadème des futaies. Un millier de résurrections, Magna Graecia devenant Naples, déesses humiliées, cruches de cuisine vénérées. Poussière retournée à la poussière, méprisée. Elle vit un cabinet en marqueterie d'ébène, vigne, feuilles, fruits, bêtes, niche gravée dans une niche gravée, chaque centimètre taillé, ourlé, dessiné. Elle aperçut, dans une petite vitrine, un minuscule lion poli, allongé, tendant une patte : les griffes dorées étincelaient. Elle regarda, regarda,

regarda – de ses yeux assoiffés. Dans toute cette prolifération, sous ces peintures sèches depuis des siècles, dans les genoux en pierre de monarques défunts, chaque objet ayant été fabriqué, obtenu de haute lutte, c'était l'humanité, c'était la civilisation…

Un banc libre ; elle s'assit avec plaisir, et lassitude, face à une tapisserie flamande qui s'étirait d'un bout à l'autre de la galerie. Un million de fils colorés, visages, mains, arbres taillés avec art, sentiers jonchés finement de galets, un ruisseau. Petits poissons dans l'eau transparente. Elle imagina Marvin assis à côté d'elle, bâillant sans cesse, regardant tout et ne voyant rien. Minorant ce qu'il ignorait. Amérique amnésique, Amérique nouvelle. Ce qui est nouveau est bon, pratique, efficace. Miracle de l'ingénierie.

Mais il était capable de tout !

17

– Le dernier repas, dit Iris. La Cène, c'est comme ça que Julian l'a appelé quand je l'ai convaincu de venir. Pour faire plaisir à papa, c'est tout. Sinon, il s'en fiche.

La dernière minute, la vingt-troisième heure. Do avait réservé un vol pour minuit. Dans sa chambre odieuse, deux étages plus haut, ses valises étaient faites.

– Il pense que tu vas le crucifier, dit Iris. L'engraisser pour le massacre et servir sa tête sur un plateau.

Ses oreilles avaient rougi ; elle vidait verre après verre – il était devenu assez vite évident que les trois bouteilles que Do avait commandées ne suffiraient pas. Julian, concentré sur sa viande, se nourrissait comme si on l'avait affamé des mois durant. Ce garçon était un carnivore, il avait un sacré appétit ! À ses côtés, Lili, à moitié dissimulée par le lourd rideau qui séparait leur alcôve du reste de la salle à manger et surplombait les bols débordants, les sauces bouillonnantes, les baquets de brioches, les plateaux de tartes qu'on faisait parader autour d'eux. Des parfums de ce qui restait à déguster leur parvenaient depuis les cuisines. Do avait fait des folies !

Mais quel fiasco, finalement. Pure futilité, du début à la fin. Elle n'était pas fâchée d'être sur le départ. Adieu les mystères, les complications, les cachotteries – elle avait été attirée, puis s'était fait exclure. Dans la lumière chiche, Lili s'effaçait jusqu'à devenir une fragile petite vieille enveloppée dans un châle. Do distingua de nouveau la double ride creusée dans son front : deux rails de chemin de fer interrompus.

Elle picorait une feuille de laitue. Levant les yeux vers elle, Julian lui servit une grosse pomme de terre. Un nuage de vapeur et l'effluve mielleux d'une herbe inconnue s'élevèrent en spirale.

– Madame Maigrichonne, dit-il. Mange. Puis, très sèchement, en direction de Do : Tu sais comment va ma mère ?

C'étaient les premiers mots qu'il lui adressait.

– Ton père m'a dit qu'elle était en maison de repos.

– En maison de repos ? Tu veux dire au mouroir. À l'asile.

– Elle était d'accord pour y aller, répondit Iris. Je te l'ai dit, Julian. C'est un endroit très chic, avec tout le confort. Elle était parfaitement heureuse d'y aller.

– C'est lui qui l'a parquée là-bas. Il s'est bien débarrassé d'elle.

– Elle passait ses journées à dormir, elle ne savait jamais l'heure qu'il était. Elle commençait à avoir l'esprit… confus. Tu n'es pas obligé de remettre ça sur le tapis maintenant…

– Et pourquoi pas. C'est lui qui la rend dingue, pas vrai ? Et, s'adressant de nouveau à Do : Toi aussi, il te rendra dingue. Qu'est-ce que tu vas lui raconter ?

– Que son fils est un traîne-savate invétéré, lança Iris.

– Non, pour de vrai, poursuivit-il, quand il te mettra sur le grill. Il faudra bien que tu lui dises quelque chose, non ?

– Qu'aimerais-tu que je dise ?

Mais Lili, rompant le calme de son silence, intervint :

– Vous devriez lui dire ce que vous savez.

– Ce que Do sait, dit Iris, c'est que nous nous sommes enfuis, nous sommes des fugitifs. Comme Hansel et Gretel. Sauf que nous n'avons jamais eu l'intention de semer des miettes de pain pour retrouver notre chemin.

Belliqueuse. Bizarre. Bizarre ? Cette fille était soûle, un point c'est tout !

– Iris, tu bois trop de vin, dit Julian.

– Julian, tu manges trop de gâteaux, répliqua-t-elle.

Les piques, les prises de bec, l'intimité électrique et constante (Do pouvait à peine les distinguer) transitaient de l'un à l'autre, tandis que Lili, immobile, contemplait la patate imbibée de sauce, comme un augure y lisant une prédiction. Elle paraissait aussi éloignée de ces deux rejetons américains que le cabinet en marqueterie d'ébène du Louvre, avec tous ses petits compartiments secrets. Lili elle-même était obscurément creusée de niches et d'alcôves multiples – était-ce une forme de connivence entre eux, ou encore un genre de lien mystique, qui forçait le frère à tirer une salve aussi meurtrière que celle de sa sœur ? *Interrogatoire au quartier général.* Et que dirait Do à Marvin, et qu'en découlerait-il ? Ceci avait-il constitué le souci majeur de la maisonnée depuis la minute où Do avait fait irruption dans leurs vies ? Sans doute la question avait-elle provoqué des murmures de leur part, ils l'avaient tournée et retournée, conjecturant sur les possibilités ; qu'allait-elle dire à Marvin ? Ils le demandaient avec gêne, dans une forme d'urgence, parce que Julian n'avait ni logement, ni travail, ni scrupules, et qu'il était impétueux. Espéraient-ils, au cas où Do accepterait de fournir l'histoire qu'il fallait, que Marvin s'adoucirait et arroserait son fils capricieux de billets de banque ? Cette éventualité clandestine était-elle couchée dans les sillons creusés entre les yeux de Lili ?

Celle-ci dit crûment :

– Elle sait.

– Comment ça ? – la bouche d'Iris, un trou pourpre teinté de tanin. Julian, le regard fixe, suant dans les plis de son cou.

– Elle sait, répéta Lili.

Lorsque Do les quitta, les laissant parmi les tasses de thé pour monter dans sa chambre (bon débarras aussi la ravine dans le lit et le tuyau de douche) prendre ses bagages, il paraissait entendu – bien que personne ne l'eût formulé – que le destin de Julian était entre les mains de Do. Ce que le frère et la sœur avaient craint de révéler, Lili l'avait annoncé ouvertement : le garçon avait une femme. Son père prenait au sérieux le soin qu'il convient de prodiguer aux épouses ; la sienne, alors qu'elle était malade, avait été installée grâce à lui dans un écrin de luxe. Il semblait donc pensable, eu égard au fait que le garçon avait à présent une femme, que l'argent suivrait : tout dépendait de Do. Elle n'aurait pas dû venir – mais comme elle était venue et savait ce qu'elle savait, c'était peut-être pour le mieux. Ainsi parla Lili, au frère et à la sœur.

Dans l'avion, Do reposa son livre – la lumière dans la cabine avait baissé – et se représenta la situation. C'était probable, logique. La naïveté de ce garçon, les années sans but à l'étranger, sa façon de folâtrer, son goût pour l'amusement, sa crédulité… Sans doute Lili avait-elle pleinement pris la mesure du personnage : il n'avait pas plus les moyens de gagner sa vie que la moindre ambition. Mais son père était un homme riche. Un garçon marié était un homme, un homme avec une épouse ne pouvait être laissé à l'abandon. Habituée qu'elle était dans son box à ouvrir des portes enclines à demeurer fermées, Lili avait trouvé la clé. La clé s'appelait Do. C'était probable. Logique. Cela coïncidait avec les soupçons et les prévisions de Marvin : Marvin l'inexorable, qui avait la logique dans le sang. C'était sa nature, il avait monté une affaire, il savait ce qu'était l'avidité, il trempait dans une connaissance innée de la mauvaise foi.

Probable ? Logique ? Pourtant Do n'y croyait pas.

18

Une fois qu'elle fut partie, ils traînèrent un peu. Les bouteilles vides étaient toutes renversées sur la table. La pomme de terre que Lili n'avait pas mangée gisait, froide et figée, dans son assiette, comme une tête guillotinée. Là où Julian avait bavé du jus de viande, une tache graisseuse continuait à s'étendre à travers le tissu. Levant le menton par-dessus les restes, Iris dit :

– Tu penses que papa va la rendre dingue ? Mais elle est déjà dingue. Quand je suis allée la voir à New York, dans le minuscule appartement où elle vit, elle m'a proposé de dormir dans son propre lit…

– Ça, c'est parce qu'elle avait glissé un petit pois sous le matelas, dit Julian.

– … et juste avant ça, j'ai cru qu'elle allait me tuer. Il y avait ce machin énorme, monté sur des pieds de bronze, des griffes, plutôt le genre de piano qu'on s'attend à voir sur une scène, et tout ce que j'ai fait, c'est le toucher, une note, rien de plus, c'était bizarre de le voir là, il prenait presque toute la place dans la pièce…

– Elle était mariée avant, c'est ça ? À une sorte de musicien ?

– … un doigt, j'ai posé un doigt dessus, et elle s'est crispée, avec un air féroce, je veux dire carrément violent, des yeux de folle. Comme si j'avais détruit le piano en le touchant, comme s'il risquait d'exploser ou qu'un éclair allait en jaillir si on appuyait sur la mauvaise touche. Comme si ce truc était sacré… Et après ça, avec une gentillesse exquise, elle a dit que je devrais prendre son lit.

– C'était pour mieux t'étrangler au milieu de la nuit, dit Julian. Et alors, c'est ce que tu as fait ?

– Fait quoi ?

– Tu as pris son lit.

– Ben oui, pourquoi pas ? Ça valait mieux que son divan pourri. Avec les griffes en bronze juste sous le nez.

– Dans cette maison, tu as peut-être commis un péché, dit Lili.

– Parce que je l'ai laissée dormir sur son machin pourri ? Ce que j'aurais voulu, moi, c'était un hôtel correct, mais bon, c'est la sœur de papa, il faut faire honneur à la famille, et puis c'était que pour une nuit et je voulais qu'elle m'aide à…

– Sainte Iris, fit Julian.

Mais Lili dit :

– C'est un péché de toucher un objet sacré, n'est-ce pas ?

19

Dans le terminal, alors qu'elle attendait l'embarquement, Do essayait de finir sa lettre à Marvin, évitant de commettre bourde sur bourde. Soit elle en disait trop, ou – c'était certain – elle en disait trop peu. L'effort rendait son poignet douloureux ; le papier pelure de l'hôtel glissait sur le flanc de sa valise – bureau de fortune à la surface instable – et elle craignait que son stylo à plume n'eût bientôt plus d'encre. Elle capitula enfin en adoptant le ton abrupt qu'elle avait récemment abandonné : *Inutile que je reste davantage. Iris est une énigme, et ton fils refuse de bouger*. Elle introduisit l'enveloppe dans la fente de la boîte aux lettres ; l'embarquement pour son vol avait commencé. Le timbre pour l'étranger qu'elle avait collé sur l'enveloppe était gros et voyant. La lettre porterait le cachet de la poste parisienne, comme il se devait. Prendre la lettre avec elle et l'envoyer depuis une autre ville aurait été périlleux.

Elle avait avancé la date de son billet, mais en avait aussi modifié la destination. Marvin n'était pas censé l'apprendre ; c'était audacieux. Une fantaisie. Ou bien non, pas une fantaisie, une pulsion. Une poignée de jours la séparait du moment où elle serait obligée de respirer de nouveau l'air rare et fétide de sa salle de classe – et Laura, impatiente, rongeant son frein, attendant d'être délivrée de ces étudiants lourdauds aux longs favoris et aux moustaches naissantes, qui devaient huer Mme Defarge et son tricot, se moquant de cette héroïne de Dickens, en miaulant avec des voix de fausset : *C'est de loin la meilleure chose que j'aie jamais faite*, une main sur leur cou suant, et Laura comment s'en sortait-elle ? – Mrs Bienenfeld, montrez-nous comment ça marche la guillotine, allez, montrez-nous, montrez-nous sur Charlie ! Pauvre Laura, tirait-elle son épingle du jeu, faisant baisser les yeux à cette meute de garçons poussés en graine qui se tortillaient sur leurs sièges ?

Paris avait été douloureux ; on l'avait maltraitée. Leur rejet et leurs mystifications. Mais Do savait à présent ce que savait Iris ; elles le savaient de conserve. Un secret, sans plus – Do le portait en elle. Elle avait le pouvoir de le divulguer, ou de ne pas le divulguer : d'une façon ou d'une autre, c'était un pouvoir.

Les fenêtres étaient noires, les stores baissés. La plupart des passagers étaient endormis, leurs visages rendus enfantins par la lumière douce de la cabine. La carcasse de l'avion vibrait comme un diapason, obéissant à la poussée du grand quatuor de moteurs. En quelques heures, ils échapperaient à la nuit, la doubleraient pour s'introduire dans le lit rougeoyant de la fin d'après-midi. On relèverait les stores, l'index musard du soleil viendrait réveiller les dormeurs, et, loin en contrebas, tandis que le ventre de l'avion s'abaisserait, un célèbre océan s'élèverait vers eux – pas l'Atlantique familier, dont New York bordait les lèvres. Ils atterriraient en Californie.

20

C'était un tout autre pays. L'été profond y dominait l'automne. Les femmes arpentaient les rues à moitié dévêtues, en dos-nu et short, leurs ongles de pied peints de nacre pointant de sandales à talon. Une odeur de friture s'échappait des restaurants et graissait l'air. Des ruisseaux de voitures sur des rubans d'autoroute : Los Angeles, fortuite et fragmentée, comme si la ville entière avait été jetée depuis les cieux pour éclater en morceaux, éparpillés à des kilomètres à la ronde. Elle s'était attendue à voir des montagnes, cônes bleus se fondant dans un horizon gris. Au lieu de ça, des éclats de ville avec leurs noms venus de l'Ancien Monde et leurs turbulences nées du Nouveau Monde.

Le Royal Spa Bel Air : un manoir anglais dans un jardin anglais. La Californie ! – où tout était une réplique d'autre part. Le parking était dissimulé derrière un bouquet de palmiers ; la longue pelouse attenante était bordée de treillis envahis de roses, et l'herbe était si verte qu'on l'aurait cru fraîchement repeinte. Des parterres de fleurs serpentaient ici et là, sans charme ni préméditation, comme si des pivoines et des zinnias sauvages avaient poussé là spontanément. Des bancs en chêne étaient dispersés au milieu et semblaient prétendre, eux aussi, avoir vieilli naturellement dans leur terreau d'origine. Puis, au-delà, le manoir, avec ses six piliers georgiens, sa vaste véranda garnie de chaises longues en teck avec coussins, et ses urnes débordant de bougainvilliers. Mais personne ne se promenait dans le parc, ne paressait sur les bancs, ni n'attendait à l'ombre de la véranda. Un sanatorium soumis au calme d'un sommeil artificiel et collectif entre ses quatre murs ; ou un troupeau d'épouses d'hommes riches sous l'emprise d'un sortilège.

Elle longea la réception – toujours personne, bien qu'une tasse de café à moitié pleine reposât sur son rond de carton – et poursuivit sa visite en empruntant un long couloir ; quelques portes étaient fermées, la plupart ouvertes. Des femmes endormies. Dans une torpeur médicalisée, autobercées jusqu'à l'immobilité totale. La toxine du désespoir. Elle s'était rendue ici sous le coup d'une impulsion ; qui n'était toutefois que la frêle carapace de ce qui ressemblait davantage à une longue préméditation. Un calcul. Ou, s'il ne s'agissait pas vraiment d'un calcul, d'une chose longuement mûrie, avant d'être mise de côté. Sa motivation était masquée, même à ses propres yeux.

La porte de Margaret était fermée. Sur le chambranle, une plaque en céramique. Sur la plaque quelqu'un avait écrit au crayon : MRS. M. NACHTIGALL. Elle tourna la poignée et regarda à l'intérieur – puis à l'intérieur de l'intérieur, comme dans un de ces miroirs qui en reflètent d'autres, loin, jusqu'à l'infini. Une succession de pièces ouvrant l'une sur l'autre, des rangées de fenêtres, des rideaux blancs, partout un éclat lumineux, des vases emplis de fleurs inconnues. Une odeur indéfinissable – médicinale, pestilentielle, mais peut-être était-ce les fleurs… l'odeur était répugnante. Les fleurs étaient en soie, la soie rejetait-elle une haleine si putride ? Une femme dans une robe plissée – non, une chemise de nuit ou une longue combinaison – était assise sur une chaise à dossier droit, face à un chevalet. Mais ses yeux étaient posés sur le mur blanc qui se trouvait derrière.

– Margaret, dit Do.

Les yeux remuèrent. Pas la femme.

– C'est Do. De New York.

– New York ?

Cette voix : le timbre désincarné, les syllabes rapides et légères. Vidée de sa substance, voilée, assourdie au point de ne franchir qu'à peine le seuil d'audition de Do.

– La sœur de Marvin ?

Elle se leva alors. Do avait oublié à quel point la femme de Marvin était grande, mais elle retrouvait exactement son visage, principalement à travers la trame d'une ou deux photos vieilles de plusieurs dizaines d'années. Un visage impeccable, à l'alignement et aux proportions géométriques, beau sur une fille de dix-huit ans, mais qui supporte mal le vieillissement : une trop grande symétrie, comme les bonnes manières inculquées trop précocement, devient avec le temps d'une platitude extrême. Le visage de Margaret, les manières de Margaret étaient impeccables.

– Quel plaisir de vous revoir, dit Margaret.

Une châtelaine n'eût pas dit mieux.

Comme si elles s'étaient vues la semaine passée pour jouer aux cartes. Cependant, à l'exception d'un salut marmonné pour la forme et d'un hochement de tête dans un couloir plein de monde, elles ne s'étaient jamais vraiment adressé la parole. Après son mariage – il y avait tant d'années ! –, Marvin avait emporté sa femme à l'autre bout du continent et l'avait séquestrée là-bas – parce que, disait-il, c'était dans cette région que se trouvait l'avenir de l'industrie aérienne, et là qu'il ferait fortune. Les noces elles-mêmes, célébrées dans une modeste chapelle de Nouvelle-Angleterre, s'étaient résumées à une réunion de Breckinridge tristounets, en l'absence de Nachtigall qui n'auraient guère été plus joyeux. La mère de Do, puis son père s'étaient éclipsés sous terre sans avoir eu le temps d'entendre les voyelles bien tempérées de leur bru, ni celui d'admirer son front bombé et aristocratique, pas plus que l'emplacement parfait de ses sourcils absolument horizontaux. Ils ne l'avaient pas non plus vue dans sa robe de mariée, à l'exception du jour où ils avaient reçu la photographie du studio Bachrach – pose sereine, visage incliné – en remerciement de leur étrange cadeau de mariage qui avait contourné la liste dûment établie pour arriver tout abîmé dans une fine enveloppe. Marvin se rendit en solitaire aux funérailles de ses parents. Quant à Do, elle finit par être présentée tardivement à Margaret, un après-midi, au Princeton

Club de New York, à peine une heure avant que Marvin n'emmène à la hâte son épouse et leur petite fille, dans une voiture de location, assister à l'importante réunion d'anciens au cours de laquelle on rendrait hommage à sa philanthropie et à sa prodigalité sans limites, et où il ne pouvait s'attendre à retrouver son ancien camarade de classe et nouveau beau-frère. Le frère de Margaret s'était tué un an auparavant dans un accident d'avion privé survenu au terme d'une soirée très arrosée ; la femme qui l'accompagnait était morte elle aussi. À cette date, L'EMPIRE DE LA MAISON AMÉRICAINE avait expiré, et tous les vieux Breckinridge et Nachtigall, y compris les trois tantes célibataires de Do, étaient morts. Do était depuis longtemps devenue Miss Nightingale. Du point de vue de Marvin, avait-elle songé, elle était, de tous les Nachtigall connus, la moins susceptible de lui faire honte. Il l'avait invitée en cette unique occasion – restée gravée dans son esprit à elle, sans date, indélébile et inaltérable, comme une diapo tirée d'un film – afin de la présenter en vitesse à Margaret et à l'enfant. La Margaret de la diapo souriait imperturbablement, et l'enfant se réduisait à l'éclat éphémère d'une tête blonde.

Mais la Margaret qui se tenait aujourd'hui face à Do était entièrement parcourue de tics et de sursauts, comme un moteur s'acharnant, cahot après cahot, à cracher des politesses mécaniques :

– Vous demeurez à la maison ? Marvin a tout arrangé, j'imagine ? Il est sans doute absent, toujours sur le départ, mais la gouvernante est là jusqu'à dix-huit heures…

Elle s'interrompit ; le moteur avait calé.

– Non, non, fit Do, d'un ton rassurant. C'est vous que je suis venue voir. Et j'ai pris une chambre dans un motel. J'ai loué une voiture à l'aéroport…

– Ça ne va pas plaire à Marvin, je le crains. Il redoute qu'une telle visite ne me bouleverse, mais je ne suis pas le moins du monde bouleversée. Mon mari a dans l'idée que je ne suis pas tout à fait bien. Pourtant je me porte comme un charme, voyez par vous-même.

Do suivit la longue robe de peintre : elle tombait jusqu'aux chevilles de Margaret et balayait ses talons nus. Margaret guidait Do d'une pièce baignée de soleil à une autre – elles passèrent devant un lit défait encombré d'oreillers. Et finirent par atteindre une espèce de salon où deux fauteuils flanquaient une cheminée décorative. La cheminée était fausse, son foyer inexistant était masqué par un grand tableau sans cadre représentant un paysage. En s'installant dans l'un des deux fauteuils, tout en prenant mentalement des mesures, Do se dit que cette enfilade prodigue de chambres pour convalescent aurait facilement contenu trois ou quatre fois son appartement.

Elle désigna la cheminée :

– Ce tableau est de vous ?

– Ah non, je ne fais pas les arbres, ni rien de la sorte. La personne qui était ici avant moi en est l'auteur, je n'ai jamais été capable de peindre ça. Ils disent que je pourrais si je m'y mettais vraiment. Ils me disent que j'ai du talent. Ils sont censés dire ce genre de choses, vous savez. Cela fait partie de la thérapie.

De la manière dont Margaret était placée devant elle, Do ne pouvait voir que son profil, le nez pâle aussi fin qu'une gaufrette, les cils courts et pâles eux aussi, la bouche comme un trait. À cet endroit, à distance de la porte par où elle était entrée, la mauvaise odeur n'était pas si forte. Mais elle se sentait désarmée et comme dans une impasse – qu'avait-elle cru pouvoir tirer de cette visite douteuse, de ces formules de politesse insipides noyant l'acceptation comme le refus ? Cette femme était vide, de part en part.

– Vous êtes donc satisfaite ici, dit Do.

C'était supposé être une question ; mais le ton n'y était pas. Elle ne reçut pas de réponse. Au lieu de ça, Margaret dit :

– Vous ne me croirez pas, n'est-ce pas, si je vous dis que je me suis toujours intéressée à la famille de mon mari – vous me direz que je ne l'ai pas beaucoup montré.

– Eh bien, vous l'avez devant vous, la famille, dans sa totalité. C'est moi. La dernière des Mohicans, il ne reste personne d'autre. Mais vous avez un clan suffisamment important de votre côté, non ? Il y en a toujours un ou deux dont on parle dans les magazines.

– Il ne s'agit plus que de cousins à présent. Nous nous parlons à Noël, quoique plus trop depuis peu…

– Le cousin qui travaille au gouvernement. Le gouverneur. Et puis l'autre gouverneur. Et le membre du Congrès qui pilotait son propre avion.

– Mon pauvre frère. Quelle tragédie. Il y a si longtemps. Iris était encore bébé et mon fils n'était pas né, mais il en rêve pourtant, Julian m'a toujours dit qu'en rêve il s'écrasait dans les flammes…

Elle s'était tournée pour faire face à Do. Sa voix s'était altérée (était-ce à cause de cet avion en feu ou de son fils ?) ; elle se durcit, se fit rugueuse, comme une scie.

– Je suis satisfaite, oui ! Du point de vue de Marvin : sa femme est partie, son fils est parti, la seule qui ne soit pas partie, c'est sa fille. Pour quelle autre raison croyez-vous que je me suis retrouvée ici ? Comment croyez-vous que j'ai atterri ici ? Où aurais-je pu aller, sinon ?

Ses yeux s'étaient écarquillés, les paupières inférieures noyées de vaisseaux sanglants.

– Je re-fu-se de vivre avec mon mari !

La femme à la folie douce, doucement incarcérée, retrouvait soudain une certaine santé psychique : Do fut traversée par l'idée qu'elle était due à la clairvoyance. La lucidité avait libéré Margaret de ses manières analgésiques. Sa bouche sauvage et la sauvagerie qu'elle crachait impulsaient un mouvement à son front et à son menton : elle prenait vie, une vie en trois dimensions.

Do dit lentement :

– Voulez-vous dire que vous êtes venue ici de votre propre initiative ? C'est vous qui avez fait ce choix ?

– J'ai obtenu de Marvin qu'il l'accepte. Il pense que c'est moi qui l'ai accepté – elle lâcha un rire amer. Pouvez-vous comprendre ce qu'il a fait de moi ? Oh, mais à présent, je vois à travers lui, j'ai une pensée d'avance sur lui. Je ne vous blâme pas de ne pas vous en rendre compte. Comment le pourriez-vous ? Seulement j'aurais cru qu'étant sa sœur… Vous avez vécu avec lui autrefois, vous avez grandi avec lui, vous avez eu la même mère et le même père. J'ai toujours tenté de vous imaginer tous ensemble, votre mère en particulier, et si vous êtes de près ou de loin semblable à mon mari, je devrais vous haïr. Voilà ce qu'il sait faire de mieux : haïr. Vous savez ce qu'il a haï le plus violemment depuis l'enfance, ce qu'il a haï plus que tout au monde ?

– Non, dit Do, bien qu'elle pensât le savoir.

– La quincaillerie. Ce bazar putride. Je ne l'ai jamais vu, je n'ai jamais senti son odeur, il m'a dit ce que ça sentait, la peinture, le kérosène, l'insecticide, que sais-je. Mais ma vie entière, c'est à ce bazar que je la dois. Ma vie entière, parce que Marvin avait honte de cet endroit. Il disait que le bazar l'avait empoisonné. Pour contrer un poison, il faut un antidote, n'est-ce pas ?

Elle bondit hors de son fauteuil et pencha son long corps vers Do ; ses doigts s'enfonçaient dans le velours des accoudoirs. Les gros yeux gris aux cils courts se rapprochaient dangereusement.

– Vous avez changé de nom, pas vrai ?

– Quand je me suis mariée, oui, durant quelque temps. Mais j'ai repris mon nom de jeune fille au bout du compte.

– Vous avez changé votre nom de naissance, insista Margaret.

– Je suis professeur, personne ne pouvait le prononcer…

– C'est allemand ? Ou bien c'est encore ce fameux yiddish. Vous croyez peut-être que je pouvais le prononcer, moi ? Ou qui que ce soit dans ma famille ? Il faut produire des gargarismes pleins de glaires pour y arriver. Marvin a tout changé sauf son nom. Pour se torturer lui-même, ou encore pour impressionner ma famille avec sa soi-disant fierté. Il les adulait, vous savez. De leur côté, ils se fichaient royalement de lui…

– Ça ne devait pas être évident de se fiche de la fortune qu'il a faite, dit Do.

Était-elle en train de défendre Marvin ? Était-ce possible ? Ou tentait-elle de repousser un affront infligé à son père si modeste et si bon ; le souvenir de son père dans l'arrière-boutique, sous la lumière d'une lampe démodée, absorbé dans un roman quelconque, tandis que sa mère s'occupait du magasin ?

– Des pièces détachées en plastique pour les avions, cracha Margaret. Des couverts améliorés, comme disait mon frère – avec Marvin, expliquait-il, la pomme ne tombe jamais loin de l'échoppe. Mon mari est doué pour l'argent, c'est la goutte de sang juif qui est encore en lui. Tout le reste, c'est moi. Elle se redressa, baissa les yeux vers Do et reprit : Il s'est changé en ce qu'il croit que je suis. Ce fichu cimier ! Toutes ces recherches autour des armoiries de la famille sacrée ! Si Marvin trouvait le moyen de s'infiltrer dans mon sang, il le ferait.

– Pourquoi ne le prenez-vous pas pour ce que c'est ? répliqua Do. De la flatterie, ou une forme d'aspiration à…

– Vous essayez de me pacifier, je reconnais ce ton. Les thérapeutes ici parlent comme ça. Ne pouvez-vous pas comprendre ? Mon mari n'a pas d'existence ! Il n'existe pas. Il n'a pas d'ego.

Marvin l'égoïste, privé d'ego ? Margaret, Do s'en rendait compte, était intelligente. Elle avait pénétré une zone de savoir qui s'étendait au-delà du lieu commun. Elle tordit son visage : la géométrie équidistante s'effondra.

– Le ton vert du cimier, dit-elle, représente l'eau. L'eau que James Watt a tiré de la rivière Clyde – James est le garçon qui a inventé le moteur à vapeur en regardant une bouilloire cracher son jet à l'ébullition, c'est dans tous les livres d'école. Les Breckinridge sont des descendants de Watt, du côté maternel, vous le saviez ?

– Non, dit Do.

– Eh bien, mon mari, lui, le sait ! Et il attend de ses enfants qu'ils soient à la hauteur, c'est leur héritage, *noblesse oblige*, ils se doivent d'en être dignes, ils doivent se faire remarquer. Et c'est ce qu'il voit chez Iris, une occasion de relever le défi. Elle a le cerveau qu'il faut, dit-il, si elle ne se disperse pas. Ma pauvre fille, il l'oblige à vivre dans ce fichu labo jour et nuit. Quant à Julian… ce n'est pas que cette histoire de cauchemars, Marvin appelle ça une attirance pour l'atrocité, il pense que Julian est amoureux de tout ce qui est contaminé, vous pouvez le croire, ça, des mots si terribles ? Tout ce qui est déformé, détruit, il adore… son propre fils !

Le moment était venu – tandis que Margaret allait et venait de la fausse cheminée à son fauteuil, les épaules étriquées, les bras accrochés à son corps : le moment de tout dire. Do se leva et prit la main de Margaret – un léger tremblement dans les doigts.

– Il a peur, Marvin a peur, c'est pour ça ! Ce papier que Julian nous a envoyé – ils l'ont publié dans un magazine là-bas – à propos de ces oiseaux répugnants qui peuplent les rues. Des histoires de ghetto, a dit Marvin. Il craint que Julian ne reparte là-dedans…

– Margaret, coupa Do. Je l'ai vu. À Paris.

– Julian ? Quand ça ? Comment ?

La main de Margaret se libéra d'un coup, comme secouée par une décharge électrique.

– Qu'est-ce que mon fils fabrique là-bas ? Pourquoi ne rentre-t-il pas ?

– Il ne s'est pas confié à moi, vous savez. Ce fut si bref… Il se porte plutôt bien, on peut même dire qu'il est grassouillet. J'ai eu l'impression qu'il parlait couramment français. Certaines personnes diraient que c'est le comble de la sophistication.

La sophistication ! Avait-on le droit de mentir à une malade ? La cruauté que pouvait receler un discours honnête : il était impossible de dire la vérité à Margaret. Elle avait ployé le cou. Les bras croisés, elle avait glissé ses poings sous ses aisselles. Elle essayait de se rouler en boule, cela n'avait rien à voir avec la passivité. Elle était comme une balle, un boulet, un canon, une salve. Petit à petit, les coups partirent :

– Marvin a trouvé une idée, dit-elle, un moyen pour le faire revenir. Une capitulation, Marvin a renoncé, il a bel et bien rendu les armes ! Julian ne fera plus d'études scientifiques, il ne peut pas, il n'est pas fait pour ça, alors bon, d'accord, il fera autre chose, ce qu'il veut, du moment qu'il rentre à la maison…

Les yeux de Margaret, couleur d'eau, nageaient vers Do comme deux requins.

– Il l'a retrouvé, ce type. Ce fichu type, dit-elle.

– Qui ça ?

– Celui avec qui vous étiez mariée autrefois.

– Leo ? s'écria Do. Qu'est-ce que Marvin a à voir avec Leo ?

– Mon mari connaît tout le monde à L.A., ne me demandez pas comment, il a une foule de relations, il entre en contact avec des gens qui entrent en contact avec d'autres gens... Il a découvert où vivait ce type, pas loin de chez nous, d'ailleurs, à Bel Air Circle, alors il est allé le voir, c'est pratiquement au coin de la rue...

– Il a vu Leo ? Mais pourquoi ? Pourquoi a-t-il fait une chose pareille ? Qu'est-ce que Marvin peut bien avoir à demander à Leo ?

– C'est à cause de Julian, sa façon d'être, sa façon de penser... C'est parfaitement irréaliste, dit Marvin, c'est comme rêver éveillé...

– Mais en quoi cela concerne-t-il Leo Coopersmith, pour l'amour de Dieu ?

La malade était aux commandes. Do était venue dans le but de consoler, de sympathiser ; ou encore de mettre à l'épreuve son audace, son sens de la retenue... était-ce pour cette raison qu'elle était venue ? Il était certain que la gentillesse avait guidé ses pas. Mais la visite avait viré à l'aigre ; les salves de Margaret fendaient les airs. Do ne se sentait plus aussi bien disposée.

– Les films. Hollywood. Marvin a pensé qu'il pourrait trouver un boulot à Julian, quelque chose qui lui conviendrait, qu'il aimerait vraiment, pour l'appâter...

– Et il a parlé de moi ? C'est ça que vous êtes en train de me dire ? Est-ce que je lui ai servi de... référence ?

– Vous avez été mariée à ce type.

– Et je ne l'ai plus été. Marvin est allé demander de l'aide à Leo, c'est bien ça ? Il est allé supplier le hautbois ?

– Le hautbois, qu'est-ce que c'est que ça ? Il est dans le cinéma, c'est un compositeur célèbre, je me trompe ? Et mon mari ne supplie pas. Il ne supplie jamais.

– Margaret, écoutez, fit tristement Do. Julian n'est pas sur le point de rentrer, il n'en montre pas le moindre signe. Il s'est marié. Avec une personne déplacée... Vous savez ce que ça signifie, une personne déplacée ? Et votre fille ne vit pas dans son laboratoire, elle est avec votre fils et sa femme. À Paris. En ce moment. Je les ai quittés hier.

L'eau trembla ; les requins disparurent. Les minuscules cils blanchâtres clignèrent.

– Je ne vous crois pas, dit Margaret. Marvin ne m'a jamais parlé de quoi que ce soit de ce genre.

– Il n'est au courant de rien. Je suis l'espionne qui a été envoyée de l'autre côté des lignes ennemies pour en rapporter des informations. Des informations fraîches, Margaret.

– Je ne vous crois pas. Iris est à l'université. Julian est trop jeune pour être marié. Vous feriez mieux de partir à présent.

– Oui, dit Do.

Elles marchèrent côte à côte, de cellule en cellule – le soleil avait décliné, les fenêtres étaient sans éclat maintenant –, jusqu'à atteindre la pièce où se trouvait le chevalet. Là, l'odeur pestilentielle était très présente.

– Vous devriez voir mes œuvres, dit Margaret. Ma thérapie.

Elle fit pivoter le chevalet pour montrer à Do. Ciel sombre, collines sombres, sol stérile et sombre. Une tache centrale semblait imiter la silhouette approximative d'une femme, ou était-ce un homme ? Tout cela dans des tons bruns étalés avec prodigalité.

La femme de Marvin était passée maître dans l'art de manier les excréments humains.

21

Pour son vingt-troisième anniversaire, Julian reçut un chèque de la part de son père, accompagné d'une note rédigée en langage des affaires expliquant comment contourner la commission de la banque afin de changer les dollars en francs sans perte de valeur. Le père de Julian était doué pour ce genre de passe-droit, mais cela laissa Julian parfaitement indifférent : il n'avait pas l'intention d'entamer ce qui tournerait immanquablement à la querelle avec un factotum posté derrière un guichet, et, de toute façon, les instructions de Marvin, épaissies de nombres et de pourcentages, lui passaient au-dessus de la tête. Il lui suffisait de savoir que la somme figurant sur le rectangle de papier bleu lui permettrait de payer le prochain mois de loyer à Mme Duval et de ne pas faire le serveur une semaine de plus. Non que Julian méprisât les passe-droits en général – c'était Alfred qui lui avait présenté un certain François, capable de lui trouver des boulots *en dessous de table* (comme on disait en français), et c'était aussi par l'entremise d'Alfred que son petit truc sur le Marais avait atteint la Princesse, et, grâce à la Princesse, il avait fini par être publié. Publié ! C'était arrivé à deux reprises, mais Alfred était mort à présent, et Julian était seul, sans entremetteur, bien qu'il gardât toujours un œil envieux sur la *Paris Review*. Sans Alfred, qui était intrépide et connaissait tout le monde, il n'avait aucune chance à Paris, il n'était pas assez bon, pas assez diligent, pas assez confiant. Il était, ainsi qu'on le surnommait à la maison, un *luftmentsh* – son père, en tout cas, l'appelait comme ça, sa mère ne connaissait pas le mot, qui signifiait personne inconséquente, comme emplie d'air, elle l'aurait défendu…

Il avait lu des choses sur des écrivains légendaires qui, chaque matin, allaient s'asseoir dans leur café favori, laissant courir leur stylo, oublieux de tout alentour, le fracas et les caquetages, les passants, les bruits de la rue, les klaxons des voitures. Il n'avait jamais été directement témoin d'une scène pareille, mais cela ne signifiait nullement que c'était impossible, et c'était d'ailleurs à peu près ce qu'il faisait lui-même, pas le matin (il refusait de se réveiller tôt s'il n'y était pas obligé), mais vers deux heures de l'après-midi, au Tisserand, un café où il n'avait jamais travaillé comme serveur, où personne ne le connaissait et où il ne risquait pas d'essuyer les railleries. À propos du chèque il était à la fois heureux et plein de rancœur – heureux parce qu'il pouvait continuer à traînasser ici, avec une bouteille de bière et son joli carnet souple aux marges marquées d'une ligne verticale rouge, et plein de rancœur parce qu'il comprenait que l'argent constituait à la fois un moyen de le soudoyer et une menace. *Un mois de plus*, avait écrit son père au bas de la liste de chiffres et de pourcentages, *et tu rentres à la maison*. Ces quelques syllabes résonnaient comme des gongs. Un pépiement bref de la part de sa mère : *J'espère que tu vas bien, Julian. Tu nous manques*. Rien de la part de sa sœur – elle avait d'autres méthodes : elle dissimulait ses lettres et y répondait en secret.

Il avait déjà noirci quatre pages : son idée était d'écrire une série de petites fables spirituelles, quelque chose qui se situerait, du point de vue du style, entre Ésope et La Rochefoucauld (Alfred l'avait initié à La Rochefoucauld), avec des morales à la fin, sauf que ces morales n'en seraient pas vraiment – ils les appelleraient des *immorales*, et elles exprimeraient l'exact opposé de ce que l'intrigue semblerait prescrire ou proscrire. La langue serait simple et « transparente », un terme que lui avait soufflé Alfred ; mais Alfred, une fois mort, n'était plus d'aucune aide, et la *Paris Review* lui avait déjà retourné une demi-douzaine de ses fables. Il se dit qu'il ferait bien de leur trouver un autre nom.

Il avait commencé à pleuvoir ; au début faiblement, le vent était complètement tombé. L'odeur du pavé mouillé qui flottait depuis l'extérieur l'excita légèrement : c'était le parfum de l'attente, de l'anticipation. Puis le ciel s'assombrit, et l'obscurité envahit le coin où il s'était installé, près du mur du fond, les pieds posés sur une chaise accolée à une autre table, et l'eau se mit à marteler la rue avec une force tropicale, créant d'épais rideaux gris qui volaient vers l'intérieur du café. Un groupe bruyant de trois ou quatre filles déboulèrent en hâte, trempées jusqu'aux os, riant et tirant sur leurs cartables : il y avait un lycée dans le quartier. Il aimait les regarder – les mollets arrondis au-dessus des socquettes repliées, la pointe des petites collines juste au-dessous des clavicules, les cheveux mouillés tombant au milieu du dos. Elles avaient douze ou treize ans, peut-être même quatorze ; et, juste derrière elles, se trouvait une femme d'âge moyen. Il supposa qu'il s'agissait d'une enseignante (elle portait une mallette), ou encore de la mère d'une des filles, mais elle se sépara bien vite d'elles et les laissa sur le seuil, gloussant, essorant les mèches les unes des autres avant d'en faire des tresses. La femme repéra une table libre et ouvrit sa mallette : des ruisselets de pluie dégoulinèrent par les côtés. Mais Julian gardait les yeux fixés sur les jeunes filles – l'une d'elles seulement était vraiment jolie. Il aurait aimé qu'elle fût plus vieille, disons, dix-huit ans ; si elle avait eu dix-huit ou vingt ans, il se serait levé, approché, et l'aurait taquinée dans son français qui s'améliorait de jour en jour. Ou, si elle avait été une de ces jeunes Américaines (mais non, impossible, le petit groupe bruyant qui avait fait irruption dans le café sortait du lycée au bas de la rue), une de ces jeunes Américaines qui étaient partout ces jours-ci, dans chaque recoin de la ville, il aurait entamé la conversation comme il le faisait toujours avec elles : « Alors, laquelle des deux êtes-vous, Gertrude ou Alice ? » – ce qui constituait, bien sûr, un genre de test, qui pouvait soit lui octroyer une réponse trahissant l'ignorance, soit une invitation à dire comment il s'appelait, d'où il venait et ce qu'il faisait à Paris, et ensuite, qui pouvait prédire ce qui suivrait ? Surtout si la fille s'avérait être une brillante étudiante de français, tout juste sortie de Vassar, Smith ou Bryn Mawr, qui savait forcément qui étaient Gertrude et Alice. Et c'était ça, la blague : il avait vu sur des photographies que Gertrude et Alice étaient laides comme tout, et vieilles ; en fait, elles ressemblaient à deux vieux bonshommes, trapus et (devinait-il) les pieds en dedans. La femme qui était entrée en trombe avec ce troupeau de sauvageonnes – la plus jolie d'entre elles ne devait pas avoir plus de treize ans – n'était pas vraiment laide, ni non plus aussi vieille qu'il l'avait cru au début, mais il n'avait fait que l'apercevoir, ce n'était pas le type de femme qui attirait son attention. Elle attirait son attention, à l'instant, seulement parce qu'elle constituait une distraction, le détournant davantage des adolescentes que de sa fable pathétique au sujet d'un chat, qui n'avançait pas de toute façon. Elle tira une feuille de papier et un stylo rétractable (comme ceux que son père glissait dans sa poche de poitrine) de sa mallette, une pauvre chose en carton qui craquait aux coutures et n'était manifestement pas faite pour résister à la pluie. Elle avait posé ses affaires – un pull à manches longues et un sac d'où sortait la pointe arrondie d'une baguette de pain – à deux chaises de lui (celle qui les séparait soutenait les pieds de Julian). De là où il était, il pouvait pratiquement lire ce qu'elle écrivait. La mise en page était celle d'une lettre ordinaire, et elle perdit aussitôt tout son intérêt : elle n'était pas une consœur dans l'art d'inventer des fables, elle n'était pas jolie, elle n'était pas jeune, elle n'était pas de celles qu'il aborderait pour lui parler de Gertrude ou d'Alice. Elle n'était qu'une femme entrée là pour se protéger de la pluie.

Un éclair de lumière vint ricocher dans les yeux de Julian, reflété par un pare-brise qui filait sur la chaussée : la tempête avait soudain pris fin. L'arôme de sel marin d'après l'averse s'éleva dans un chuintement depuis le trottoir, et les filles en tresses et cartable au dos débarrassèrent le plancher en criant, se précipitant vers le nouvel après-midi. Il tenta de se reconcentrer sur son histoire : celle d'un chat libre-penseur et fougueux qui rentrait cependant chaque soir docilement après avoir passé la journée à arpenter les ruelles. Et quelle en était l'immorale ? Il ne parvenait pas à réfléchir, il était impatient, il était stupide, il s'ennuyait. Il n'avait pas envie d'être le chat qui rentre bien gentiment chez lui, mais il avait tout de même le mal du pays ; ou, du moins, il avait mal. Il avait mal, mal quelque part à l'estomac, et autre part il ne savait où. Il reconnaissait que la lassitude n'y était pas pour rien, et l'oisiveté, et le vide, tout était fini avec la bande qu'il avait fréquentée, cette bande brillante dont Alfred était le centre, Alfred qui était capable de disserter comiquement sur un poil pubien tenu entre le pouce et l'index (le viol de bouclesse, clamait-il) – il avait couru avec eux et bu avec eux, mais il n'était pas l'un d'eux, n'avait pas sa place parmi eux ; il était condamné à la périphérie. Il essayait encore et encore, il les flattait, se débattait pour les suivre, il s'efforçait d'être à la hauteur, de les mériter, mais au bout du compte, ils en avaient eu assez de lui, ou lui d'eux, il n'aurait su faire la différence. D'une manière ou d'une autre, il était exclu. C'était leur brio qui l'avait lassé ; un brio qui ne se fixait nulle part, toujours mobile, se posant à droite, à gauche, sans but, pique après pique. Ses immorales n'étaient, elles aussi, rien de plus que des piques superficielles. Mais le vrai problème, c'était le chat – il lui aurait fallu un animal plus gros, un animal susceptible d'effrayer la famille à son retour. Un ours, un épouvantable grizzli. Non : quel foyer aurait un ours comme animal domestique ? De plus, une fois relâché, aucun ours ne serait assez fou pour retourner à la domestication, pour retrouver ses chaînes.

– Nom de Dieu, je n'y arrive pas, dit-il.

La femme leva les yeux et il se rendit compte qu'il avait parlé tout haut. Il était gêné, mais à peine – récemment, il s'était mis à parler tout seul. C'était la colère qui provoquait cela, la lave se formant dans un gosier desséché, il s'en fichait, il faisait ce qui lui plaisait, il pouvait hurler dans la rue s'il en avait envie. À trois heures du matin, une nuit, rentrant fin torchés du Napoléon, vertige aux genoux et chansons aux lèvres, Alfred rond comme une queue de pelle, tous deux hurlant à la lune, hurlant à la nuit, de bon gros hurlements américains, quand soudain, Eh, écoute, avait dit Alfred, le monde sauvage, c'est lequel finalement, le Nouveau (il avait pris de l'âge depuis) ou l'Ancien ? Une merveille, ce moment, avec le bras d'Alfred autour du cou (mais Alfred s'était tué, Alfred était mort), ne sachant plus s'il avait ou non un corps.

La femme dit :

– Alors il vous faut persister.

Cette vieille chose lui avait répondu, comme s'il avait attendu une réponse, comme s'il en avait eu besoin, comme s'il l'avait voulu ! Le regard qu'elle lui lança était à la fois au-delà et en deçà de l'agacement, le genre de regard que l'on pose sur un enfant qui vous jette un caillou, mais vous manque. Cela lui fit croire encore plus qu'elle devait être une enseignante du lycée d'à côté, une vieille harpie à la langue de vipère que les jeunes filles avaient choisi d'ignorer. Il retira ses pieds de la chaise. Ce geste furtif exécuté à contrecœur et presque malgré lui pour respecter la bienséance – elle l'avait percé à jour, l'avait humilié – la fit rire, rire de lui ! D'après ce premier son, il était clair qu'elle n'était pas française, et encore moins américaine. D'où venait-elle ? Même un rire peut porter un carillon lointain en lui, et cette femme importune, avec cette double ride entre les sourcils qui la vieillissait encore, riait de lui !

22

Ce garçon était absurde. Ce garçon était méprisable. La vanité qui émanait de lui, maître du monde, à la tête de son troupeau de chaises, comme si la terre entière lui appartenait, un de ces messieurs Je-sais-tout américains, tout enflés de la vieille imagerie sartrienne – Sartre, ce balourd, cet infâme communiste, ce complice du pire. Paris était infesté de ces pastiches de bébés Sartre et de bébés Gide, assis au café, penchés sur des manuscrits tachés d'encre, un apéritif placé à portée de doigts afin d'authentifier la parodie, le jeu de rôle imbécile et suranné. Et ce spécimen en particulier, se battant dans des souffrances romantiques contre la faille tragique de son génie ! Un terrain de jeu, voilà ce qu'était Paris pour eux, un jouet : ils l'useraient jusqu'à la corde, seraient usés par lui, l'un ou l'autre finirait par rendre les armes. Et quand ils en seraient lassés, ils s'en iraient comme ils étaient venus ; c'était si facile pour eux de s'enfuir par voie d'air, grâce à leur bon vieux passeport américain, vers les riches cités qui les attendaient, leurs gratte-ciel de cinéma, leurs joyeuses mégapoles de Cleveland, Chicago ou Boston ! Ils allaient et venaient à leur guise, ignorants du fait que le sol était meurtri, tant il jouissait, sous leurs pieds, d'une douceur oublieuse. Et il était là, ce jeune homme grossier qui avait tous les droits, avec ses grosses sandales sales posées sur une chaise, exposant ses gros orteils sales...

Alors Lili éclata de rire et, dans son anglais bizarrement fichu, lança sa petite moquerie avant de retourner à la lettre qu'elle écrivait à son oncle.

Mais ce garçon idiot ne comprit pas qu'il ne s'agissait que d'une plaisanterie indifférente, d'un simple sarcasme facile, ou, s'il le comprit, il devait être sacrément en manque de conversation, car il semblait prêt à tirer la langue pour recueillir la plus petite miette de chaleur humaine. Elle n'avait pas la moindre chaleur à lui donner ; elle était froide, le peu de chaleur qui lui restait, elle le destinait au frère de sa pauvre mère disparue, loin de là, à l'endroit où elle avait fini par le dénicher ; elle avait l'intention d'aller le voir, dans deux mois, peut-être trois. Solitaire, donc ; le garçon aurait dû s'en retourner, sans doute avait-il de la famille quelque part, pourquoi persisterait-il ? En quoi persisterait-il ? En jeu de rôle dans les cafés ? Elle les avait vus partout, toujours un verre à la main, tapageurs, jouant leur petite comédie. L'exil de pacotille, un jeu éphémère. Le sol était meurtri, les rues grouillaient de réfugiés, et ces Américains s'amusaient à fuir ! Comme s'ils avaient eu quelque chose à regretter, à mépriser, à haïr, à redouter ! Comme s'ils n'avaient pas été les maîtres du monde.

Pourtant, ce maître du monde là la regardait avec tristesse, avec colère – avec amertume. Ses chagrins, quels qu'ils fussent, étaient ordinaires, il manquait d'éducation, son ignorance ne différait pas de l'innocence ; mais elle percevait clairement les effluves d'amertume.

– Je suis une blague ? dit-il.

Parce qu'elle avait ri, mais qui n'aurait pas ri devant un travestissement pareil ?

– Oh, oui. Exactement. Parce qu'il y en a tant des comme vous.

– Tant de quoi ?

Voyez un peu comme il cherchait la bagarre !

– Tant d'oisifs. Au carnaval du temps qui passe. Vous venez ici et vous ne savez même pas pourquoi.

Il se faisait gronder ; pire, il se faisait démasquer. Et par une femme autoritaire et indiscrète qui se prenait pour une voyante extralucide. Comme s'il n'avait pas eu le droit d'être simplement ce qu'il était. Elle croyait qu'il appartenait à la bande, alors qu'il y avait renoncé ; c'était injuste. Cœur étreint par le manque et l'abandon : seule sa sœur avait de la sympathie pour lui. Bon, sa mère aussi, bien sûr, mais elle vivait tellement sous l'emprise de son père...

– Vous ne me connaissez pas. Alors ne me jugez pas.

Cela sonnait puéril, même à ses propres oreilles.

– Vous feriez mieux de rentrer chez vous, dit-elle.

– Je ne peux pas.

– Et pourquoi ça ?

– Je n'ai pas de chez-moi.

Oh, c'était prodigieux ! Cette caricature, ce rejeton de la bonne fortune qui prétendait n'avoir pas de maison !

– Non ? Mais alors, d'où venez-vous ?

– De Californie, dit-il, comme s'il crachait un asticot.

– Eh bien, le voilà votre chez-vous, vous voyez ?

Il aurait aussi bien pu citer l'Antarctique, vu le peu de réalité que cela avait pour elle.

– Être né quelque part, répliqua-t-il, ne signifie pas que vous vous y sentez chez vous, pas si on refuse de vous traiter comme une vraie personne...

Elle l'attirait dans ses filets, conjectura-t-il avec l'intention de s'en extirper : pourquoi la laisser faire, pourquoi lui confier quoi que ce soit ? Il en avait déjà trop dit ; toujours cette manie infantile de faire des discours. À présent, il la regardait pour de bon – comme elle était petite, les clavicules saillantes, l'étroit sillon au-dessus de la lèvre supérieure, la chair mordue de la lèvre elle-même. Les doigts blancs toujours agrippés au stylo rétractable.

Et ce rire de nouveau ! Ce mépris. Avec comme un vide au centre. Était-ce une plaisanterie ?

– Vous ne croyez pas si bien dire, fit-elle.

Il s'était trompé, elle n'était pas vieille, dans les trente-cinq ans, ce n'était que sa voix qui semblait âgée. Des voix pareilles appartenaient en général aux nouveaux immigrants des recoins perdus de New York. Il en avait vus dans des vieux films, poussant leurs charrettes, des babouchkas marchant péniblement, des vieux bonshommes.

Il savait que son père avait eu un grand-père immigrant (mais pas sa mère, non !) ; c'était un genre de secret de famille. Son père n'avait que mépris pour les accents étrangers, il les tournait en dérision, ils l'offensaient.

Elle vit à quel point il était dérouté. Amer, pourquoi était-il amer ? Un garçon perplexe, il ne comprenait rien à rien. La Californie, le pays des fées, Deanna Durbin, Fred Astaire, des films dansant et chantant pendant que le monde partait en fumée.

Et lui – à cause de cette voix, avec ses approximations maladroites de l'étranger, superposées à une cadence inconnue (trop rapide et trop lente à la fois, la mauvaise cadence), et la vibration vrombissante des *r* roulés dans la gorge –, il le sentait, cela le frappait, il s'y soumettait : elle était ce qu'elle était. L'une d'entre eux, ces fantômes du Marais, ces pigeons vagabonds qui picoraient les ordures sous les pieds des passants. Vous étiez forcés, s'ils ne vous dégoûtaient pas, de les prendre en pitié, ces pauvres choses brisées, une sorte de rebut en eux-mêmes. Mais si on les prenait en pitié, ne fût-ce qu'un tout petit peu, ils pouvaient se transformer en colombes lisses et éblouissantes, connaisseuses cosmopolites, chargées d'histoires cachées, abattues par des tourbillons malfaisants. Des colombes, ainsi les avait-il nommés, et lorsqu'elles avaient atterri, à sa grande surprise, dans les pages de *Merlin* (grâce à Alfred !), elles avaient conservé cette appellation.

Et elle, de son côté – observant à l'instant, au fond de ces yeux clairs qui s'assombrissaient, une forme de compréhension incontournable –, remarqua le carnet à marge rouge : imaginons qu'elle eût été trop prompte à le mépriser, imaginons qu'il y eût quelque chose de bon dans ce carnet, un garçon de vingt ans est capable de produire une pensée bonne et juste, Eugen, quand il avait une vingtaine d'années, en était capable, il était même beau, pas si différent que cela de ce garçon tout étiré, avec ses larges épaules et son menton qui pointait tristement au-dessus d'un cou joliment potelé, le duvet de moustache, les cheveux longs, le nez large aux narines bien dessinées. Mais elle ne souhaitait pas penser à Eugen, et encore moins à Mihail. Elle les rejetait, Eugen et Mihail, elle purgeait ses yeux chaque fois qu'ils s'y forçaient un chemin. Une purge noire, comme un vomissement.

C'est ainsi qu'ils se rencontrèrent cet après-midi-là, Lili et Julian, entre ridicule et condescendance, entre vacuité et rugissement. Il coassait sa Californie, terre d'ignorance, qui ne valait pas mieux que chiens et chats en peluche. Elle saignait sa Transnistrie, où l'on en savait trop, et rien de ce qu'il pût imaginer : elle camoufla tout pour lui, le typhus, la dysenterie, la famine, les fusillades. Les fusillades et encore les fusillades. Sa mère, son père, Eugen, Mihail. Jusqu'à ce qu'il ne reste plus que Lili, Lili toute seule, avec cet horrible trou dans le bras (ça aussi, elle le camoufla) dû à une balle perdue, et l'oncle récemment découvert dans un territoire lointain. La Transnistrie du diable noir et, après ça, la Bucarest du diable rouge, fatras et gâchis. Mais ça aussi, elle le camoufla.

La pitié œuvra : elle eut pitié de lui à cause de sa vacuité, il avait pitié d'elle parce qu'elle avait été pleine et qu'on l'avait vidée, et aussi à cause du trou hideux dans son bras. Elle lui dit qu'elle avait l'intention d'aller voir son oncle ; son oncle vivait à Bat Yam, une ville en bord de mer, non loin de Jaffa ; son oncle l'attendait, et Julian connaissait-il Jaffa ? Non, il ne connaissait pas. C'était de là qu'était parti Jonas, dit-elle, il connaissait à peine Jonas, il n'avait aucune notion de religion. Mais au bout du compte – cela prit plus d'un mois –, elle l'accompagna quand il alla reprendre ses affaires chez Mme Duval. Ils décidèrent d'un commun accord (mais elle fut si difficile à convaincre) de s'installer un temps dans l'appartement inoccupé du Dr Montalbano. Elle avait beaucoup à lui apprendre. Il n'avait rien à lui offrir, hormis le miracle de sa gratitude.

Ce qu'elle lui apprit, c'était l'Europe. Elle épaissit son esprit. Et il pénétra dans son corps avec gratitude. Il oublia la pitié. Elle, qui en avait moins (parce que en réalité, il n'en inspirait pas tant), l'oublia aussi.

23

Leo était en colère, il était humilié. Il avait rencontré le réalisateur ce matin pour discuter de scènes récemment ajoutées – des instants où la musique devait entrer, puis disparaître. Le réalisateur insistait sur les « moments forts », sur les « pics dramatiques » – ce n'était pas le jargon qui gênait Leo, c'était l'insulte à sa partition. Il avait envie, pour une fois, de la laisser se déployer du début à la fin, sans interruption. Certes, elle se poursuivrait en sourdine sous les dialogues, elle s'éléverait et enflerait dans les moments de terreur ou de joie, elle galoperait avec les chevaux et ondulerait de manière évocatrice lorsque les amants prenaient conscience de leurs sentiments, mais elle vivrait de façon autonome, séparée de ce drame stupide, comme un organisme indépendant qu'elle était en réalité : elle serait sienne.

– Leo ! Mais qu'est-ce que tu fabriques ? braillait le réalisateur – c'était Brackman, l'affreux, l'arrogant Brackman. Tu nous ponds un concert ? Tu te crois au Carnegie Hall ? Tu veux me fourguer un opéra, c'est ça ? Écoute, y me faut un gros bruit, là, juste là, je me fiche de ce que c'est, un tambour peut-être, un machin qui sonne, tu te débrouilles. Colle à l'action, ne me refile pas de la grande musique, tu me suis ?

Mais l'œuvre avait une trajectoire, elle connaissait son but, c'était comme une flèche vivante, elle avait son propre courant sanguin. Schönberg, même Schönberg, ce sublime inventeur, avait raté sa carrière dans le cinéma ; ils l'avaient jeté. Schönberg ! Ils se fichaient pas mal de la polyphonie complexe, de l'originalité, d'un pouvoir supérieur d'imagination. Si Brackman avait pu engager, disons, Prokofiev à la place de Leo Coopersmith, il se serait moqué de lui, exactement comme il se moquait de Leo – peu importe qu'Eisenstein et Prokofiev aient collaboré comme deux anges ! Une époque pareille ne reviendrait jamais. Et pourquoi pas un opéra ? Pourquoi pas l'empyrée, pourquoi pas le sublime ? Ce que Brackman voulait, c'était ce qu'il avait déjà entendu dans une centaine d'autres films, de bons vieux sons pour aller avec de bonnes vieilles images. Tempi erratiques et cordes édulcorées.

Leo avait depuis longtemps admis qu'il ne valait pas mieux qu'un manœuvre. Il se savait assis sur l'un des plus bas barreaux de l'échelle – loin au-dessus se trouvaient les réalisateurs, les producteurs et toutes ces autres figures resplendissantes qui planaient plus haut encore – mais cette échelle était en or massif ! Il avait une grande maison, et, garée dans l'allée en demi-cercle, une grosse voiture ; une cuisinière, large d'épaules et forte de hanches, œuvrait aux fourneaux. Ses femmes l'avaient quitté, la deuxième comme la première. Elles avaient emmené ses filles avec elles, Lucinda était partie avec la première et Lenore avec la seconde. Parfois il pensait à corriger le décompte : la première était en fait la deuxième et la deuxième la troisième. Situation assez ordinaire dans son milieu où les hommes avaient autant d'enfants issus de femmes différentes que n'importe quel habitant des îles Trobriand. La véritable première femme avait à présent aussi peu de réalité qu'un fantôme – un épisode mort et enterré (épisode, un terme cher à l'industrie qui l'employait), une fantaisie si lointaine dans le passé qu'il était difficile de croire qu'elle eût une quelconque véracité. Son mariage à moitié oublié, et seul un idiot insouciant aurait pu abandonner un queue en parfait état à une personne sourde à la musique. Le frère avait plutôt bien réussi ; au moins avait-il gagné de l'argent, ou épousé une fortune. Dans l'un ou l'autre cas, il était devenu un gros bonnet des affaires. Le frère qui l'avait rabaissé des centaines de fois, pour venir finalement lui demander un service.

Il faisait les cent pas devant l'une des fenêtres en façade, assez haute pour éclairer une cathédrale. Dans cette maison, tout était disproportionné, comme si les choses avaient enflé suite à une quelconque maladie. Elle avait appartenu à un acteur du muet aujourd'hui décédé. Dans un placard fermé à clé (on avait dû faire sauter la serrure pour l'ouvrir), Leo avait trouvé une collection de sabres en caoutchouc et de tuniques façon Moyen Âge. Il y avait des crottes de chien dans le vestibule. Le prix de la maison avait chuté au moment où Leo l'avait achetée : avec ses tuiles rouges à l'espagnole et ses tourelles crénelées du pire goût, elle était à vendre depuis plus de quatre ans – la piscine avait été comblée après que le berger allemand de l'acteur s'y était noyé. Carrie, la première femme de Leo (c'est-à-dire la deuxième), y avait vécu pendant vingt-deux mois avant de décamper. Marie, la deuxième (non, la troisième), avait tenu plus longtemps ; mais c'était une maison inhospitalière pour l'harmonie nuptiale. Ou peut-être était-ce à cause de Leo ; ou encore une question d'usages dans cette partie du pays, qui donnait sur l'inconstant Pacifique.

Par la fenêtre, il regardait la petite Ford de location faire sa manœuvre dans l'allée, derrière sa Buick interminable : voyez-vous ça, elle avait appris à conduire ! – mais, lui aussi, après tout. Époque antédiluvienne où il prenait le tram et le bus, où les coudes de parfaits inconnus s'enfonçaient dans ses côtes durant les trajets en métro étouffants, il n'était qu'un jeune homme alors, qui vivait chez des parents dans le Bronx et n'avait d'autre choix que de faire ses gammes sur le piano droit désaccordé qu'on lui interdisait d'utiliser. Il était distant de ce garçon d'autrefois et légèrement dérouté par le cours inattendu qu'avaient pris les choses depuis lors, pourtant les sons dans son cerveau étaient inaltérables, seulement, seulement…

Elle s'avançait vers la porte, sa porte d'entrée massive avec une sonnette qui imitait le carillon de Big Ben (l'acteur de muet, pour compenser son silence professionnel, avait doté la maison de cordes vocales gargantuesques), et il se demanda s'il devait aller ouvrir lui-même ou dire à Cora de quitter la cuisine afin de s'épargner le premier regard, forcément pénible : serait-elle gênée ? Et lui ? Sa voix au téléphone ne lui avait pas semblé familière : il en avait gardé un souvenir différent, hésitante, accommodante. Les êtres humains perdent-ils leur cohérence avec le temps ? Oh, elle avait l'air sacrément nerveux – mais déterminé. Elle voulait quelque chose. D'abord le frère, et maintenant la sœur. Quant à lui, question cohérence, il était pareil au jeune homme d'autrefois sur un point essentiel : l'inaltérabilité, le chœur sublime des accords et des sons dans son cerveau. Quoique, pour dire la vérité (il se la disait parfois à lui-même), aux yeux des connaisseurs, qu'était-il ? Un tâcheron, un tâcheron de plus dans l'industrie cinématographique, rien de mieux, rien de moins.

Mais pas à ses yeux à elle ! Devant lesquels, il le savait, tremblerait le voile qu'il avait l'habitude de voir, cette membrane soyeuse et vivement colorée, tissée par la sorcellerie nationale, internationale et galactique du cinéma. La magie du cinéma : son nom qui se déroulait en une guirlande de lettres sur les écrans des sept continents. Il l'avait aussi décelée, cette humilité pleine d'adoration et de respect, sur le large visage puissant du frère, cette bouche plate et dure, ces grosses dents du bas luisantes de la salive accumulée pour soutenir des arguties ; pourtant l'homme fort était devenu réservé, craintif, sur le point de l'importuner. La magie du cinéma l'avait pris dans ses griffes ; elle tenait dans ses griffes tous les êtres vivants d'un bout à l'autre des sept continents. Le frère, l'homme fort, était impressionné, intimidé – mais certainement pas par la taille de sa maison ; la sienne était sans doute dix fois plus grande et plus belle. Do devait elle aussi avoir laissé derrière elle leur logement misérable, très loin derrière même – bon sang, était-il possible qu'elle fût encore coincée dans son école suppurante pour gros durs ?! –, et lorsque Cora la guida sur les dizaines de mètres du vestibule et du hall central pour atteindre la pelouse bleue de la moquette où Leo s'était planté pour l'attendre parmi plusieurs sofas profonds (ils avaient été choisis par Carrie), des tables à plateau de marbre, des vases chinois ventrus en nombre exagéré (achats de Marie), des photos encadrées de ses films et l'Instrument lui-même, il crut sentir la satisfaction très particulière qu'il éprouvait à observer une femme intimidée. Une femme ! Quelle idée bizarre d'avoir cru qu'elle pourrait n'avoir pas changé, ou presque pas. La jeune fille s'était dissoute ; il avait devant lui une créature complètement neuve.

Il tendit la main, histoire de se débarrasser au plus vite des politesses – qu'aurait-il pu faire d'autre ? Elle la prit avec une mollesse endormie : la paume était chaude, les doigts souples.

– J'ai eu du mal à te reconnaître, dit-il, et dans la mesure où c'était le sentiment principal qui le traversait, pourquoi le cacher ? Il ne pensait pas que cela la peinerait, c'était un simple fait.

Mais elle regardait au-delà de lui, scrutant le luxe des lambris et des draperies froncées, ainsi que – gages de son hospitalité assez moyenne, mais à ne pas négliger cependant – les gâteaux au pavot de Cora. Pas trace ici des choix vociférants de l'acteur du muet : c'était du Carrie, recouvert d'une couche de Marie.

Elle fixait l'objet avec insistance.

– Tu as un nouveau piano.

– Nouveau ? Je l'ai depuis des années, c'est ma récompense, dit-il.

– Il est beaucoup plus grand que l'autre.

– Tu veux parler de la boîte à chaussures de ma cousine, oh, voyons, c'est à ça que tu penses ? Pauvre imbécile de Laura, elle est sûrement sortie de ta vie à l'heure qu'il est...

– Elle me remplace à l'école. C'est grâce à elle que j'ai pu m'échapper.

– Alors, comme ça, tu continues.

– Non, pas celui-là, pas celui de Laura. L'autre, le queue, je l'ai toujours, et oui, je continue.

– À enseigner, dit-il bêtement.

Il sentait l'ombre d'une inquisition périlleuse s'étendre sur lui – il avait l'intention de la détourner. Il était sur le point de lui proposer de prendre place dans l'un des sofas, mais elle s'était déjà assise sur une chaise à dossier de rotin et coussin en tapisserie. La tapisserie représentait un pont en arche. Il était assorti au pont en arche peint sur le plus dodu des gros vases chinois trônant sur une table en or moulu qui se trouvait à côté de son coude. Il la vit se tourner vers l'objet, et il eut peur que d'un mouvement négligent du bras elle ne le fasse tomber – il connaissait sa valeur. Mais ses yeux examinaient les autres objets qui encombraient la surface dorée : un cendrier (c'était Marie la fumeuse : les coussins du canapé retenaient encore le brouillard latent de ses Camel), une photo de deux enfants, collée à la va-vite sur un cadre de fortune en carton, et le livre qu'il avait posé là, environ douze ans plus tôt.

– Je vois que tu lis Thomas Mann, dit-elle.

– *Docteur Faustus*, je ne l'ai pas feuilleté depuis longtemps. J'aime surtout l'avoir là, sous les yeux, comme une sorte de talisman.

Elle prit la photo et la reposa.

– Qui est-ce ?

– Mes filles. Un cadeau d'anniversaire. Elles ont fabriqué le cadre elles-mêmes…

Son regard poursuivit l'examen, fouillant dans tous les coins, à la recherche, supposa-t-il, de signes trahissant l'existence de ces petites filles.

– Elles n'habitent pas ici, dit-il.

Elle sembla indifférente. Son attention se reporta sur l'Instrument. Qu'est-ce qu'elle en avait à faire de ses filles ? Elle-même n'en avait pas. Il n'en revenait pas que Doris Nachtigall – il n'était pas certain du nom qu'elle portait aujourd'hui, mais bon, ça revenait au même – fût à cet instant assise en face de lui dans sa propre maison ! Cela n'avait pas la moindre réalité, c'était une chimère. C'était comme recevoir la visite d'un fossile.

– C'est un Steinway, celui-là ? demanda-t-elle. Tu as toujours voulu un Steinway.

– Un Blüthner, dit-il. Il était réticent à en parler, mais précisa néanmoins : Piano à queue de concert du dix-neuvième siècle, importé de Vienne. On m'a dit que Mahler avait composé sa *Sixième Symphonie* sur cet instrument. C'est un trésor...

– Et c'est sur celui-là que tu composes maintenant ? Comme tu faisais autrefois sur l'autre ?

Et voilà, c'était parti : un de ces interrogatoires naïfs qu'il devait subir de temps en temps. Était-il possible qu'elle fût venue en tant que membre de son petit public ému, exactement comme son frère, flagrante, importune – mais si cela n'allait pas plus loin, il ferait avec, il s'y soumettrait, du moment que ce n'était pas personnel. Mais comment éviter que cela devînt personnel ? Inconcevable que cette femme d'âge moyen et morose ait pu être une épouse, l'épouse de qui que ce soit. Encore moins la sienne ! Ses chevilles, et les chaussures ! Même les poignets. Elle était sèche de partout. Y avait-il des seins sous cette veste en laine ? Elle était vêtue pour le climat new-yorkais.

Elle avait mentionné le queue ; elle n'avait pas pu faire ça innocemment, le queue : ça, c'était personnel. Elle était venue dans un but précis. Il ne lui devait rien ; il avait été stipulé à l'époque qu'il ne lui devait rien – elle avait un emploi et lui non. Cette façon qu'avait eue sa voix, la veille, de lui bondir à l'oreille : il en avait perdu le contrôle de ses propres cordes vocales, et un maigre glapissement s'était échappé de sa gorge, mais elle s'était montrée plutôt neutre, elle lui avait simplement dit qu'elle était dans son quartier et lui avait demandé si elle pouvait passer. Passer, alors qu'elle surgissait elle-même du passé ? Une femme qui était complètement sortie de sa vie, avait été effacée de l'histoire, oblitérée, comme si elle n'avait jamais existé. Il ne lui avait pas accordé une pensée en plusieurs dizaines d'années. Il n'avait aucune raison de prononcer son nom.

– Je me rappelle comment tu faisais, persista-t-elle. Tu en avais carrément des suées.

– Tu n'y connais rien, tu n'y as jamais rien compris...

– Leo, cela fait des années que je t'écoute. Des années et des années.

Voilà que l'ignorance se teintait de flatterie, était-ce la raison qui l'avait poussée à faire irruption chez lui ?

– Bon, dit-il. Tu es envoyée par ton frère, c'est ça ? Une nouvelle tentative ? Tu lui as dit que je pourrais faire quelque chose pour son gamin, et maintenant, c'est à ton tour de venir me solliciter ? Je ne peux rien faire pour le gosse, quelle que soit la personne qui le demande.

Ce fut surprenant de la voir rougir tout à coup : c'était comme s'il l'avait frappée en plein visage.

– J'ai entendu parler de cette histoire, dit-elle. J'ai su que Marvin était passé.

– En souvenir d'une vieille amitié ? C'est pour ça ?

– Je ne sais pas. Je ne lui ai pas parlé. Je ne l'ai pas vu. C'était son idée à lui…

– Si tu ne lui as pas parlé, comment sais-tu qu'il est passé ?

– C'est sa femme qui me l'a dit.

– Ton frère, sa femme, leur gamin. Toute cette foutue famille. Trouver un job pour le gosse dans le cinoche ! On débarque pas comme ça pour demander un service, Do. Tu n'as aucun droit sur moi.

Il vit qu'il lui faisait honte ; il fut surpris de constater qu'il avait honte de sa honte à elle. Elle l'avait toujours défendu, lui, contre son frère, elle n'avait jamais pris le parti de Marvin. Il avait oublié tout ce qu'il avait oublié. C'était la première fois qu'il prononçait son nom depuis… il ne savait même plus depuis combien de temps.

– Et à supposer, dit-il, que j'aie des jobs à offrir, et Dieu sait que ce n'est pas le cas, qu'est-ce qu'il imagine que son gosse pourrait faire dans le cinéma ? Vendre des friandises à la caisse ? Ton frère croit que je suis célèbre, que j'ai de l'influence, que je peux accomplir des miracles…

– Je ne suis pas venue à cause de Marvin, je ne sais pas ce qu'il pense. Je ne suis pas venue pour son fils. C'est juste que… juste…

– Parce que toi aussi, tu penses que je suis célèbre, coupa-t-il.

– Je t'ai entendu à Londres, je t'ai entendu à Paris…

De bout en bout des sept continents !

– Ce n'étaient que des films, dit-il. Ce n'était pas moi.

– Ah non ?

C'était censé être une question. Cela avait la forme d'une question ; mais c'était une déclaration. Ou bien elle ne le croyait pas, et cela le rendait ridicule, le rabaissait. Ou, pire encore, elle le croyait – cette handicapée de la musique pensait que la musique de film est à l'égal de l'opéra ou de la symphonie ! Elle ne connaissait pas l'industrie, elle ne connaissait pas la musique, elle ne connaissait pas Mahler, elle ne connaissait pas la vérité du Blüthner, elle ne savait pas ce que c'était que d'être aveuglé par la sauvagerie de la *Sixième* ; la blessure, la douleur, le coup sourd au cerveau que portait le marteau... Pourtant elle savait, elle savait, et, dans la honte qu'il ressentait devant sa honte à elle (il voyait combien son frère lui faisait honte, et peut-être même son fils), il sentait ce qu'elle savait – elle avait été là au moment de sa naissance, elle en avait été le témoin : sa volonté à lui, c'était cela dont elle avait connaissance. Ses gouffres, ses passions, ses abysses. Elle était l'unique mortel sur terre qui se fût attendu à ce qu'il écrivît des symphonies. Ni Carrie, ni Marie n'y avaient cru, et, finalement, lui non plus.

Avec toutes les précautions du monde, il dit :

– Londres et Paris. Alors, comme ça, tu voyages ?

– Ce n'est pas une habitude. C'est récent. À Paris j'ai vu *Whispering Winds* deux fois, et à New York, j'ai dû le voir une demi-douzaine de fois. Je t'ai dit, j'ai écouté.

– Ce que tu as entendu, c'est la contrainte. La mécanique et les effets. La chose véritable, c'est impossible, ils ne te laissent pas faire.

Il aurait voulu lui dire *ils n'ont même pas laissé faire Schönberg, pas même Schönberg, ils ont viré Schönberg !* – mais si elle ne connaissait pas Mahler, comment aurait-elle pu connaître Schönberg ?

– Non, dit-elle. C'est toi que j'entends, Leo, je te reconnais.

– Tu me reconnais ! Tu ne faisais pas la différence entre un piccolo et un hautbois. Et ton frère qui...

– Marvin est malheureux, il n'aurait pas dû te déranger.

– Ambitieux et stupide. Je parie que son fils est une nullité.

– Il ne veut pas rentrer à la maison, c'est tout.

Un silence s'ouvrit entre eux. Il l'avait fait dévier de son chemin, mais quel était son chemin, d'ailleurs ?

– Tu vas aller le voir, maintenant ? dit-il.

– Je l'ai vu. À Paris.

– Ton frère est à Paris ?

– Son fils. Je ne sais pas où est Marvin, il était au Mexique il n'y a pas longtemps. Je ne sais pas si je vais le voir, je n'en ai pas l'intention. Sa femme est mal en point, elle est dans une maison de repos pas loin d'ici, du coup, j'ai pensé à toi...

Elle s'interrompit. La rougeur était remontée à ses joues. Elle lui adressa un regard vidé, comme une page blanche.

– Je pense beaucoup à toi, dit-elle. Beaucoup plus que je ne le devrais.

– Te voilà devenue romantique, après toutes ces années.

Méprisant ! Pourquoi était-il enclin au mépris ? Ce n'était pas Do qu'il méprisait.

– Ce n'est pas ça. Pas ça du tout, Leo. C'est que tu m'obliges à penser à toi. C'est toi qui me forces. Parce que tu l'as laissé chez moi et que tu n'es jamais venu le rechercher.

– Le queue ?

– Le queue.

– Tu n'étais pas obligée de le garder, à quoi il te sert ?

– Il est en bon état. Personne n'y touche. Il est accordé. Je fais venir un accordeur régulièrement. Ça, au moins, je connais.

– Tu pourrais le vendre. Tu aurais pu le vendre depuis des années.

Un regain de rougeur, mais seulement entre les sourcils. Un bindi, la marque de Brahma – récemment il avait composé la musique d'un thriller qui se déroulait à Calcutta.

– Cela aurait été comme vendre ton âme, non ? dit-elle.

Et voici que son mépris débordait à nouveau :

– Oh, ne t'inquiète pas, je m'en suis chargé moi-même. Et à plusieurs reprises, avec ça !

– C'est pour cette raison que je vais au cinéma. Pour t'écouter conclure le marché.

Il se leva. Un début de crampe menaçait sa jambe. Le canapé était trop profond, il ne l'avait jamais aimé, il créait une pression désagréable au niveau des cuisses.

– Je n'aurais pas pu rester, Do. Cet endroit était une prison, j'avais peur de ne jamais en sortir si je ne m'échappais pas au plus vite. Tu voulais trop, tu y croyais trop. Tu ne voulais rien pour toi-même, seulement pour moi.

– Alors pourquoi n'es-tu pas revenu le chercher, pourquoi l'as-tu laissé ?

– Je m'en suis acheté un meilleur.

– Meilleur ? Parce qu'il y a des lustres quelqu'un d'autre a composé une symphonie dessus ?

– Quelqu'un d'autre – comme si... Dieu tout-puissant, tu appelles Gustav Mahler quelqu'un d'autre !

– Mais toi, non. Toi, tu ne l'as pas fait.

– Je n'ai pas fait quoi ? De quoi tu parles ?

– Ça n'est jamais arrivé. Le regard qu'elle lui lança était farouche, sans hésitation ; ce n'était pas le regard dont il se souvenait. Il n'y a pas de symphonie, précisa-t-elle.

– Tu es déçue, c'est ça ?

– Pas pour moi. Pour toi, exactement comme tu l'as dit.

– Tu vois trop de films, Do. Ceux pour lesquels je compose en particulier, et crois-moi, c'est de l'arnaque au trémolo...

– Tu avais dit que tu repasserais le prendre, et tu ne l'as pas fait.

La crampe avait empiré ; sa jambe lui faisait affreusement mal, du mollet à la cheville. Il la regardait arpenter la pièce en cercles. Ses canapés, ses vases chinois, ses draperies froncées, la pelouse étale de sa moquette bleue... il était certain qu'elle ne possédait rien de ce genre. Elle touchait un salaire de professeur du public, elle vivait dans un petit appartement de fonctionnaire. Elle n'était la femme de personne : qu'étaient devenus ses seins ?

Le couvercle du Blüthner était fermé. Elle le souleva et contempla les touches. Avait-elle conscience qu'elle voyait l'histoire, la vérité, le sublime et le puissant ? Mais elle était trop sourde pour cela. Elle écarta les doigts de la main gauche, tandis qu'elle serrait ceux de la main droite au creux de sa paume. La gauche plongea comme une patte de lion sur les basses, le poing s'abattit sur les aigus. Le son produit fut formidable, auguste, c'était un tonnerre, un chœur de dieux tragiques, il venait des profondeurs, il tombait du ciel, il était la grêle, un jet de cailloux, il était la majesté ! Il était les premières mesures de la symphonie que Leo n'avait pas encore écrite. Il tapa du pied pour se débarrasser de la douleur. La honte était sur lui.

24

L'air se chargeait d'une senteur de fleurs précoces et de la promesse d'une chaleur suffocante. Il était sept heures du matin. Le vol de Do décollait à huit heures. Elle avait garé sa Ford juste devant la maison de Marvin. Sa maison ! Il s'était fait une place au soleil, et cette bâtisse en était la preuve tangible – la taille qu'elle avait ! Le style hispanique, plus ou moins librement interprété, des morceaux de ci, des morceaux de ça. Géographies hasardeuses et histoires mélangées : aux yeux de certains, cela pouvait passer pour de la beauté. Elle la savait vide de femme et d'enfants – ils avaient fui, tous les trois. Peut-être était-elle également vide de Marvin, hantée seulement par la gouvernante qui allait et venait et ne vivait pas sur place ; peut-être était-elle complètement vide. Le manoir de Leo (l'ascension irrésistible de cet homme, du canapé de son oncle à un manoir !) n'était qu'une bicoque à côté de la demeure de Marvin – quoique, « à côté », c'était vite dit. Dans ce quartier, l'expression « au coin de la rue » pouvait signifier une distance colossale, des routes qui tournaient, décrivaient un cercle complet, puis tournaient encore, des pelouses qui se déroulaient jusqu'à l'extrême bord du trottoir, le clic-clic étouffé du sécateur des jardiniers, le vacillement à demi-caché d'un filet de tennis, des allées profondes et désertes, des parkings bien à l'écart – genre de châteaux miniatures. Et, comme un joyau posé auprès de chaque maison, l'éclat du soleil sur l'eau : des piscines et encore des piscines. Chacune de ces demeures n'avait rien en commun avec celle d'à côté, à part la piscine. L'eau n'a pas de passé, ou alors elle contient tous les passés; et le tout, disent les philosophes extrême-orientaux, est l'équivalent du rien. Ô Californie!

Do était dans une stase: son esprit avait pris racine. L'ordinaire s'en était échappé – elle était emplie du poids de l'immobilité et du choc de l'après-coup. L'immobilité du premier souffle de ce jour et l'explosion de ces dernières minutes infectes avec Leo. L'explosion, la tempête! La violence qu'Iris avait réveillée du bout d'un doigt, innocemment, timidement – elle-même l'avait fait éclater de toute la force vengeresse de ses épaules. Elle y avait mis tout son corps, tendons, moelle et ventre, la puissance jaillissait de son aine, le fracas d'un dinosaure, dans toute sa frénétique absence de signification! Le son produit était une horreur. Qu'avait-elle fait? Comment s'était-elle permis? Mais Leo avait simplement dit: « Bon, eh bien voilà, voilà. » Il l'avait dit comme une figurine mécanique dont la clé commande un dispositif imitant la parole. Il avait des filles, il était père de deux filles. Elle les avait noyées dans ce babel sonore, les avait avalées en écrasant ses mains sur les touches comateuses; qui, sous ses doigts, étaient revenues à la vie, les noires comme les blanches.

Loin, à l'autre bout de la pelouse, elle entendit un couinement. Ce n'était pas un oiseau. Quelqu'un ouvrait la porte de chez Marvin. Une jeune femme sortit, portant une cape de bain qui couvrait son torse. Elle avait les jambes nues. Un homme plus vieux suivait, nu, lui aussi, à l'exception de son short de bain. Il était clair qu'elle connaissait le chemin – elle le guidait sur une allée pavée qui serpentait entre des treillis de plantes grimpantes, à travers lesquels Do distinguait un rectangle d'eau verte. Ils se dirigeaient vers la piscine. Tout en marchant, la jeune femme se débarrassa de sa cape. Elle avait la taille fine, les hanches étroites. Ses cheveux étaient retenus en arrière par des pinces. Deux minuscules boucles d'oreilles capturaient les rayons du soleil. La toison bouclée qui couvrait la poitrine de l'homme était entièrement blanche, les cheveux sur sa tête étaient encore noirs, mais rares. Le noir et le blanc. Do ne s'était jamais imaginé Marvin perdant ses cheveux. Il avait l'air en forme, robuste, et pas malheureux.

Un cri – la voix de la femme. Un bruit d'éclaboussure. Puis un autre.

L'espionne en Ford quitta les lieux.

25

20 octobre 1952

Do,

Pourquoi ne m'as-tu pas dit que tu y allais, finalement, j'ai beau m'arracher les cheveux, je ne comprends pas – et quand je pense à toutes les sornettes que tu m'as racontées, comme quoi tu ne pouvais pas abandonner tes mécanos, et j'en passe. Eh bien, pour me la couper, tu me la coupes. Tu veux me mettre à genoux ? J'y suis. Tu as toute ma gratitude. Pour le moment. Ton pli par avion est arrivé ce matin – j'imagine que ça signifie que tu es chez toi à l'heure qu'il est. Tu dis que tu as passé environ une semaine là-bas, mais bon sang, c'est où là-bas ? Tu ne me dis rien en fait, alors à quoi bon ? À quoi ça me sert ? Un immeuble avec une concierge, c'est très joli tout ça, mais tu ne dis pas OÙ il habite, ne serait-ce que ça – PAS D'ADRESSE, pas un mot sur la date de retour d'Iris et de son retour à l'université, et quant à Julian – cette fille dont tu parles, elle n'a pas de nom, qui est-elle, qu'est-ce que ça signifie ? Tu avais l'intention de les inviter à dîner, je suppose que la soi-disant petite amie était de la partie, c'est tout ce que tu as à en dire ? Tu es incapable de voir s'il s'est fait embobiner par une aventurière en jupons, tu n'as pas d'yeux, ou quoi ? À quoi bon tout ça, si tu reviens les mains vides ?

Et il y a autre chose. L'état de Margaret semble avoir empiré. Je suis allé la voir hier, il y a eu un problème dans sa thérapie, ils n'ont pas voulu me dire quoi exactement. J'ai toujours pensé que cette idée de guérison par l'art était un paquet de conneries de toute façon, je ne les paie pas pour qu'ils fassent de ma femme un Picasso femelle, et voilà que maintenant ils l'ont collée devant une espèce de métier à tisser – il semblerait que la peinture la mettait dans un trop grand état d'excitation. En plus elle a des hallucinations. Elle prétend qu'elle t'a vue – toi, et pas une autre, pourtant ça fait des années ! – et que tu lui as dit que Julian avait grossi, et, crois-le si tu veux, qu'il s'était marié ! C'est affreux, elle insiste, elle n'en démord pas, j'imagine qu'elle est obsédée par le mariage parce qu'elle est en colère contre moi, je ne sais pas pourquoi. Le truc c'est que, peu importe tout ce fatras de tissage et de vaudou en blouse blanche, ce qui lui permettrait de s'en sortir pour de bon, ce serait de voir Julian en chair et en os. IL FAUT ABSOLUMENT QUE MON FILS RENTRE À LA MAISON, un point c'est tout. Pour le bien de Margaret. Je me fiche désormais de savoir ce qu'il veut faire de sa vie, qu'il apprenne à jouer du pipeau si ça lui chante. Et Iris – mon Dieu, elle pourrait tout de même écrire ! De quoi elle a l'air ? Elle est en bonne santé ? Et de quoi vivent-ils là-bas, tous les deux, d'amour et d'eau fraîche ? Do, je souffre le martyre, je perds la raison, je suis seul dans tout ça, qu'est-il arrivé, qu'est-ce qui se passe ? Dis-le-moi !

Marvin

26

Phillip Parsons (son père avait insisté sur la nécessité du double *l* avant de disparaître) était né à Pittsburgh. Dernier de cinq enfants (et raison pour laquelle, il devait l'apprendre plus tard, son père avait disparu), il obtint son diplôme de fin d'études dans un lycée de quartier, fut enrôlé dans l'armée, reçut une formation d'infirmier militaire et participa à la bataille d'Anzio. Boueux, sanglant et décimé, son régiment traversa un village nommé Montalbano. Ce nom lui parut beau. Quelques vieilles femmes sortirent de leurs maisons basses en pierre sèche pour tendre aux Américains des tasses d'étain remplies d'eau. L'eau du puits, froide et pure ; ce fut comme avaler la clarté du jour. Et après ça, ils poursuivirent vers les Ardennes, où le carnage fit monter une brume écarlate à ses yeux tandis qu'il s'agenouillait au bord des chemins ; et après ça encore, une semaine de délire triomphal dans le Paris abîmé et pourtant animé d'une certaine joie hilare – rires tapageurs et intimidants des Américains au milieu des débris. À la fin de la guerre, il endura une année d'études financée par le G.I. Bill, un fonds favorisant la réinsertion des vétérans, mais le retour à la normale avait été si rapide autour de lui, si brutal, comme si rien ne s'était passé, qu'il se sentait à l'écart, différent – sa famille lui paraissait à présent d'une bêtise crasse. Qu'avait-il en commun avec eux ? Sa mère s'était remariée, ses quatre sœurs aînées étaient préoccupées par leur morne existence. Il se rappela Montalbano et l'eau qui avait un goût de fraîche clarté.

Il se rappela aussi la semaine d'ivresse à Paris – quoi que fût Paris, ce n'était pas Pittsburgh. Il se trouva un emploi de brancardier et économisa suffisamment pour se payer un billet et voir venir. L'hôpital le déprimait – pas les maladies, les blessures et la mort, il s'était aguerri avec le temps et ne les redoutait plus ; non, c'était la blancheur atroce, le blanc des murs et des plafonds, les draps blancs, les têtes de lit peintes en blanc, les calots blancs et les chaussures blanches des infirmières, son propre pantalon blanc. Seuls les docteurs, en costume-cravate, échappaient à la blancheur ; seuls les docteurs avaient de l'autorité. Les brancardiers étaient méprisés, les infirmières n'étaient pas mieux traitées. Les docteurs étaient plus que respectés. On leur faisait confiance, on les vénérait.

Sur le bateau qui effectuait la traversée, il partageait, sur le pont inférieur, l'une des cabines les moins chères, une vraie boîte à chaussures, avec un étudiant canadien francophone qui s'était inscrit à la Sorbonne. Ce fut un voyage de trois jours, sans beaucoup de conversation : il passa presque tout son temps à vomir tripes et boyaux, agrippé à sa couchette, avec une cuvette en plastique à proximité. Lorsque l'étudiant lui proposa de boire un coup à sa flasque et lui demanda son nom, il refusa le vin et, dans un grognement, parvint péniblement à articuler quatre syllabes : Montalbano. Le soir du deuxième jour, il se sentait mieux, hormis le hoquet persistant, et il put bavarder plus librement. Lorsqu'ils accostèrent au Havre, il était déjà le Dr Montalbano. À Paris, il se choisit Alfred pour ami, ou Alfred le choisit – pas facile de faire la différence, vu qu'Alfred était l'ami de tout et de tous, y compris des chiens et chats, et de leurs maîtres –, raison pour laquelle il avait d'abord cru que le Dr Montalbano était vétérinaire. Pour un tarif de misère, ce dernier appliquait des bandages sur les pattes blessées, sauvait les chatons au bord de s'étouffer avec un bouton bêtement avalé, apaisait les démangeaisons de la gale grâce à une lotion concoctée sur sa cuisinière à deux feux, et se lança bientôt dans des leçons d'éducation canine. Les leçons, à l'instar des lotions, étaient le fruit de son imagination, et, bien entendu, ce n'était pas les chiens qu'il éduquait, mais leurs maîtres. Il se découvrit ainsi un talent pour la persuasion, un don pour favoriser une intimité immédiate – il ressentait cela comme une présence dans un organe interne qu'il n'aurait su nommer, une glande qui n'avait encore jamais servi et n'attendait que cela, mais il n'avait jamais eu auparavant l'occasion d'en faire usage, ni à la maison avec sa mère et ses sœurs, ni encore moins pendant la guerre. Lorsque Alfred, un soir, lui amena un garçon qui saignait après avoir reçu un coup de poignard, il cautérisa la plaie, la nettoya et la banda ; c'était plutôt facile, rien à côté de ce qu'il avait dû faire dans les Ardennes. Le garçon avait peur d'aller à l'hôpital, il craignait que la police ne le fiche comme prostitué. « Il y en avait deux, expliqua Alfred, et ils se battaient pour moi, je n'arrivais pas à décider lequel j'aimais le plus. Ils sont si mignons. » Surprise : le garçon avait plusieurs centaines de francs dissimulés dans une ceinture portefeuille, et avant de partir, avec un baiser pour Alfred, il déposa sur la cuisinière l'équivalent de cinquante dollars américains.

Mais Alfred éclata soudain en sanglots. Personne ne l'aimait vraiment, dit-il, il était trop laid, les gens gravitaient autour de lui à cause de ce qu'il pouvait faire pour eux, ou parce qu'il était un personnage de foire, un bouffon, un clown stupide, c'était à cause de la perruque, de la maladie infantile qui l'avait laissé sans pilosité aucune, plus même de sourcils, ni de cils – sa célèbre blague avec le poil pubien, eh bien le poil n'était pas à lui, et s'il retirait sa perruque, c'était affreux, il sentait la révulsion générale, le ridicule de son dôme nu, son crâne comme une poignée de porte, comme une pièce d'échecs, il ne supportait pas de la porter, mais s'il la brûlait, ne serait-ce pas pire encore ? Seuls les chiens toléraient son apparence, les chiens s'en fichaient. « Tu as vu ce baiser ? dit-il. Mascarade. Ça ne vaut rien. »

Peut-être était-ce à ce moment-là que Phillip Parsons était vraiment devenu le Dr Montalbano. Jusqu'alors, le nom avait été faux, de même que les lotions et les leçons : l'homme lui-même était faux. Mais il déchira un carré de gaze qui avait servi pour le pansement du garçon et tendit la main vers le visage d'Alfred pour sécher ses larmes. Il tapota le morceau de coton sur les joues d'Alfred, puis sous le nez d'Alfred. En pure perte, les sanglots continuaient. « Tu as un visage de bébé, dit-il. Tu sais, ces bébés qui ont des ailes », et il laissa Alfred pleurer sur sa poitrine et tremper sa chemise. Alfred était ivre mort, imbibé de bibine, c'était une éponge à alcool, une allumette aurait suffi à y mettre le feu ; mais ce n'était pas faux de dire qu'il ressemblait à un chérubin. Il avait les petites lèvres roses d'un chérubin, les petites oreilles rondes, les yeux ronds et bruns, et un front rond et blanc qui se ridait sous la perruque jaune. Il était magnifique.

Et c'est ainsi que le Dr Montalbano découvrit sa méthode. Sa méthode était sa vocation. Qui n'a pas un jour désiré qu'on lui tende un miroir ? Le thérapeute devient un miroir et autorise le patient à voir ce qu'il désire voir : c'est la pratique des chamans, qui croient en eux-mêmes. Mais y croient-ils vraiment ? Peut-être. Le Dr Montalbano vit également, dans les francs que le garçon avait laissés sur la cuisinière, que sa vocation pourrait bien contribuer à améliorer la qualité de ses dîners. Alfred était magnifique, le monde lui-même était magnifique, innocent et mûr pour la persuasion – il suffisait d'être un miroir et d'ajouter à cela une ou deux panacées thérapeutiques. Les ingrédients d'un tel élixir ne devraient pas être trop difficiles à concocter, tout ce qui manquait au docteur, c'était une marmite plus grande, et, pendant qu'il y était, un lieu plus vaste pour accueillir les clients. Ce fut Alfred qui lui amena ses premiers patients, et, assez vite, ceux-ci en amenèrent d'autres, au point qu'il semblât nécessaire d'afficher une liste édifiante de références. Ce qui fut fait grâce aux inépuisables trésors de l'alphabet. Ce fut comme une illumination : il y avait quelque chose de visionnaire dans la manière dont son père avait tenu à doubler le *l* de son prénom, comme un augure annonçant le futur redoublement du *p*, si bien que (avec l'aide décorative du *e* final francophile), il adopta le Phillippe régalien. Pour finir, à la suite du majestueux Phillippe Montalbano, il adjoignit un long serpent d'acronymes à consonances scientifiques. De ce fait, sa carte de visite, et, plus tard, ses prospectus publicitaires, laissaient supposer à la fois qu'il possédait des diplômes de grade élevé et avait travaillé dans des laboratoires ésotériques.

Dr Phillippe Montalbano, IAENC[1], ANB[2], SPV[3], POF[4], FCAEE[5], CAPL[6], LSO[7], ARV[8], etc.

1 *Diplômé de l'Institut d'analyse équitable des nutriments crus*
2 *Chancelier de l'Académie de nutrition botanique*
3 *Fondateur de la Société de prévention contre le vieillissement*
4 *Professeur en organologie fonctionnelle à l'université de médecine naturelle*
5 *Consultant auprès de la fondation Corps et Âme pour l'élévation de l'esprit*
6 *Président du comité directeur de la Commission antiproduits laitiers*
7 *Vice-président de la Ligue de santé oxydative*
8 *Secrétaire général de l'Alliance pour la respiration védique, etc.*

La liste croissait à mesure que sa clientèle augmentait, et ses cliniques dans trois villes enflèrent, jusqu'à compter plusieurs pièces à des adresses fort respectables. Et pendant que ses patients en étaient réduits à un régime de boulgour et de purée de carotte, le Dr Montalbano se régalait de rosbif et de crème épaisse. Tous les hédonistes ne sont pas des hypocrites, et le Dr Montalbano ne se considérait pas comme un charlatan. Son travail, dont la réputation s'étendait jusqu'à Lyon, et même plus au sud jusqu'à Milan, était remarquablement charitable. Ses tarifs étaient raisonnables, et il recevait les indigents gratuitement. Certaines personnes ne juraient que par lui, et beaucoup prétendaient qu'il était plus efficace qu'un pèlerinage à Lourdes ; aucun handicapé ne jetait ses béquilles aux orties, et les malades sérieusement atteints continuaient de mourir – mais avec un sourire de gratitude aux lèvres. Et, entre-temps, la série de références se devait de changer de forme et de contenu afin de ne pas éveiller les soupçons des enquêteurs officiels qui traquaient les activités médicales non patentées. Cependant, le Dr Montalbano ne s'était jamais prétendu médecin. Il était, selon ses dires, un homme de cœur, prodiguant des conseils de bon sens, et, par-dessus tout, un cuisinier expert. Il était, en fait – et quoi de plus parisien que cela ? – un chef! Ses cliniques tenaient davantage de la table d'hôte que de la table d'opération. À l'occasion, avec un clin d'œil de complicité persuasive, il lui arrivait même de se qualifier de voyant. Non qu'il fût capable de lire dans l'avenir – cependant, grâce à l'observation de la logique inhérente aux choses, il est possible de deviner comment tournera une union orageuse, de prédire un divorce, de sentir qui guérira et qui ne guérira pas, quant aux amoureux, leur destin est écrit dans les étoiles, et le Dr Montalbano se sentait totalement à l'aise avec les inclinations des corps astraux. Vénus était l'une de ses spécialités. Il était capable de mijoter une potion contre l'impuissance (celle-ci nécessitait un bain-marie), bien que lui-même n'ait jamais eu à y recourir : il attirait les filles comme un aimant. À ces fins, il travaillait dur son italien, en particulier le dialecte du Nord. Son français était, lui aussi, devenu pratiquement parfait, exception faite de quelques légères inflexions de Pittsburgh, dont il n'était jamais parvenu à se débarrasser.

Lorsque Alfred lui amena Julian, le Dr Montalbano se préparait à partir pour Milan, où une certaine Adriana, une ancienne patiente, l'attendait. Il l'avait guérie d'une verrue sur le sein en y appliquant chaque semaine un baume concocté, comme d'habitude, par ses soins. La cicatrice résiduelle était presque invisible, et le sein, après ce traitement, était redevenu rose, rond et séduisant. Alfred l'écoutait d'un air morne ; il n'avait pas la moindre curiosité pour les gros nichons d'une ritale inconnue, il avait envie de parler de son ami Julian qui se croit poète ou un truc du genre, et qui s'est mis à la colle avec une drôle de vieille carcasse ; il faut lui trouver une piaule où crécher jusqu'au jour où elle l'emmènera Dieu sait où, à Jérusalem, ou Constantinople peut-être, un machin biblique de ce style…

– Je n'aimerais pas trouver mes meubles abîmés à mon retour, dit le Dr Montalbano. Il ne boit pas, au moins ?

– C'est un gosse de L.A. ; là-bas, ils ne boivent que du soleil et du lait.

– Et la femme ?

– Plus une gosse. Un truc bizarre au bras. Une des ces… enfin, tu vois.

Le Dr Montalbano rumina un instant.

– Cela ne me déplairait pas d'avoir un couple qui garde l'appartement pendant que je suis en déplacement – dès que j'ai le dos tourné, cette fichue concierge cockney entre chez moi comme dans un moulin et fouine dans tous les coins. Elle croit que je tiens un bordel. Mais il faudrait que je rencontre le gosse d'abord, je n'ai pas envie de voir un de tes petits protégés vomir comme un voyou sur mes tapis…

Julian, qui savait que son âme était construite selon un modèle différent de celle de son père (mais son père avait-il seulement une âme ?), n'était pas, cependant, sans posséder l'acuité de jugement de son géniteur. Il vit au premier coup d'œil que le Dr Montalbano était une sorte d'escroc (toutes ces lettres après son nom !), et le Dr Montalbano comprit aussi, immédiatement, que Julian était un doux – rien à voir avec les voyous de la bande d'Alfred, c'était un gosse-guimauve qui croyait avoir une âme. Le docteur Montalbano se dit que ses tables et ses chaises ne craignaient rien.

– Mais tu n'as pas amené ta petite amie, je vois, dit-il d'un air courroucé.

– Elle n'a pas pu venir. Elle travaille.

Voilà qui était encore plus rassurant.

– Une chose, toutefois, dit le Dr Montalbano. À mon retour, il faudra que vous déguerpissiez tous les deux – je veux dire, sur-le-champ. Qu'en dis-tu ? Tu as d'autres possibilités pour après ?

– Pas de problème, dit Julian. On se débrouillera.

Ainsi parvinrent-ils à un arrangement.

27

Réveillée par des cris, Iris pensa d'abord à des hurlements d'animaux. Puis, comme il arrive aux mauvais dormeurs soudain propulsés dans une conscience totale, elle se rappela où elle était et mesura l'improbabilité de la présence d'oiseaux sauvages et de chats de gouttière dans un appartement, au cœur de la nuit. La demi-bouteille de vin qu'elle avait avalée la veille – un moyen de dormir plus profondément, pensait-elle – lui conférait, au contraire, une parfaite clarté d'esprit. Le vin était une découverte : il lui permettait de mieux voir. Dans cette ville étrangère, elle avait commencé à comprendre tout ce qui s'était passé avant – les contraintes sans fin, les années d'études, nez dans les livres, la discipline toxique du laboratoire, l'effort solitaire vers la perfection, vers le bien, pour obtenir les louanges de son père. Elle était parfaite et elle était bonne. Elle avait remporté des prix et décroché des bourses. Quoi qu'elle fît, elle l'accomplissait avec diligence et adresse. Mais ici – ici elle balançait ses bas de soie et les laissait pendre aux cadres sur les murs des jours durant ! Ici, c'était normal de boire du vin – les gens en buvaient au quotidien, en accompagnement du repas, c'était aussi ordinaire que la carafe d'eau sur la table chez elle. Et le vin avait ses propres justifications : il était bon pour le plaisir, la digestion, le sommeil et… bien d'autres choses encore. Pour se libérer du désir de bien faire. Pour se fiche de ce qu'on dit ou de la personne à qui on le dit. Comme une grotte, comme un labyrinthe, le vin avait ses secrets. On pouvait d'un pas se rendre à son embouchure, puis, petit à petit, on serpentait avec précaution ; à mesure que l'on s'enfonçait, les murs se gorgeaient de vin, se peignaient de couleurs de plus en plus vives – comme lorsque, paupières fermées face au soleil, les yeux contemplent l'écarlate de leur propre sang.

Les bruits venaient de deux chambres plus loin. Ce n'était pas celui que faisaient les amants. Le vacarme de leurs ébats était familier à ses oreilles : les murmures et les échos qui s'amplifiaient, mouraient et s'amplifiaient encore, puis se brisaient dans un craquement de coquille d'œuf, laissant s'échapper le jaune orangé qui se répandait, aveuglant. Leurs ébats semblaient incessants et tragiques, comme une soif terrible, celle de Lili plus que celle de son frère – c'était le vin qui le lui apprenait. Le vin était son professeur. Elle écoutait les douleurs et les coups de leurs corps. Mais ces cris aigus et stridents n'étaient pas les plaintes de l'amour, non : ils appartenaient au monde des rêves. Des mauvais rêves : même enfant, Julian hurlait dans son sommeil ; il tombait, dégringolait depuis son vaste vaisseau vulnérable jusque dans les flammes. La chute, le feu, l'odeur et la brûlure l'effrayaient et le réveillaient. Mais cette fois, ce n'était pas la chute dans les flammes, ce n'étaient pas les cris de l'amour. C'était Lili. Les mauvais rêves de Lili produisaient un étrange pépiement, et, parfois, un grognement triste et rauque, ou encore un cliquetis métallique, pareil à une gâchette que l'on déclenche. Les cauchemars de Lili étaient peuplés de morts. Seul Julian savait pourquoi. Et tandis que Lili riait le matin en entendant le récit des mauvais rêves de Julian – « Pauvre Julian, papy Freud l'a encore tiré par les entrailles » –, on ne mentionnait jamais les pépiements, les grognements et les cliquetis de Lili. Le vin ordonnait à Iris de mener son enquête, mais Julian l'interdisait. Les rêves de Lili étaient des blessures. Quelquefois ils provoquaient de terrifiantes résurrections : de sa mère, de son père. Son père avait été un linguiste, professeur à l'université ; il avait commencé à lui enseigner l'allemand, le russe et le français alors qu'elle était encore toute petite, un genre d'expérience pédagogique. Dans les rêves de Lili, son père s'exprimait dans une langue inconnue – syllabes sauvages et moulin à paroles insensées. Sa mère, dans les rêves, était toujours sur le point de disparaître, comme un dessin d'une encre trop pâle. Parfois, les bruits d'animaux étaient des pleurs, et les pleurs étaient ceux de Mihail dont les bras s'agitaient une dernière fois, impuissants, après le dernier coup de feu, ou encore les bruits se changeaient en mots – les mots clairs d'Eugen appelant depuis l'autre bout d'un champ gris, loin, très loin ; mais on les distinguait mal et on ne pouvait s'en souvenir. Et Iris n'avait pas le droit de demander.

De plus en plus, celle-ci percevait le changement qui s'opérait chez Julian. Les piques et les taquineries fraternelles se tarissaient ; les colères moqueuses ne se déchaînaient plus que de temps à autre. Et tante Do, comme il l'avait battue froid ! Iris aussi l'avait piquée au vif, sans pitié, méchamment ; mais c'était à cause de Lili – parce que tante Do avait vu Lili se blottir contre Julian, que tante Do informerait son père, et que son père… Mais que ferait son père ? Cela faisait des semaines qu'Iris était arrivée. Elle était venue pour secourir et protéger son frère, et avait découvert que Lili remplissait parfaitement ces deux offices. Lili était une infirmière, une mère – mais qu'était-elle vraiment ? était-elle la protectrice ou la protégée ? Julian construisait un rempart autour d'elle – il y avait des silences qu'Iris n'aurait jamais le droit de pénétrer. Elle ne devait pas poser de questions sur le mari mort et sur l'enfant mort. Julian lui avait dit tout ce qu'elle devait savoir – que le mari s'appelait Eugen et l'enfant de trois ans Mihail, et c'était tout, et c'était suffisant. Quant au bras que Lili dissimulait dans sa manche, il ne sortait pas de là, Iris l'avait aperçu plusieurs fois, ses plis, son renflement, puis la profondeur, comme une bouche édentée qui aurait avalé un os. Il signifiait ce qu'il signifiait. Il en disait trop ; il n'y avait rien à ajouter.

Et Lili était toujours gentille et douce. Ses paroles étaient attentionnées, cultivées, guindées et lentes. Souvent, elle était nerveuse. C'était à cause de son travail avec les personnes si malchanceuses dont elle s'occupait, disait Julian. Ou parce qu'elle vivait dans la maison d'un inconnu : elle ne faisait pas confiance au Dr Montalbano. Mais Iris pensait : *C'est peut-être à cause de moi*. Lili aurait-elle préféré qu'elle s'en aille – était-ce pour cette raison qu'elle était nerveuse ? Elle prenait le bus tous les jours pour se rendre dans cette boucherie désaffectée où les crochets à viande pendaient encore du plafond, emplie de quémandeurs misérables aux yeux suppliants. *Les colombes du Marais ont des yeux suppliants* – Iris avait lu cela dans le *Paris Magazine* que Julian leur avait envoyé, cette feuille de chou qui avait enflammé son père pour ne laisser en lui qu'un mépris bouillonnant. Et que pensait son père, à présent ? Elle ne lui avait même pas écrit un mot. C'était trop cruel, mais elle ne pouvait pas, ne voulait pas ! Elle comptait sur sa tante (et comme elle s'était montrée cruelle avec Do !) pour lui dire que sa fille se portait bien, qu'elle était en sécurité aux côtés de Julian. De Julian et Lili ! Que dirait son père de cela ?

Cependant, elle n'avait presque plus d'argent. Ce n'était pas une situation d'urgence, son billet de retour était déjà payé, et les maigres revenus de Lili suffisaient à remplir les placards sans que cette dernière trouvât à s'en plaindre. Mais l'argent qu'Iris avait emporté pour Julian avait disparu. Elle était horrifiée : il avait presque tout dépensé en une fois, il était prodigue, un jour c'était une douzaine de chemisiers pour Lili (tous, elle le vit, à manches longues et froufrous, très laids ; les avait-il dégottés aux puces ?), puis, soir après soir, des fleurs, des fruits, des desserts, des fromages, des gâteaux et des bouteilles de vin. D'abord ce fut pour fêter les noces qu'ils n'avaient jamais célébrées, la fois d'après, pour un anniversaire dont la date était connue, mais qui avait été annulé – si l'enfant avait vécu, il aurait eu… Lili posa une main sur la bouche de Julian. Ce nombre était une forteresse, une forteresse imprenable. Tous trois levèrent leur verre tandis que Lili sanglotait. Ses larmes tombèrent dans le vin ; elle n'y toucha pas, et Iris le but à sa place, avalant le vin et le sel. C'était le désir le plus ardent qu'elle eût jamais éprouvé : un danger s'y cachait, des choses qu'elle n'aurait jamais imaginées. Jamais auparavant elle n'avait connu quelqu'un dont l'enfant était mort. Une part de Lili contaminait Julian. Lorsqu'elle n'était pas là, il ruminait dans son carnet. Il refusait de parler de ce qui s'y trouvait, mais disait volontiers ce qu'il ne contenait pas. Il avait renoncé à ses immorales. Il était clair pour Iris que son frère avait changé ; petit à petit, il devenait un autre Julian. La vieille théâtralité puérile était encore là – voyez comme il avait dilapidé ses dollars ! Mais il avait épousé une femme qui lui enseignait la connaissance de la mort.

28

Le Royal Spa Bel Air
Octobre (j'ignore quel jour on est)

Chère Doris,

Outre que je suis sans cesse agacée ces derniers temps, votre visite m'a plongée dans une colère totale. Ce n'est certainement pas ma faute si vous êtes entrée et ressortie sans être annoncée, à cause de la négligence du personnel de cette institution ! Ces gens sont trop fréquemment négligents. Par exemple, mon chevalet a disparu depuis plus d'une semaine, et ils prétendent qu'ils ne savent pas où il se trouve. (Soupçonnerais-je un vol ? C'est certain. Le médecin chef est une créature perverse.) Votre visite était loin d'être agréable, et je préférerais ne pas avoir à poursuivre l'échange avec vous, cependant, les circonstances l'exigent. J'ai eu les plus grandes peines du monde à convaincre mon mari de me communiquer votre adresse. Il affirme que c'est vain, vous ne répondrez peut-être pas. Il pense aussi que ce n'est qu'une impulsion momentanée de ma part et que j'aurai tôt fait d'oublier. Il a souvent raison, même lorsqu'il n'est pas perspicace. Mon mari manque de perspicacité. Il ne serait pas exagéré de dire qu'il me considère comme une menteuse. Un moyen plus juste d'exprimer cela serait de dire qu'il est convaincu que je suis dupe de mon imagination.

C'est la raison pour laquelle, malgré la répugnance que cela m'inspire, je me vois dans l'obligation d'entrer en contact avec vous.

Je vous écris pour vous soumettre une requête. Ayez la gentillesse d'informer mon mari que vous êtes bel et bien venue me rendre visite ici, dans mes appartements, et que vous m'avez bel et bien donné des nouvelles, des nouvelles improbables, de mes enfants. Vous avez peut-être menti. Comment ce que vous m'avez dit pourrait être vrai, dans la mesure où mon mari n'est au courant de rien de tel au sujet de mon fils ? J'ai cru, sur le moment, que vous mentiez par méchanceté, pour vous venger du fait que j'avais épousé votre frère, ou pour une autre raison encore. Mais récemment il m'est venu à l'idée que, depuis le début, mon mari est au courant pour Julian et qu'il me protège parce qu'il me croit malade. Depuis quelque temps, je me suis rendu compte que la tromperie était dans la nature de mon mari. Il ne faut pas confondre tromperie et gentillesse. Lorsque mon fils reviendra, je l'accueillerai avec joie, quoi qu'il ait fait. Quant à ma fille, j'ai foi en sa capacité d'autosuffisance. En cela, elle ressemble à son père. Je considère cela comme une des plus grandes qualités des juifs.

Je vous demande aujourd'hui de témoigner et de vous porter garante du fait que j'ai l'esprit parfaitement clair.

Bien à vous,
Margaret B. Nachtigall

29

Iris finit par dire :

– Je crois que je vais partir.

Julian leva les yeux de son carnet à marge rouge.

– D'accord. Où ça ?

– Je pense que je vais rentrer à la maison. Où veux-tu que j'aille ? Je vais retourner au labo.

– Tu seras contente ?

– Je ne sais pas. C'est pas si mal. J'ai laissé tout un tas de cristaux là-bas. Ils se développent. Parfois c'est excitant. Si j'arrivais à vraiment m'y intéresser, ça pourrait devenir excitant.

– Le devoir t'appelle, tu le fais pour papa…

– Je suis douée dans ce que je fais.

– Laisse tomber le vieux. Lui aussi, il t'a laissée tomber.

– Il ne tient pas en place.

– Il a toujours été comme ça, il va là où l'argent se trouve…

– Non, je veux dire… tu sais. Les distractions.

– Quoi, les femmes ? Pendant que maman est au rancart ?

– Des filles, quoi.

– Je me fiche de ce qu'il fait. Mais pour maman… Une boule sembla se former dans sa gorge. Pourquoi tu n'en as jamais parlé ?

– Je n'y pensais pas. C'est que comme je rentre à la maison, enfin, si je rentre à la maison… J'ai mon studio de toute façon, papa m'a payé un studio.

– Pour pouvoir ramener des filles chez nous après qu'il a fichu maman dehors ?

– C'est de temps en temps, seulement. Pas sans arrêt. Et peut-être aussi parce qu'elle est tellement en colère contre lui.

– Marvin le coureur, pourquoi pas ?

– Ne dis pas ça, Julian, ce n'est pas bien. Pauvre papa, ce n'est pas ce que tu crois. Tu ne sais pas… Avant de tomber malade, mais peut-être que c'était un signe avant-coureur, peut-être que ça a commencé comme ça… maman disait des choses.

– Quel genre de choses ?

– Des choses. Iris avait du mal à s'exprimer. Elle disait… qu'elle avait épousé un juif. Et que, à cause de lui, toi et moi, on était…

– Tout ça, c'est du réchauffé. Rien de neuf sous le soleil, si ?

– Mais la manière qu'elle avait de le dire. C'était la manière qu'elle avait de le dire…

– Elle a pris le nom de papa, non ? Il y a longtemps. Elle a renoncé à celui de sa propre famille.

– Ce sont eux qui ont renoncé à elle, pas le contraire. Peut-être qu'aujourd'hui encore, c'est comme ça qu'elle voit les choses.

– Bon, eh bien, pas moi. Surtout qu'ils sont morts pour la plupart, ou qu'ils se sont tués, et on ne les a jamais connus, quoi qu'il en soit.

– On n'a jamais connu personne du côté de papa, non plus. À part tante Do, et seulement parce que… Je me demande comment il prend tout ça. Si elle lui a dit…

– Pour Lili et moi ? Qu'est-ce que tu veux que ça me fasse ?

Iris dit avec précaution :

– Parce que tu n'as pas d'argent. Parce que tu n'as nulle part où vivre. Ni aucun moyen de subvenir à tes besoins. Tu ne peux pas compter sur ça… dit-elle en regardant le carnet.

– Vas-y, va au bout de ta pensée. Déballe tout, dis-le que je ne peux pas continuer à vivre sur les revenus de Lili. Mais Lili non plus, d'ailleurs, elle est au bout du rouleau. Tous ces pauvres miséreux, jour après jour, ça la ronge. Elle compte essayer de trouver du travail comme traductrice. Son regard se perdit un instant. Ou quelque chose comme ça. Elle dit qu'elle veut quitter Ninive.

– Quitter quoi ?

– L'Europe en général. Ninive, c'est comme ça qu'elle appelle Paris. Maman au moins saurait de quoi je parle, elle est allée au catéchisme, elle. C'est une ville maudite dans la Bible.

– Paris est une ville magnifique, dit Iris. L'Europe est magnifique. Et ancienne. J'aime que tout soit ancien ici. J'aimerais voir tous les endroits comme ça, l'Italie, la Grèce.

– Pour Lili, tout ça, c'est Ninive. Et, de toute façon, nous n'avons pas le choix, il faut qu'on parte… J'ai reçu une lettre. Phillip rentre dans deux semaines.

– Julian, qu'est-ce que tu vas devenir ?

– J'imagine que je vais me trouver une chambre à louer quelque part et vivre de petits boulots pendant un temps. Je peux toujours redevenir serveur.

– Mr Épave et Mrs Naufragé, quel merveilleux plan d'avenir ! Qu'en pense Lili ?

– Ma femme veut embarquer sur un navire à destination de Jaffa pour aller s'asseoir à l'ombre d'un ricin. J'ai lu ce à quoi ça correspondait. C'est un bon livre, la Bible.

C'était la première fois qu'Iris entendait son frère dire « ma femme ». C'était discordant, déconcertant : quelle incongruité, Lili l'étrangère, si semblable aux miséreux qui l'épuisaient.

– Mais que ferez-vous ? insista-t-elle.

– Pas la moindre idée. Rester assis à l'ombre d'un ricin, dans la chaleur du Moyen-Orient, ne me convient pas du tout, et Lili le sait. Même si je suis à moitié juif.

Ils s'arrêtèrent là. Cela tournait à la querelle de malentendus, de celles dont Iris estimait, grâce à une longue habitude, qu'il valait mieux se passer – elle avait souvent pratiqué le détournement de sujet avec son père. Et puis pourquoi partir maintenant ? Pourquoi ne pas attendre un peu ? Le Dr Montalbano rentrait, il revenait de

Milan, d'Italie ! Depuis Milan on voyait les Alpes ! Et pendant ce temps, dans le carnet à marge rouge, Julian recopiait fiévreusement des psaumes. Cela le rapprochait de sa mère – il avait découvert récemment qu'elle lui manquait terriblement. Il en était à présent au psaume 17, et si Iris avait jeté un coup d'œil au carnet de son frère, elle aurait sans doute pensé que Julian était dérangé.

30

– Dieu merci, tu es de retour, dit Laura. Comment était ton voyage ?

– Pas simple, dit Do. Comment tu t'en es sortie avec mes grands dadais ?

– Eh bien, ils n'ont pas arrêté de m'appeler Béni-oui-oui, j'imagine que c'était le prix à payer. Sans parler du bruit. Ton groupe est encore plus dur que le mien, Do, mais, tu ne vas pas me croire – ils ont accroché au *Conte de deux cités*, ils ont carrément aimé ! Et un jour, j'ai même trouvé une paire d'aiguilles à tricoter sur mon bureau. Regarde…

Elle tira une masse longue, laineuse et informe d'un sac en toile et la déploya.

– Une écharpe pour l'hiver. J'ai commencé à la tricoter au rythme de dix centimètres par chapitre, une véritable course, et ils m'ont battue, ils ont gagné !

Le triomphe de Laura : comique, ingénu.

Et, de nouveau, c'était le retour au quotidien ; à la vie d'avant. D'avant quoi ? Do se livra à la rétrospective. Elle était partie en tant qu'ambassadeur et s'était changée en espion, contre toute attente – même la plus enracinée, et pourtant, c'était presque un cliché : parfois les ambassadeurs jouent le rôle d'espions, et vice versa, des espions sont nommés ambassadeurs. Elle avait sillonné le globe pour le compte de Marvin, au commencement – pour Marvin, certes, mais était-ce seulement pour lui ? Quelque chose s'était altéré.

Il y avait un enjeu personnel pour elle aussi, elle était impliquée. Ce dont Marvin avait besoin importait peu, au final. Le monde était empli de besoin – où qu'elle tournât le regard, il était là, le besoin !

Elle pensa : *Je vais changer de vie.* D'autres vies changeaient (« Je lui fais du bien », avait dit Lili), pourquoi pas la sienne ? Paris avait servi de pivot. Quel qu'ait été l'inconfort de cette visite – le mépris du frère et de la sœur –, elle avait été témoin de modifications, d'une mutinerie, elle avait vu de jeunes rebelles en fuite. Ce serait la crise des tentatives avortées, le défi au passé. Le tournant d'une existence !

Il était temps de se débarrasser du grand queue.

31

Le train du Dr Montalbano devait arriver à deux heures de l'après-midi. Lili refusait de le voir : il n'était pas honnête.

– Mais tu ne l'as jamais rencontré, protesta Iris. C'est toujours Julian qui a…

– Il n'est pas honnête, dit Lili.

C'étaient leurs dernières heures dans l'appartement du Dr Montalbano.

Les cartes de visite blanches qu'ils avaient trouvées, éparpillées sur la moindre surface et déclinant les multiples diplômes, ou d'autres choses de ce genre, comme des rangées de fourmis en ordre de marche – ce n'était pas de cela qu'elle parlait. Le charabia et les bêtises n'ont jamais fait de mal à personne, pas plus que l'eau ou la bière, tant qu'on a soif. Mais un jour, alors qu'elle fouillait dans un tiroir de la cuisine à la recherche d'un fouet pour remuer le grog de Julian (il aimait lécher l'écume, et il aimait aussi le drôle de nom qu'elle donnait à sa préparation : goggle-moggle), Lili avait découvert un papier. On aurait dit une formule, avec trois ingrédients : eau, bière, et un dernier qui était indéchiffrable – dans un cas, on croyait lire quelque chose comme « cascara », mais elle n'aurait pu l'affirmer. En haut du papier était écrit, en capitales bien nettes : POUR LES MALADIES DU SANG, et au-dessous, POUR LES MAUX DE TÊTE, et plus bas, POUR LES CHAMPIGNONS ENTRE LES ORTEILS. Le troisième ingrédient était différent à chaque fois.

Elle montra aussitôt le papier à Julian qui respirait bruyamment, allongé sur le canapé.

– Ton ami, le Dr Montalbano, est un magicien. Et c'est, par conséquent, l'appartement d'un magicien que nous habitons.

– Ce n'est pas mon ami, pas vraiment. C'était l'ami d'Alfred, et Alfred jurait que Phillip n'aurait pas fait de mal à une mouche. Il regonfle un peu les gens quand ils en ont besoin, c'est tout.

– Alfred est mort.

– Pas à cause d'une des recettes de Phillip ! Phillip est un brave type, Lili... Regarde, il nous a aidés, en nous prêtant son appartement tout ce temps. En plus, ça ne va pas durer, on devra rendre la clé bientôt.

Et voilà que le temps de rendre la clé était venu ; et Lili refusait toujours de rencontrer le Dr Montalbano.

– Alors pourquoi ne partez-vous pas tous les deux maintenant, proposa Iris. Je vais l'attendre ici et je la lui rendrai moi-même. Je m'en occupe, ça ne me dérange pas.

Mais Julian dit :

– Tu n'as pas à faire ça, Iris. Il a sûrement une autre clé, il n'a pas besoin de celle-ci. Tu n'as qu'à la cacher sous la petite lampe. Ou bien la concierge lui ouvrira...

– Pour qu'il ne trouve rien ni personne ? Alors qu'on a habité chez lui sans qu'il nous crée le moindre problème ? Mon vol n'est qu'à dix-huit heures, je n'ai pas encore terminé mes valises, et je n'ai rien d'autre à faire. Quelqu'un devrait être à la maison quand il arrivera, quelqu'un pour le remercier, vous ne croyez pas ?

– D'accord, dit Julian. Tu es en train de m'expliquer gentiment que je suis un grossier personnage. Sans qu'elle s'y attendît, il lui donna une tape dans le dos. Bon, ne traîne pas, compris ?

Était-ce la dernière fois qu'elle le serrait dans ses bras ? Iris l'embrassa encore et encore, sur le front, partout sur les joues, sous le menton et, pour finir, en plein sur les oreilles, jusqu'à ce qu'il éclate de rire : elle était excessive en tout. Elle lui donnait l'impression qu'il possédait une conscience. Elle avait le visage mouillé de larmes.

Elle les regarda partir, son frère, si grand, avec ce cou qui s'était inexplicablement épaissi, et la petite Lili. Une comptine de son enfance lui courait dans la tête.

Grassouillet et Maigrichon
font une course à polochon
Grassouillet tombe dans la mousse
et Maigrichon gagne la course

Jamais plus elle ne verrait Julian, c'était impossible, Lili avait l'intention de l'emmener très loin : elle le revendiquait, il lui appartenait, il ferait tout ce qu'elle désirait. Lili l'obstinée ! Pourquoi refusait-elle de voir le Dr Montalbano ? Ces fantasmes cauchemardesques, une ordonnance de poison sur un malheureux morceau de papier dans un bête tiroir de cuisine ! Et même si elle ne l'emmenait pas au loin, à supposer qu'ils ne bougent pas d'ici, la sœur de Julian reviendrait-elle dans cette parcelle incandescente de la terre, aux villes attirantes, inconnues, fermées, rayonnantes, où l'on ne s'aventurait jamais ? Hautes statues corrodées par le temps, clochers, ponts anciens enjambant d'anciennes rivières, tandis que, face à elle, frémissait Los Angeles nouveau-née, bouillonnant dans sa clarté tropicale, écorchure taillée avec avidité dans le désert de vallées périodiquement ravagées par des feux primitifs. Sa destination légitime, son avenir choisi – terminer ses études, obtenir son diplôme, et puis… Impératif de terminer ses études et de faire étalage de ce fichu diplôme ! C'était sa vie, cela l'avait toujours été. C'était ce qu'elle avait toujours voulu. C'était ce que son père avait toujours voulu. Son père… Elle devait, d'une manière ou d'une autre, braver ce qui allait advenir.

Sa main moite serrait consciencieusement la clé. Elle la posa sur l'un des guéridons – en plein milieu, là où Lili avait placé le flacon de sirop pour la toux quelques semaines plus tôt (chaque geste à présent avait son fantôme) – et se mit à errer dans les divers espaces familiers, ici et là, tentant de mettre de l'ordre, redressant les cadres aux murs, rendant leur gonflant aux coussins. Sur le tapis, au pied du canapé, un cercle sombre dessinait une sorte de lac : n'était-ce pas l'endroit où Julian avait maladroitement renversé le grog préparé par Lili ? Iris installa une chaise par-dessus afin de masquer la tache coupable. La seule présence était l'absence. Une clinique vide, attendant les patients.

À l'autre bout de Paris, Julian ne fut pas surpris d'apprendre que son ancienne chambre avait été louée. Mais Mme Duval le recommanda à son amie, Mme Bernard, qui, par chance, en avait une de libre : son plus fidèle locataire, un vieil homme impeccable de quatre-vingt-quinze ans, avait récemment trépassé paisiblement dans son lit. Pas de souci à se faire : le matelas avait été retourné, et la chambre était propre et régulièrement aérée. Bien que le logement de Mme Bernard ne fût pas plus spacieux que celui proposé par Mme Duval, il avait l'avantage de bénéficier de toilettes sur le palier. (Chez Mme Duval, il fallait descendre un étage et longer un long couloir.) Mme Bernard n'émettait qu'une unique réserve : les chats n'étaient pas autorisés. Elle était allergique.

– OK, répondit Julian.

Les notions d'anglais que possédait Mme Bernard lui permirent de comprendre qu'il acceptait ses conditions, mais rien de plus. Julian traîna jusqu'à l'entrée son sac bourré à ras bord ; une plaie, il contenait plus de livres que de chemises ou de chaussettes. Il ne laissa pas Lili l'aider à le soulever en l'attrapant par l'autre bout, tout aussi renflé. La dernière fois, alors qu'ils se connaissaient moins bien et quittaient l'appartement de Mme Duval, elle l'avait supplié de la laisser l'aider et il avait cédé : le sac pesait aussi lourd qu'une tonne de charbon. Mais aujourd'hui, c'était différent, elle était sa femme.

32

Le Dr Montalbano ne fit son apparition que tôt le lendemain matin. Il avait raté son train : une escarmouche de dernière minute, un véritable pugilat, poings, dents, ongles longs de la jeune femme déchirant sa peau. Adriana, lorsqu'on la provoquait (mais comment l'avait-il provoquée ?), pilonnait et réclamait du sang. Il la gifla avec force, et son opérette italienne atteignit sa bruyante coda. Il ne pouvait dire qu'il regrettait. C'était une femme sans imagination ; elle aimait voir les choses en fonction de leur conclusion logique. Il préférait l'improvisation. Il passa la nuit couché sur un banc dans la gare de Milan, sans chaussures, les pieds dépassant légèrement du siège.

La concierge somnolait dans sa loge ; il ne la réveilla pas. L'ascenseur produisit sa chanson familière. Les clés qu'il tira de sa poche le plongèrent dans la confusion : Lyon, Milan, Paris, et même cette bonne vieille Pittsburgh, toutes réunies sur un unique anneau rouillé – comme s'il avait eu pour projet d'y retourner un jour ! Il était difficile de se rappeler laquelle ouvrait quoi, elles étaient toutes semblables, mais après qu'une ou deux eurent résisté dans la serrure, la porte finit par s'ouvrir et cogna une bouteille qui se trouvait juste derrière. Elle roula avec un bruit creux et en renversa deux autres comme dans un jeu de quilles. Toutes les trois étaient vides. Il remarqua la valise, posée à plat sur le sol, avant le reste : une tête reposait dessus. La tête d'une fille. Une étiquette de compagnie aérienne attachée à une lanière pendait au-dessus. Son appartement empestait la lie sure et rance de la débauche, mais cette odeur aigre en contenait une autre, plus sombre, plus diffuse. Était-elle morte ? Quel imbécile, quel crétin d'avoir fait confiance à Alfred ! Alfred s'était porté garant pour ce grand mollasson, mais Alfred n'avait même pas été capable de se porter garant de sa propre vie. Il avait promis de vivre ; il avait rompu sa promesse. Et le garçon était parti, laissant ce cadavre derrière lui. Ce genre de chose arrivait. La violence était partout – Adriana l'aurait tué si elle avait pu.

Il examina la salle d'attente déserte : elle n'était pas très en ordre, mais ne paraissait pas avoir subi de dégradations majeures. Sur l'une des tables, sous une lampe, il repéra la clé qu'il avait confiée au jeune homme – au moins il n'était pas parti avec. Mais cette fille, abandonnée, bafouée, matraquée ! Il se pencha pour examiner le corps. Pas la moindre marque de coups. Il souleva un bras, puis l'autre. Rien qui clochât de ce côté-là non plus… Alfred avait pourtant mentionné une blessure, une sorte de déformation. Elle était très jeune ; vingt ans à peine. Et elle respirait ! Un pouls bien tonique au niveau de la gorge. Il comprit soudain : bien sûr, elle était ivre, rien de plus. Cela expliquait les bouteilles, pourquoi donc avait-il sauté sur la conclusion la plus pernicieuse ? La violence était partout. Elle revint péniblement à elle.

– Laissez-moi tranquille, murmura-t-elle d'une voix pâteuse. Fichez le camp.

Il la secoua.

– Hé ! Où est passé votre petit ami ?

– Fichez le camp.

– Où est-il ? Il vous a laissé tomber ?

– Fichez le camp.

Se penchant par-dessus son corps, il saisit l'étiquette de la compagnie aérienne : IRIS NACHTIGALL, 560 BEL AIR CIRCLE, LOS ANGELES, CALIFORNIA. Et, juste au dessous : *Vol 196, départ 18 h 00*. Dix heures plus tôt ? Demain, hier ?

– Eh, mademoiselle, répéta-t-il. Levez-vous.

– Pas envie. Laissez-moi tranquille.

Il se mit à crier :

– Bon sang, je vous dis de vous lever !

Il fut surpris de la voir obéir. Elle se hissa sur ses jambes et tituba jusqu'à la porte, puis fit demi-tour, tituba jusqu'à sa valise, la saisit et s'effondra.

– Là, dit-elle d'une voix rauque, en désignant vaguement quelque chose. La clé…

– C'est bon, j'ai vu. Asseyez-vous. C'est ça. Où est passé le type qui était censé s'occuper de cet endroit ? Il sortit son portefeuille et fouilla à la recherche du morceau de papier qu'il se souvenait y avoir glissé. Voilà, je l'ai. Julian Nachtigall… Alors j'imagine que vous êtes sa… sa quoi ? Ne me dites pas votre âge – d'après votre allure, je dirais… sa femme ?

– C'est Lili, sa femme. Il s'est marié, c'est pour ça.

De rauque, la voix se mua en croassement.

Il lui apporta de l'eau dans un gobelet. Elle l'avala goulûment.

– Parfait, on ne vous a pas fait de mal. Mais qu'est-ce que vous fichez ici ?

Les yeux d'Iris nageaient dans la confusion. Soudain, son regard se fixa, apaisé.

– La maison. Je rentre à la maison.

– Parfait, dit-il. Mais avant ça, vous devriez peut-être dormir un peu pour éponger votre cuite.

Il n'y avait rien d'autre à faire. Il la laissa où elle était. Il était épuisé – ce banc dur toute la nuit ! – et se traîna jusqu'à son propre lit. Il constata avec dégoût que les draps n'avaient pas été changés. Une tache nauséabonde sur l'oreiller. Une bouteille à moitié vide sur le bureau juste à côté. Il était clair que la jeune fille avait vécu ici. Boucle d'or avait mariné dans son lit. Seule ou avec un voyou quelconque de la bande d'Alfred. Quel imbécile, quel crétin d'avoir fait confiance à Alfred ! Pourtant le jeune homme lui avait paru doux, fiable et civilisé…

Lorsqu'il se leva pour vider sa vessie et revint dans sa chambre, il la trouva immobile, debout près de son lit, fixant la tache sur l'oreiller.

– Docteur Montalbano ? dit-elle.

Donc, elle le connaissait. Il avait l'impression d'avoir dormi plusieurs heures. Il imagina qu'elle aussi. Mais cela n'avait pas suffi à éradiquer la fatigue, et que baragouinait-elle à présent ?

– Je me suis mal conduite, je me suis si mal conduite.

Tout en bâillant, il demanda :

– C'est ce fameux Julian qui vous a laissée entrer ?

– C'est mon frère.

– Hé, dites-moi, a-t-il invité ses cousins par douzaines et le reste de sa famille avec ?

– Non, seulement moi. Je suis restée pour dire merci, parce que Lili ne voulait pas, et j'ai attendu, mais vous n'arriviez pas…

– Vous êtes restée pour tout dégueulasser. Quand part votre avion ?

– Il a décollé hier soir. Sans moi.

– D'accord, je vois. Vous avez été retenue par vos bonnes manières, votre éducation impeccable. Vous avez eu à cœur de me remercier pour mon invitation, qui s'est plus ou moins dissoute dans l'éther.

– Oh, s'il vous plaît, je n'avais pas envie de rentrer à la maison. Je ne voulais pas, je ne pouvais pas, j'avais peur.

– De quoi.

– De rentrer.

Des cercles et encore des cercles. Que pouvait-il bien faire d'elle ? La jeter dehors ?

– Vous pourriez rejoindre votre frère.

– Non. Il est sur le point de partir. Pas pour rentrer à la maison. Sa femme l'emmène loin, très loin…

– Pas mes oignons. Je vais recevoir des patients, vous feriez mieux de vous trouver quelque part où aller.

– Je n'ai presque plus d'argent. Je sais que je me suis mal conduite, je le sais, mais j'ai pensé que… j'ai pensé que je pourrais peut-être rester encore un peu et finir le ménage…

– Pas la peine. Je vais demander à la concierge de m'envoyer une équipe de nettoyage.

– Vous ne comprenez pas ! cria-t-elle. Je ne suis pas comme Julian, il dérive avec la marée, il suit le courant de ce côté, puis de l'autre, je ne suis pas comme ça ! Je sais ce que je veux !

– Trois litres, dit-il. Sans compter celle que vous veniez d'entamer.

– Mais c'est parce que je vous attendais, et vous n'arriviez pas.

– Vous m'attendiez pour me remercier. En vous soûlant dans mon lit.

– Je ne veux pas rentrer chez moi !

Que devait-il faire d'elle ? Il étudia son visage, ses cheveux. Chaque mèche était agitée. Son corps entier était agité. Était-ce encore les effets du vin ? Ou une force intérieure, un vortex d'intentions. Une volonté insidieuse, le lombric secret qui creuse son tunnel dans le cerveau.

– Excellent, dit-il. Moi non plus. Il hésita un instant. Je vais préparer quelque chose. Il faut que vous mangiez, non ?

– Je suis trop fatiguée pour manger. Oh, s'il vous plaît, je sais que je me suis mal comportée, je le sais !

– Venez vous allonger, dit-il.

– Ça ne vous dérange pas ? C'était mon lit, vous savez. J'y suis bien habituée. Julian et Lili dormaient au fond du couloir. Ils étaient terriblement secrets.

Il sentit le poids de son corps contre lui. Deux longs bras solides, intacts. Cheveux tremblotants, de la couleur des feuilles de Pittsburgh en automne. Comme si le vent les chahutait. Mais il n'y avait pas de vent. Ils étaient enfermés dans sa clinique, et bientôt les patients arriveraient.

Ils dormirent encore, lourdement, profondément. Un sommeil sans rêves ; ou, du moins, le crurent-ils.

33

Un pauvre homme se rendit un jour chez un rabbin réputé pour la sagesse de ses conseils.

– Je vis dans une masure minuscule avec ma femme et nos sept enfants, se lamenta-t-il. Et ma femme est sur le point de mettre au monde un nouveau bébé. Nous sommes si serrés que nous avons à peine la place de nous retourner, et je suis trop pauvre pour changer de logement et en acquérir un plus grand.

Le rabbin demanda :

– Avez-vous des poules ?

– Ma femme élève quelques volatiles maigrichons pour les œufs, qu'elle vend ensuite une misère.

– Alors rentrez les poulets dans la maison.

L'homme fit ce qu'on lui avait dit, mais, une semaine plus tard, il revint, plus effondré encore que la fois précédente.

– Rabbi, cria-t-il. La vie est un enfer ! Les poules détalent dans tous les coins, caquètent sans cesse, les enfants hurlent et leur courent après, et il devient presque impossible de respirer.

– Avez-vous une vache ? demanda le rabbin.

– Ma femme s'occupe d'une vache étique pour le lait qu'elle produit et que nous vendons une misère au marché.

– Alors rentrez la vache dans la maison.

Il en alla ainsi, semaine après semaine. D'abord ce furent les poules qui envahirent la maison, puis un cheval emprunté à un voisin, un bœuf prêté par un fermier, un chien errant, pour finir par un mouton qui avait perdu son troupeau.

– Rabbi ! implora le pauvre homme. La vie est pire que jamais. Le nouveau bébé est né, et les enfants jouent des coudes pour se faire une place, et ma pauvre femme sanglote jour et nuit.

– Je vois, dit le rabbin. Ferez-vous ce que je vous conseille ?

– Je ferai tout ce que vous dites, répondit le mari à bout de forces.

– Bien. Faites sortir les poules, la vache, le cheval, le bœuf, le chien et le mouton. Et quand vous aurez fait tout ça, revenez me voir pour me dire comment vous vous portez.

L'homme rentra chez lui et exécuta les ordres du rabbin.

– Alors ? lui demanda le rabbin lorsqu'il revint le voir.

– Rabbi, que toutes les bénédictions du ciel se répandent sur vous ! Grâce à vous, notre maison est devenue aussi vaste et aérée que le domaine d'un roi. Vous avez changé notre petit taudis en paradis sur terre !

Laura lisait à haute voix un gros livre de contes pour enfants, cadeau lointain de la mère de Leo Coopersmith à l'époque où Jeremy, le fils des Bienenfeld, était né. Il s'intitulait *Trésor des contes traditionnels juifs* et avait été envoyé en remerciement (selon l'inscription portée à l'intérieur) pour la « gentillesse que toi, chère cousine, a su témoigner à Leo lorsqu'il logeait dans ta famille pour étudier la composition à la Juilliard School. Qui aurait pensé à l'époque, avait également écrit la mère de Leo, qu'il serait un jour là où il est ! ». Laura conservait le souvenir d'un respect angoissé plus que d'une gentillesse de tendre cousine, et, assurément, sans la moindre réciprocité de la part de Leo – mais qu'importait tout cela à présent ? Depuis lors, toute une génération était partie sous terre : les parents de Leo, ceux de Laura et ceux de Do. Quant à Jeremy, il avait presque dix-sept ans. Même petit, il n'avait jamais apprécié ces vieilles fables moralistes.

Elle avait apporté le livre, expliqua-t-elle, comme une plaisanterie visant à célébrer l'événement du jour ; le conte qu'elle avait lu, interrompue sans cesse par son mari, s'appelait *Comment fabriquer une grande maison à partir d'une bicoque*.

Mais Harold Bienenfeld la tourna en ridicule.

– Tout le monde connaît cette histoire par cœur, Laura, qu'est-ce qui te prend de nous la resservir comme ça ? Et, de toute façon, le rabbin aurait mieux fait de conseiller à ce pauvre type un moyen de contraception.

– La contraception, ça n'existe pas dans les contes traditionnels, dit Laura.

Doris intervint :

– Je connais une autre version, avec un bédouin qui loge un chameau dans sa tente.

– Mais oui, et peut-être une troisième avec un Esquimau et un igloo, dit Harold. Tu parles d'une histoire juive !

Le thème de la soirée était la vente du piano – et la manière dont, une fois débarrassé de cet objet monstrueux, l'habitat étriqué de Do s'était changé soudain, comme par magie, en un vaste territoire aussi ouvert et léger qu'une prairie. Tout à coup, il y avait de la place pour une table de salle à manger et quatre jolies chaises, ce qui avait donné l'idée à Do de lancer une petite invitation pour un dîner de réjouissance ; Laura et Harold, toujours aussi fouineur, tapageur et ergoteur, avaient répondu à l'appel. Jeremy aussi avait été invité, mais avait refusé de s'arracher à ce que Laura appelait « le hublot », un téléviseur à écran circulaire, muni de deux longues antennes d'acier. Les Bienenfeld étaient – ce qui ne manquait pas d'impressionner leur entourage – les premiers de leur immeuble de la 84e Rue Ouest à s'en être équipés.

– Ça attire les enfants des voisins comme des mouches, se vanta Harold.

Les effluves de son cigare avaient commencé à s'infiltrer dans le dessert ambitieux concocté par Doris, un gâteau aux pommes selon la recette compliquée qui se trouvait sur le paquet de farine. C'était pour marquer le coup, comme une cérémonie : l'élargissement d'une pièce peut préfigurer l'élargissement d'une vie.

– Et depuis qu'on a acheté le téléviseur, dit Laura, Jeremy ne touche plus au piano. On a dû congédier son professeur. Il faut dire qu'elle n'appréciait pas plus le niveau de Jeremy que la qualité de mon vieil instrument.

– Je ne donnerais pas deux cents de cette casserole, dit Harold. Et au fait, Do, combien tu as tiré de l'espèce d'éléphant blanc qui encombrait ton salon ?

– Eh bien, plus que je ne le pensais. Il est plutôt en bon état, surtout si l'on considère qu'il n'était pas neuf quand nous l'avons acheté. L'acquéreur avait l'air enchanté.

Ce « nous » vagabond l'embarrassa. Elle parlait rarement de Leo, même avec sa cousine Laura. De son côté, Laura évitait en général de mentionner Leo. Elle se sentit d'ailleurs confuse, a posteriori, à l'idée qu'elle avait manqué de retenue et de discrétion en apportant ce livre de contes : Do se rappelait sans doute qui l'avait envoyé et ce que disait la dédicace.

– On dirait que tu as fait l'affaire du siècle, dit Harold.

L'affaire du siècle, peut-être pas, mais quelle aubaine, tout de même. Leo savait choisir un piano ! Elle n'avait jamais soupçonné la valeur réelle du queue, ni qu'elle augmenterait avec les années. Et si l'instrument qu'il avait abandonné chez elle avait rapporté pareille somme, combien pouvait valoir son sacro-saint Blüthner ? *Ma récompense. Un trésor.* Elle comprit que cette histoire de trésor n'était pas une question d'argent pour lui. Pas plus que ça n'en avait été une pour elle lorsqu'elle s'était débarrassée du queue : cet instrument avait usurpé leurs noces. Un mariage sans noces, et puis plus de mariage du tout. Pire encore : la lourdeur du grand queue avait lesté ses années et diminué son orbite. Légèreté ! Légèreté et vastitude ! Légèreté et amplitude, la légèreté lumineuse de l'infini ! Elle devenait une danseuse au pied léger sur une scène aussi grande qu'une plaine, un poisson dans une mer sans limites !

Mais Harold, lui, ne pensait qu'à l'argent: il était à la recherche du prix de chaque chose. La télé coûtait une fortune, vu qu'elle venait de sortir, dit-il, et il était content que Laura et lui aient eu les moyens de se l'offrir grâce à leurs deux salaires, mais quand davantage de gens commenceraient à s'acheter leur propre poste, ce qui ne saurait tarder, et que toutes les familles finiraient par s'en procurer un, comme c'était le cas aujourd'hui avec la radio et le téléphone, alors… Mais c'était sans doute différent avec un objet comme ce piano, il n'y a rien de technique dans un piano, rien d'aussi sophistiqué qu'un tube cathodique, ça a plus à voir avec un meuble, non, allez, vas-y, Do, arrête tes cachotteries, à combien tu l'as lâché?

Recevoir Harold était une plaie – mais, selon les règles de l'hospitalité, il était impossible d'inviter Laura sans avoir à supporter cet enquiquineur d'Harold. Do n'avait que très rarement mis ces fameuses règles en pratique: où aurait-elle pu caser un hôte? Même Iris, durant cette unique nuit, avait semblé mal à l'aise, et, pour Do, qui s'était installée avec le plus grand stoïcisme dans la crevasse de son vieux divan défoncé adjacent au piano, cela avait été une torture: les odeurs apathiques de griefs rances mêlées à celle de la cire senteur citron. Elle avait convoqué Laura, en cette soirée de cérémonie, pour qu'elle soit témoin de la purge de ces fumets trop familiers – de la purge de Leo. Laura seule savait que le piano à queue était une incarnation de Leo, et Laura avait, elle aussi, subi les dénigrements de son cousin. Cependant, en ces temps lointains, elle avait plutôt bien supporté les piques acerbes de Leo: on accorde toujours aux artistes une certaine liberté d'action, non? Leo tenait de sa famille paternelle, la branche artistique – quoi qu'en pensât Harold qui contestait la valeur des branches artistiques.

– Ton ex, Doris, reprit-il, ce serait bien le genre à faire partie des rouges de Hollywood. Comme Dalton Trumbo. McCarthy a du pain sur la planche, s'il veut rayer de la carte tous ces…

– Arrête ça, Harold, dit Laura. Do n'a pas été en contact avec Leo depuis des lustres, comment veux-tu qu'elle sache quoi que ce soit à ce propos. En plus, Leo ne s'intéresse pas à la politique. La seule chose qui compte pour lui, c'est la musique.

– Il a pu changer. Tous ces films de guerre qu'on allait voir, bourrés de machins patriotiques, c'étaient surtout des cocos qui les avaient tournés. Propagande soviétique et compagnie.

– Mais les Russes étaient nos alliés à cette époque, et je ne vois pas ce qu'il y a de soviétique chez Van Johnson. Je suis toujours amoureuse de Van Johnson, pas toi, Do ? Laura lui jeta un regard, comme pour la secourir. Et d'ailleurs, ajouta-t-elle, est-ce que tu as reçu ce courrier au lycée, concernant le mois prochain ?

– Non, fit Do.

– Ils l'ont glissé dans les casiers de tous les professeurs.

– Je n'ai pas ouvert le mien depuis que je suis rentrée.

– Oh, Do, tu deviens si négligente, ces derniers temps. Il semble que les professeurs soient invités à signer des serments de loyauté…

– Des serments de loyauté, répéta Harold en s'esclaffant. Ben quoi, ils savent pas mentir tous ces petits vermillons ? T'aurais dû jeter un œil sous le capot, Doris, avant de le laisser filer.

– Le capot ?

– Le… comment ça s'appelle, le dessus. Le couvercle, qu'est-ce que j'en sais, moi. Jeter un œil dans le joujou géant que t'as vendu. Peut-être que t'y aurais trouvé une carte topographique pour espion ruskof collée à l'intérieur, pourquoi pas ?

C'était l'idée qu'Harold se faisait des mots d'esprit. Il était en train de se couper une nouvelle part de gâteau aux pommes, mais Laura prit son sac à main, son livre de contes traditionnels et commença à faire ses adieux. *Quand Harold partira*, pensa Do, *les poules, la vache, le cheval, le bœuf, le chien et le mouton partiront avec lui.*

Laura s'arrêta un instant sur le pas de la porte et murmura :

– Ce vieux machin ne te faisait pas de bien, Do. Et maintenant, tu pourrais presque organiser un bal ici…

Dans la pièce quasiment nue, les poils du tapis étaient rongés jusqu'à la racine, là où les pattes griffues de l'instrument s'étaient agrippées. Une tache légèrement brune s'étendait au centre, aussi plate qu'une ombre ; elle avait la forme d'un piano.

34

Ce fut durant sa première année à Princeton que Marvin sut, pour la première fois, ce que c'était qu'être un objet de mépris ; il masqua cette découverte sous une pellicule de confiance en soi qui n'émanait pas que de lui : sa mère, en particulier, avait une grande confiance en lui – il avait, après tout, réussi l'examen d'entrée au lycée Townsend-Harris, et combien de garçons en étaient capables ? Marvin était intelligent. Au lycée cela ne comptait pas qu'il eût haï le latin et n'en eût pas perçu l'utilité, chantonnant la comptine éculée et pleine de ressentiment (*Tu quoque j'menfoutis*) – il était bon en mathématiques et en sciences. Étrangement – vu que c'était plutôt sa sœur qui excellait dans les matières littéraires – il était capable d'écrire une dissertation passable s'il était d'humeur, ou quand le jeu en valait la chandelle. L'éloge n'était pas inutile. Quelques-uns de ses professeurs étaient des reliques du dix-neuvième siècle ; il aimait imiter (mais seulement sur le papier) le style ampoulé qu'il empruntait aux manières de célibataires raffinés que déployaient ces frêles esthètes cacochymes et compassés. Chez Marvin cela n'était qu'un artifice visant à s'insinuer dans les bonnes grâces de ses maîtres ; le reste du temps, il s'exprimait dans le langage dur de ses pairs new-yorkais. Il était le préféré de sa mère – elle l'aiguillonnait, le glorifiait, le poussait. Son père était plus distant et aussi plus placide. Il n'était pas incommodé par les planchers usés de la boutique qui lui étaient comme échus par un décret de la nature, tandis que la mère de Marvin, à quatre pattes, armée d'un seau et d'une large brosse, ne pouvait s'empêcher de cirer, centimètre par centimètre, ces planches abîmées, jusqu'à ce que la moindre écharde fût enduite du brillant mielleux de la cire. Marvin était fier d'elle à l'époque (après deux années passées à Townsend-Harris, et avant l'irruption de la modernité, sa mère était auréolée d'une clarté fluorescente) ; on ne lui avait pas encore fait comprendre qu'une mère à quatre pattes dans une quincaillerie mal éclairée est un gène à dissimuler urgemment, ou du moins à camoufler ; ni qu'un père amorphe avec, beaucoup trop souvent, un roman à la main est une disgrâce à surmonter.

Si l'on considère que l'introspection est une forme de pensée, Marvin n'était pas introspectif. Il ressentait le mépris dont il était la victime comme une sensation brute, une chaleur – chaleur aux oreilles, derrière les yeux, dans le ganglion labyrinthique qu'abritait son crâne. Et le mépris, semblait-il, n'était pas différent de la peur. À Princeton, il éprouva la peur. Il se rendit compte qu'il n'était pas suffisant d'être intelligent (tous les garçons de Townsend-Harris étaient intelligents) : il fallait en être. Pour la première fois, il fut pénétré par l'importance du droit de naissance – on glissait hors du giron maternel avec, au creux de son poing minuscule, un certificat garantissant qu'on saurait comment parler, s'habiller, mépriser et intimider effrontément quiconque entrait dans le monde les mains vides. Non que Marvin eût les mains complètement vides – il avait une bourse et bénéficiait, par-dessus tout, d'un véritable moteur nourri par sa volonté et le triste fardeau de sa blessure. Il résistait à l'humiliation en l'acceptant et, parfois même, en paraissant la provoquer : ainsi il apprenait ce qu'il convenait ou non de faire. Il ne répétait jamais une erreur – il était méticuleux et attentif. Cela signifiait qu'il n'était jamais libre, comme l'étaient les autres, mais cela lui donnait un avantage : l'avantage que possède celui qui observe sur celui qui est observé ; l'avantage de l'effort sur la facilité. Quand un homme a l'intention de se transformer – par exemple, lorsque le rejeton d'un quincaillier décide de devenir un sang bleu par droit de naissance –, il doit à tout prix éviter l'arrogance et se mouvoir avec douceur et discrétion. Le programme de Marvin (il considérait rarement cela comme un programme tant sa méthode évoluait de façon organique, une jeune pousse tendre qui, après une lente maturation, pointait du cœur silencieux de la petite graine d'humiliation) était tout sauf une entreprise d'autoréfutation. Il demeurait le fils consciencieux de sa mère, aspirant à l'ascension. Il ne réfutait ni ne répudiait rien : c'était seulement qu'il était ouvert à toute nouveauté. Comme par sympathie, avec ardeur. Chez un autre jeune homme – un jeune homme moins attaché aux détails du bec Bunsen et à la doctrine de la formule –, cette effervescence aurait pu être prise pour le simple fruit d'une imagination débridée. Mais la science de Marvin était terre à terre, une terre dont il arpentait les frontières et qui n'était pas sans limites. Son territoire de prédilection était l'utile. Il était voué à devenir un fabricant de choses utiles. Ce qui l'animait n'était ni le rêve ni le désir, mais un appétit sauvage. Ce qui l'animait, c'était l'envie : il avait envie de posséder ce qu'il voyait. Le mouvement élégant du poignet de Breckinridge lorsqu'il tirait sa montre de gousset de la poche de son gilet et en laissait pendre la chaîne toute fine avec une nonchalance de dandy. Et la sœur docile de Breckinridge, avec ses sourcils parfaits, sa lèvre inférieure qu'elle maquillait légèrement (grain de raisin à la peau mauve, plus ronde et plus pleine que la lèvre supérieure) et son petit menton pâle. Et sa voix !

Elle était descendue en voiture depuis Mount Holyoke, en chemin pour New York dans l'idée d'aller voir des tableaux, et s'était arrêtée sur un coup de tête pour rendre visite à son frère. Elle étudiait l'histoire de l'art, il y avait une exposition de l'école de l'Hudson River au Met ce mois-ci… Mais où était donc passé Peter ?

– Il a une matinée bourrée de cours aujourd'hui, lui dit Marvin.

– Je ne l'ai pas prévenu de mon arrivée. Dois-je l'attendre ? À quelle heure pensez-vous qu'il rentrera ?

Chaque syllabe à moitié murmurée était hésitante. Le ton de sa voix n'était que vacillement. Et pourtant, cette jeune fille conduisait sa propre voiture !

– Il va à l'entraînement de football après les cours.

Marvin était capable de rendre compte de tous les faits et gestes de Breckinridge, en bon valet prévenant.

– Alors j'ai de grandes chances de le rater, n'est-ce pas ? Lui direz-vous…

Elle ne termina pas sa phrase ; c'était comme si sa voix s'amusait à se laisser planer, si bien que la signification de la phrase restait en suspens, dans l'attente d'une direction.

– Je lui dirai que vous êtes passée, fit-il. Vous êtes jumeaux ?

– Oh non, Peter a trois ans de plus que moi. Et seulement trois centimètres de plus – voulez-vous dire que je lui ressemble ? Personne ne l'a jamais constaté. Par ailleurs, nous ne pourrions être de vrais jumeaux, même si nous étions nés le même jour, n'est-ce pas ? Vous me trouvez masculine ? Je n'aimerais pas…

– Vous avez la même bouche.

Cette lèvre inférieure, une protubérance prédatrice chez l'homme, un tertre ravissant chez la femme.

– Est-ce une bonne ou une mauvaise chose ?

Il ne parvenait pas à savoir si elle flirtait ou se moquait, si bien qu'il répondit :

– Tout dépend de ce qui en sort.

– Eh bien, j'essaie…

Et une fois encore, le reste de la phrase demeura irrésolu. Vacillant, hésitant – docile. Il était aussi effrayé par cette docilité que par les saillies de Breckinridge. Il n'avait pas l'habitude de la docilité chez une femme : sa mère n'était pas docile, ses tantes n'étaient pas dociles, et Do était capable de laisser libre cours aux tempêtes de son obstination – comme, par exemple, cet engouement qu'elle déployait pour le type à tête de hautbois.

Mais il était entraîné à manipuler le petit curseur de sa peur.

– J'imagine, dit-il, que vous n'avez pas le temps de déjeuner avant de partir.

– Vous n'avez pas cours ?

– Il m'arrive de ne pas y aller pour me remettre à jour.

– Peter parle de vous de temps en temps. Il dit que vous êtes incroyablement diligent.

Marvin savait ce que cela signifiait : parfois on l'appelait le Dilijuif. Ce n'était pas une invention de Breckinridge, mais cette création n'était pas non plus étrangère à son idiome personnel.

– On peut y aller à pied, dit-il, lorsqu'elle désigna son coupé vert.

Il dégotta une table libre dans un café du coin, bourré de monde. Elle ne désirait que de l'eau.

– Ils nous jetteront dehors, protesta-t-il, si vous ne commandez pas au moins un sandwich.

– Commandez ce qui vous fait envie. Je vous regarderai manger.

– Comme un singe au zoo…

– Plutôt comme un lion dans la jungle.

Il comprit alors qu'il n'y avait pas de hiatus entre le flirt et la moquerie. Avait-elle vraiment eu l'intention de rendre visite à son frère Peter, ou la rumeur de la présence d'une bête dans la maison de celui-ci avait-elle aiguisé sa curiosité ?

– Alors pourquoi êtes-vous là, avec moi ? dit-il.

– Pour la compagnie. C'est ce que je suis censée dire, n'est-ce pas ? Mais si vous voulez tout savoir…

Elle s'interrompit pour boire une gorgée d'eau, et il regarda le bord du verre glisser dans l'espace entre ses lèvres. Jamais il n'avait observé cette action avec tant d'anxiété ; elle avait une vertu quasi punitive grâce à l'efficacité du ralenti.

– C'est pour embêter Peter, dit-elle. C'est ça, la vraie raison.

– Dans ce cas, rétorqua-t-il du tac au tac, je ne lui dirai pas que vous êtes venue.

– Vous m'avez promis que vous le feriez. Et je veux que ça l'embête. Elle se pencha vers lui, une gouttelette au coin de la bouche : La plupart du temps, j'aime ce qui déplaît.

Il ne remit pas cet aveu en question, remarqua à peine l'insulte qu'il comportait – mais était-ce vraiment une insulte ? C'était naturel, c'était la condition de sa vie présente. Il était passif face à cette réalité, attendant patiemment son heure. Et chez la sœur de Breckinridge, il vit une occasion se dessiner. Elle retira ses gants – des gants blancs brodés de minuscules pétales.

Il laissa tomber sa main sur la sienne. Elle le laissa faire.

– Je crois, dit-il (doué d'une conscience nouvelle, différente de la blessure infligée par la peur), que lorsque les gens disent qu'ils veulent déjeuner, ils doivent déjeuner.

– Très bien. Bacon et tomate, pour moi. Et pour vous ?

Il sentait les menus os de sa main sous sa paume. Une rangée de cailloux ; mais tout en soumission, en acceptation. L'inclinaison consentante de son front, un mystère. Il était incapable de lire dans ses yeux (quand on ignore l'introspection, il est impossible de deviner les pensées de l'autre), mais son large front penché, d'une certaine façon, lui parlait : ce mur blanc et lisse, sur lequel rien de plus compliqué que les goûts et les dégoûts ne s'inscrivait.

– La même chose, dit-il.

Courtiser et réduire à néant était le programme que suivrait son cœur, un programme formulé sur l'instant et à la clarté lumineuse du front blanc de la jeune fille. Elle serait son Amérique, sa terre neuve, la mue d'une peau devenue trop étroite pour qu'il pût encore y respirer.

35

16 novembre

Chère tante Do,

Tu dois être très surprise, sans aucun doute, d'avoir de mes nouvelles après la façon dont Julian et moi nous sommes comportés avec toi. C'est moi qui ai été la pire, j'ai été odieuse ! Nous avons tous les deux été tellement odieux ! N'en veux pas trop à Julian, malgré tout, sa vie est un tel chantier, et Dieu seul sait où il en est. Je suis allée le voir à deux reprises, et la première fois elle était là aussi, mais lors de ma seconde visite, je n'ai trouvé personne. Nous avons été absolument atroces avec toi ! Mais nous avions peur. J'avais encore plus peur que Julian – d'une certaine manière Julian a tout laissé filer, il n'y a plus que Lili qui compte pour lui, et les machins qu'il écrit et ne montre à personne. Quand tu étais là – tout est allé si vite, quatre jours, cinq peut-être, et nous voulions te cacher ce qui se passait entre Lili et Julian, mais Lili t'a tout raconté, du coup, tu savais déjà tout ce dernier soir quand tu nous as invités à dîner, et j'imagine que maintenant, tu as tout dit à papa à propos de Julian et Lili et de l'endroit où nous vivions, l'appartement de Phillip, je veux dire. J'y suis toujours, avec Phillip, je l'aide à la clinique, donc je serais au courant si papa avait écrit, mais ce qui est vraiment étrange, c'est qu'il ne l'a pas fait. Au début, je me suis inquiétée, j'ai pensé qu'il avait peut-être explosé, qu'il lui était arrivé une chose atroce – les hommes de cet âge ne risquent-ils pas d'avoir une attaque quand ils subissent un choc ? C'est ça que je redoutais, depuis le début – que le mariage de Julian le tue, tout simplement, surtout lorsqu'on sait à quel point la conduite de Julian le contrariait depuis des années.

Mais si tu as dans l'idée que je t'écris aujourd'hui pour savoir comment il a pris les choses – eh bien non, ce n'est pas le cas. Je le fais pour trois raisons :

1. Je n'ai plus peur.
2. Ce que papa pense n'a pas d'importance.
3. J'ai arrêté de m'en préoccuper.

Ces trois arguments semblent peut-être n'en faire qu'un, mais ils sont tous subtilement différents. J'imagine que si je me retrouvais face à lui, j'aurais encore peur, mais il est à L.A. et je suis à Paris ! Et je compte bien y rester, tant que j'en aurai envie. Pas forcément à Paris, cela dit, à Paris pour le moment, mais il y aura d'autres destinations, et papa n'y peut absolument rien. Dans six semaines j'aurai vue sur une Alpe ! Et ça, c'est parce que j'ai découvert – mais *vraiment* découvert, ou plutôt parce que Julian m'a permis de découvrir – combien il était facile de se débarrasser d'un harnais. On glisse la tête hors du licol et le tour est joué. Et, à présent que je m'en suis dégagée, je repense à la peur que j'éprouvais pendant le peu de temps que tu as passé ici ; Julian et moi étions persuadés que tu fouinais partout pour faire plaisir à papa – mais d'ailleurs c'est ce que tu faisais, pas vrai ? Tu te rappelles quand Alice au pays des merveilles grignote le champignon ? Elle rapetisse si vite que son menton vient cogner le bout de sa chaussure ? Tu as été aussi rapide que ça – bonjour au revoir, à peine arrivée que déjà repartie, tu n'as même pas pris le temps de humer l'air de Paris ! C'est notre faute, je l'avoue, avec cette façon qu'on a eue de t'écarter à tout prix – mais à la dernière minute, alors que je me sentais légèrement ivre, j'ai eu l'impression que c'était plutôt *toi* qui cherchais à te débarrasser de *nous*. Quand nous étions enfants, papa détestait me voir plongée dans *Alice*, ou n'importe quel livre fantaisiste, pareil pour Julian. Julian était obsédé en particulier par le *Livre de la fée jaune*, je n'ai jamais compris pourquoi, mais papa le lui arrachait systématiquement pour lui coller entre les mains des bouquins du genre *Comment fonctionne l'électricité*, en plaisantant sur le fait que le jaune était la couleur des lâches, alors Julian se mettait à pleurer et papa déclarait : c'est bien ce que je disais. Ça, c'est le côté cruel de papa, et je crois bien que j'en ai hérité, autrement pourquoi aurais-je été si désagréable, y compris dans ton dos ? J'ai été désagréable tout du long, peut-être même avec Lili. Je n'ai jamais réussi à lui témoigner la moindre chaleur, ni trouvé le moyen de me rapprocher d'elle, malgré tout mes efforts – elle ne ressemble à personne qu'on connaisse. C'est tellement bizarre de voir Julian avec elle, la manière qu'il a d'être aux petits soins avec elle, de vouloir toujours la protéger. Et elle aussi le protège, d'ailleurs, c'est comme s'ils formaient une sorte de société secrète à eux deux, et tout ce que je peux dire, c'est que ça n'a pas l'air de leur faire tant de bien que ça ! Quand je suis allée les voir là-bas – dans la pension où ils ont emménagé après le retour de Phillip –, il était six heures du soir et Lili était recroquevillée sur le lit – la chambre ne contenait que ce lit, une commode et une armoire avec des portes dégondées, rien de plus –, eh bien ça sentait la tristesse à plein nez. J'aurais cru que Julian serait déconcerté de voir que je n'avais pas quitté Paris, finalement, mais il était tellement préoccupé par Lili qu'il m'a pratiquement jetée dehors, alors même que je lui disais que j'étais restée chez Phillip. Je n'ai pas compris, avec les explications sans queue ni tête qu'il m'a données, si Lili avait quitté son boulot ou si, pour une raison ou une autre, elle s'était fait renvoyer. Elle était allongée là, sans dire un mot, le visage tout brun, contracté, ridé ; elle avait l'air vieille, alors j'ai tourné les talons et je suis partie – qu'est-ce que je pouvais faire d'autre ? – et Julian n'a pas fait un geste pour me retenir. Quelque temps après, un drôle de petit bonhomme s'est pointé à la clinique, demandant à la voir, c'était peut-être quelqu'un de son ancien travail, mais je n'ai pas réussi à savoir quel était son problème. J'y suis retournée le lendemain – accompagnée de Phillip –, mais ils étaient partis. La propriétaire s'est mise à hurler que si elle avait su que ces deux-là étaient une paire de gamins irresponsables (le français de Phillip est de toute première qualité, donc il a fort bien compris ce qu'elle disait), elle aurait loué à quelqu'un de plus fiable. Phillip a demandé si elle avait une idée de l'endroit où ils se trouvaient à présent, et elle a répondu que le diable les emporte où qu'ils soient, mais il a insisté et cette fois elle a répondu qu'elle espérait qu'ils étaient partis là où tous les escrocs dans leur genre se retrouvent, *au pays des juifs*. On n'a pas réussi à déterminer si c'était une forme d'injure ou si cela signifiait qu'ils avaient vraiment l'intention de rejoindre l'oncle de Lili – il est censé vivre par là-bas, je ne sais trop où, pas loin de Tel-Aviv. Bien sûr, ils n'avaient pas causé le moindre tort à cette femme, le problème, c'est juste que maintenant elle doit trouver un nouveau locataire.

Tu as remarqué que je n'arrête pas de l'appeler Phillip. Au bout d'un jour ou deux, ça m'a semblé ridicule de continuer à dire Dr Montalbano ! J'étais un peu malade quand on s'est rencontrés, mais il m'a ordonné le repos et m'a guérie très vite, grâce à une poudre qu'il versait dans du lait parfumé à la cannelle. Ça vous remet d'aplomb en un rien de temps, et il m'a montré comment préparer cette potion moi-même. Il dit que j'ai de bonnes mains de laborantine, ce qui sonne presque comme une chose que pourrait dire papa. Il m'a engagée officiellement comme assistante (ce « officiellement », c'est pour rire), mais je ne touche pas de salaire parce que… Ben parce que c'est comme ça. Je n'ai besoin de rien, ni ne veux rien quand je suis avec Phillip, je suis parfaitement heureuse pour la première fois de ma vie ! Honnêtement, je ne me suis jamais sentie aussi confiante par rapport à l'avenir ; le monde me paraît complètement ouvert, le contraire de ce vieux piège rassis qui attendait de se refermer sur moi dès que j'aurais montré le bout de mon nez à la maison. Phillip est un miracle, impossible d'imaginer ou de rêver un homme pareil, le mélange le plus exquis qui soit d'homme d'affaires (papa adorerait cet aspect !) et de bohémien – le côté que je préfère, moi. Il a l'intention de me faire visiter toute l'Europe, pas seulement les villes où se trouvent ses autres cliniques, mais des endroits gorgés d'histoire, de légendes et de mythes. Si cette description fait penser qu'il est un peu poète, c'est formidable, car c'est exactement ce qu'il est. Mais un poète qui sait gagner sa vie ! (La définition, si je me souviens bien, d'une contradiction dans les termes, selon papa.) Nous allons visiter le Colisée, où les lions ont dévoré les chrétiens, et Phillip dit qu'il connaît l'emplacement précis où se tenait l'oracle de Delphes – je sais qu'il a tendance à inventer pas mal de choses, mais ce que ça peut être drôle ! Lili s'est toujours méfiée de Phillip, mais Lili se méfie de tout et de tous, et j'ai bien peur qu'elle n'ait réussi à entraîner Julian sur cette pente ; elle est pleine d'idées préconçues – Julian m'a dit un jour qu'elle détestait l'Europe, et même Paris ! –, alors qui sait où ils ont pu aller ?

Ce qui m'amène à l'objet de cette longue lettre – je crois vraiment qu'elle est trop longue, vu ma conduite abominable avec toi ! Deux choses, en fait. Donc, la première, c'est que je regrette et voudrais m'excuser – nous t'avons chassée. Ou tu as senti qu'il te fallait t'éloigner de nous au plus vite, ce qui est pratiquement la même chose, non ? La deuxième, c'est un service que je voudrais te demander, le dernier, et après ça, je te promets de ne plus jamais t'importuner avec mes histoires. Je crois comprendre que le silence de papa signifie quelque chose de terrible. Il a déjà reçu le pire choc qui soit – tu as fait office de messager, et moi, en tout cas, je te suis très reconnaissante pour ça. Julian n'aurait jamais pu, de lui-même, annoncer l'horrible nouvelle à propos de Lili. Et maintenant, c'est mon tour. Je ne peux pas écrire à papa moi-même – pour être franche, tante Do, je ne le ferai pas, je suis débarrassée de lui ! Je n'ai aucun moyen de l'amadouer ou de lui faire entendre raison, alors je compte sur toi pour l'informer que je reste à Paris, que je suis entre d'excellentes mains, et pourrais-tu aussi ajouter que je suis folle de bonheur ?

Il est très tôt le matin et je suis assise sur le balcon avec un bloc-notes sur les genoux. Aube rose bleuté d'un côté du ciel, et soleil d'hiver qui pointe de l'autre. Je vois juste assez clair pour écrire, mais la lumière monte plutôt rapidement. Et quel froid ! Je porte mon manteau tout neuf, le plus joli cadeau que Phillip m'ait fait – il est à l'intérieur, dans la cuisine, il nous prépare du café et concocte ses cataplasmes spéciaux. Je vais bientôt rentrer pour l'aider à faire les mélanges. Cela ne me dérange pas le moins du monde que certaines personnes qui viennent ici pensent que Phillip est un vrai médecin – d'une certaine manière, et c'est ce qui compte vraiment, il est tellement plus que ça et fait tant de bien aux autres. Je l'ai vu tenir la main de ses patients ; il leur parle avec tellement de sympathie et de sérieux, mais toujours aussi avec une forme de légèreté, et il va au cœur des choses. Ça aussi, je l'ai senti – et comme il a compris, dès qu'il m'a vue, qu'il ne fallait pas que je parte, que ce serait l'erreur de ma vie de rentrer comme prévu –, il dit qu'il n'y a aucune raison pour que je me sente responsable des problèmes de mon frère, de ma mère ou de mon père. Cela t'aide, je pense, à mesurer combien il a l'esprit pratique (oh, ce manteau !) ; il n'est pas du tout sentimental, il m'a donné une colonne vertébrale, il m'a rendue courageuse. Jamais je n'avais été courageuse, j'ai toujours eu peur, et c'est à cause de ma lâcheté que je me conduisais si mal, je le vois à présent.

Mon nouveau manteau, au fait, a un col en fourrure grise, un vêtement dont personne n'aurait jamais l'usage à L.A. ! Quand je suis arrivée ici, il faisait chaud et je n'aurais jamais imaginé que je me retrouverais assise sur ce balcon étroit, au milieu du mois de novembre, avec ces deux vieilles chaises qui restent dehors par tous les temps, à l'endroit même où Julian et moi nous sommes reparlé pour la première fois – tout cela semble si loin. Je crois que j'ai compris presque immédiatement qu'il ne rentrerait jamais. Et voilà que moi non plus, même si je ne suis pas tout à fait sûre du « jamais » en ce qui me concerne. Phillip dit qu'il a toujours été persuadé qu'il ne rentrerait pas au pays, mais j'ai remarqué un jour qu'il avait encore sa vieille clé de Pittsburgh dans la poche. Il en rit lui-même – il dit que c'est pour se rappeler la raison qui l'a poussé à partir. Donc, pour l'instant, ma place est ici, et dans une heure et demie, la salle d'attente sera pleine des clients de Phillip, et la journée commencera. À Paris elle commence toujours en beauté !

Iris

36

Do saisit la demi-douzaine de pages dans un accès de colère – il y avait clairement un délit en cours, mais qui en était l'auteur ? Elle avait lu et relu la lettre de la jeune fille, sept fois, peut-être huit. Cela la rendait malade. C'était tellement typique d'Iris d'esquiver la confrontation avec son père et de tout coller – une fois de plus ! – sur les épaules de Do. Tante Do, le messager : mais le messager n'avait pas encore vidé son sac, et le fardeau qu'il contenait n'avait pas encore été livré. Do et nul autre était l'auteur du crime : durant toutes ces semaines, elle n'avait rien dit à Marvin. Elle l'avait laissé en suspens, dans l'ignorance de sa propre souffrance, sa soif inassouvie. Remettre le choc à plus tard ne faisait qu'en augmenter la puissance ; et pourtant, elle ne cessait de le repousser. L'appel désespéré de Marvin, les bords de l'enveloppe contenant sa lettre, humides et racornis, languissaient sur la table de nuit de Do, dans la flaque asséchée d'un verre d'eau renversé pendant la nuit. Le choc terrible, le poison amer : la déception de Marvin, sa douleur. Son ego, son fougueux amour-propre. Ses attentes annihilées – comme s'il avait été un dieu qui, ayant répandu sa semence, avait eu le loisir de modeler ses créatures à sa convenance. Le fils entêté et immature, et à présent la fille, à peine sortie de l'enfance, qui se croyait amoureuse d'un charlatan, d'un séducteur, ou même d'un genre de ravisseur – c'était peut-être lui, finalement, l'auteur du délit ! S'emparer de cette jeune fille pour en faire sa servante sans lui verser de salaire, une adorable petite esclave, une esclave sexuelle en réalité, la traîner à travers l'Europe jusqu'à ce qu'il se lasse d'elle et la laisse tomber, l'abandonne dans une quelconque cité lointaine, sans protection. Et n'était-ce pas justement la protection qu'elle recherchait ? La lettre était constellée de *papa, papa, papa*. Elle invoquait Marvin alors même qu'elle l'injuriait et le rejetait. Voyez un peu la bénédiction que c'est de ne pas avoir d'enfants ! et la plaie d'en avoir. Leo et ses filles : *Elles vivent loin d'ici*. Les enfants de Marvin, eux aussi, vivaient loin de lui. Ils ne pouvaient pas vivre avec leur père – il les en avait dégoûtés. La fille était enflammée. Elle s'était immiscée dans les vies instables de son frère et de son épouse, un couple qui s'empêtrait nuit après nuit dans les inextricables filets du sexe. *C'est un homme* – ainsi Lili, familière depuis fort longtemps de l'union des corps, avait-elle parlé du garçon dont elle avait éveillé la sensualité ; et pendant ce temps-là, dans la chambre d'à côté, la jeune fille écoutait, enflammée, consciente des allusions aux désirs érotiques cachés, mûre et ouverte au charlatan, le faux docteur qui la nourrissait de potions et l'avait engagée pour touiller ses chaudrons, la rendant froide à l'égard du frère qu'elle était venue consoler. Julian avait disparu dans l'inconnu, exactement selon les visions de Margaret. Margaret, qui vidait son corps de ses fruits nauséabonds pour en barbouiller des toiles quadrillées par des champs de matières fécales…

Il était absurde de se laisser scandaliser – dégoûter – par cette lettre puérile ; puérile ; cynique ; importune. Et Marvin : elle l'avait trop longtemps laissé dans l'obscurité. Elle aurait du mal à l'influencer, et même si elle y parvenait, l'influencer comment, dans quel but ?

Cette brûlure dans la gorge, cette douleur aiguë juste au-dessous du cœur. Ce n'était pas la lettre, inutile de blâmer Iris ! Cela faisait plusieurs jours qu'elle se sentait mal et irritable – dans sa salle de classe face aux plus grands des garçons et à leurs singeries, et avec Laura dans la salle des professeurs où elles s'étaient retrouvées un jour pour protester contre les serments de loyauté, qu'elles avaient fini par signer malgré tout, sous la menace du directeur de l'établissement. Sur la question des serments de loyauté, il n'était pas aussi coulant que sur le reste. Ils ont été mis en place pour protéger nos soldats de l'espionnage interne, avait-il annoncé. Nous nous devons d'être vigilants, en Corée on dirait que les communistes ont déjà gagné...

Toute la matinée, dans un accès d'ambition futile, elle avait gavé de Shakespeare ses élèves les plus âgés. Elle avait choisi *Macbeth*: vu qu'ils avaient adoré la guillotine, ils apprécieraient sans nul doute le sang et les tripes.

... Et pendant ce temps, le petit spasme de nausée, juste au-dessous du sternum, n'avait cessé d'enfler. Les amuse-gueules rassis de la salle des profs, un genre de rillettes de poisson qui restaient d'un pot offert à l'occasion du départ à la retraite d'un des superviseurs d'atelier, un certain Mr Elkins, qui aurait préféré de la bière et des biscuits salés. Le poisson avait-il tourné, ou était-ce le tourbillon de culpabilité face à son propre manquement ? Le manquement avait précédé de loin le poisson. Elle devait à Marvin la vérité sur ce qu'elle savait, et cette vérité était une horreur – quelle cruauté, quelle vilenie c'était que de manier soi-même le couteau destiné à éviscérer un frère. Caïn et Abel, jetés en pâture à Iris dans l'aube de Broadway. Mais Marvin n'avait rien du paisible Abel, et Do ne ressemblait pas au cruel Caïn. Ce qu'elle était dans l'obligation d'annoncer était tout ce qu'il y avait de plus banal : enfants qui tournent mal, vie qui tourne mal, amour diffamé, espoirs anéantis, rien que de l'ordinaire, du trivial, comme c'était facile à dire. *Ils vivent loin d'ici. Ils ont l'intention de vivre loin d'ici.* On aurait presque pu le réciter au téléphone, en deux ou trois mots neutres, sans les angoisses et les tourments du péché originel. Et pourquoi ne pas utiliser le téléphone, après tout ? Écrire était plus sûr – un hiatus se glissait, Dieu merci – avant l'explosion de la réponse. Mais le téléphone était plus rapide, et le coût d'un appel en Californie garantissait une certaine brièveté. Marvin insisterait, cependant, pour qu'elle appelle en PCV, il insinuerait quelque chose de mesquin et de bas sur son salaire médiocre d'enseignante, il proposerait de rappeler à ses propres frais... prêt à tout pour obtenir toutes les informations, lui tirer les vers du nez, retourner le couteau dans la plaie suppurante. Elle résisterait, se montrerait inflexible : ne nous éternisons pas, finissons-en ! *Si c'était fait, lorsque c'est fait, alors ce serait bien si c'était vite fait.* L'espièglerie de ses garçons qui commentaient *Macbeth* en grommelant, Macbeth dépassé et vaincu, ses élèves que la main sanglante faisait glousser et qui hurlaient de rire au moment où les feuillages se déplaçaient. *Dites donc, Miss Canari, c'est un peu comme un camouflage, pas vrai ?* Bientôt, nombre d'entre eux serviraient en Corée comme mécaniciens ou chauffeurs, et qu'avait-elle à répondre quand ils soutenaient que lady Macbeth n'était d'aucune utilité à des hommes sous le feu ennemi ?

Le téléphone était posé sur une petite table carrée à l'autre bout de la pièce, sous une fenêtre – à l'endroit où, par un temps plus chaud, une carafe de thé glacé avait attendu une nièce inconnue. Quel plaisir c'était que de marcher pieds nus sur la moquette, un des agréments d'une vie en solitaire, à l'abri des regards. La douceur voluptueuse sous ses doigts de pied – petites choses tordues et embarrassantes, avec, dans leurs rangs, un orteil en marteau. Leo, tentant un jour d'étirer l'appendice discordant afin de lui redonner sa forme d'origine, l'avait joyeusement appelé le *diabolus in musica.* Au Moyen Âge, lui avait-il expliqué, ce pied qui faisait offense à la nature avec son triton dissonant lui aurait valu d'être excommuniée en tant qu'œuvre du démon. Merci pour l'information. Un nouveau spasme à l'estomac et une remontée acide en prime. Le piano à queue était sorti de sa vie ; et n'en était-il pas de même des derniers vestiges de Leo ? Leo et ses splendides saillies cinglantes ?

La moquette, à l'origine, avait été d'un joli beige automnal, aujourd'hui délavé de plusieurs tons par des années d'exposition à un soleil se couchant paresseusement à l'occident. Ce type de revêtement, collé d'un mur à l'autre, était une mode d'après-guerre et l'unique concession que Do avait faite, dans son appartement encombré, à ce qui aurait pu passer pour du luxe ; la moquette déroulait son flot réconfortant depuis le tout petit vestibule jusqu'aux fenêtres du mur opposé. Do s'enfonça dans son épaisseur chaude et alla chercher le petit carnet de notes, qu'elle gardait toujours dans son sac à main, là où elle l'avait laissé, sur la commode de la chambre. Bien entendu, elle n'avait jamais appris le numéro de Marvin par cœur ; vu le long silence qui s'était installé entre eux, quelle en aurait été la nécessité ? La voix de Marvin au téléphone, pourrait-elle la supporter ? La fureur et les ricanements.

À mi-chemin, elle s'arrêta et baissa les yeux. C'était là, exactement là que se trouvait la source du mal ! Elle l'avait piétinée jour après jour, une tache sombre devant ses yeux. Ce n'était ni Iris, ni Marvin, ni les rillettes de poisson, ni même ses grands gaillards qui se pavanaient et hurlaient – la maladie, le spasme et l'acidité venaient très précisément de là. Ses orteils nus s'y noyaient. La tache, la forme, la teinte boueuse. Un estuaire brun inondait les fils beiges. Là où les pieds du piano de Leo s'étaient plantés, sous le gros ventre noir qui empêchait le soleil de passer pour pâlir la couleur, la silhouette sanglante du queue persistait. Elle persistait, elle saignait, ses contours étaient aussi mal définis que ceux d'un nuage de poussière brune. Dans le dictionnaire des nuages, c'était le plus nocif.

Elle décrocha son téléphone et, tôt le lendemain matin – Va-t'en, damnée tache ! – trois hommes costauds, portant des vestes avec le logo de leur entreprise cousu sur la poche, vinrent arracher la moquette, gratter la colle et vitrifier le parquet.

Elle n'avait toujours pas appelé Marvin, et, à bien y réfléchir, à quoi bon le faire ? Pour le plaisir de l'entendre se répandre en invectives ? Mais ce qui l'avait retenue était peut-être davantage le sentiment de pitié que lui inspiraient ses plaintes ?

37

Le baron Guillaume de Saghan, cousin éloigné de Marcel Proust (malheureusement du côté Weil, c'est-à-dire maternel), avait fondé le Centre des émigrés par conscience morale et dans l'idée que ce ne serait qu'un service provisoire : une fois sa tâche accomplie, l'organisme était destiné à se dissoudre. Il avait créé l'endroit guidé principalement par sa conscience, mais aussi pour un autre motif. Peut-être était-il vrai qu'il avait entretenu des relations douteuses avec le gouvernement de Vichy – mais peut-être pas. Une rumeur pareille n'était pas facile à vérifier, et quelle différence dans les circonstances présentes, vu qu'il faisait clairement le bien ? Par ailleurs, si cette accusation contenait ne fût-ce qu'un atome de vérité, on pouvait parfaitement considérer que la création de cet établissement charitable constituait un heureux acte de réparation. En même temps, il était également vrai (ou pas) qu'il était plus que conscient de sa parenté, aussi lointaine fût-elle, avec Mme Proust, la fille d'un courtier juif, et que, par conséquent, tout ce qu'il faisait, comme ses critiques ne manquaient pas de le remarquer, c'était « s'occuper des siens ». Prendre soin des leurs était exactement la mission que toutes les autres agences et organisations de secours, fleurissant partout dans le New York d'après-guerre, avaient accomplie, embarquant de force les personnes déplacées sur des bateaux à destination de Haïfa ou de quelque autre port miteux du littoral levantin nouvellement hébraïsé. Le baron ne connaissait ni ne souhaitait connaître la géographie de la Terre sainte : on l'avait obligé à l'apprendre quand il était enfant, et il se rappelait seulement le Golgotha, une colline de Jérusalem, et le Jourdain, fleuve qui rugissait dans son imagination comme une cataracte – peu importait qu'aujourd'hui il fût décrit comme un ruisselet sans profondeur. Peut-être s'était-il lentement asséché au cours des siècles entre l'apparition de Notre Sauveur sur terre et les temps présents.

Ce genre de ruminations spécifiquement chrétiennes le rassurait. Il faisait le bien. Les vestiges inconvenants de ces tribus persécutées n'avaient pas tous été emportés – il constatait chaque jour que Paris en regorgeait de ces vestiges avec leur charabia polyglotte, la tristesse affamée de leurs visages étrangers et leurs inquiétants accès de réclamations exubérantes, comme s'ils avaient été scandalisés par ce qu'on leur refusait. Mais que leur refusait-on ? La normalité, songeait-il, tout ce dont on les avait privés. Mais ici, ils n'étaient pas normaux ; ils ne deviendraient jamais normaux, à la manière de ces séfarades de vieille extraction, français jusqu'à la moelle, qui avaient séjourné en France depuis le quinzième siècle et étaient devenus, à présent, aussi acceptables que n'importe qui. Il avait placé son argent dans ce Centre avec pour seul objectif qu'il finisse par se désintégrer de lui-même : dans les cinq ans, il ne devait plus y avoir un seul juif étranger à Paris. Et il l'avait installé dans le Marais parce que c'était là que les étrangers traînaient.

Il se rendait rarement sur place. Il ressentait un dégoût puissant pour ce lieu : il se figurait que les murs retenaient encore l'odeur de l'abattage rituel, bien qu'il reconnût que c'était un fantasme stupide, et même un préjugé, indigne de sa générosité et de sa compassion publique. Il avait confié la gestion du Centre à son directeur, un Polonais nommé Kleinman, lui-même personne déplacée, qui s'était chargé d'engager et de former le personnel, composé de cinq hommes et deux femmes. C'était Kleinman qui avait conçu les box permettant à chaque préposé de mener ses entretiens en préservant l'intimité des malheureux candidats. On entendait souvent des sanglots derrière les cloisons. Plus ces gens geignaient, plus vite ils avaient des chances de disparaître. La difficulté, bien sûr, n'était pas tant de les faire sortir de Paris que de les envoyer ailleurs. La Terre sainte, ou en tout cas la part qui était aux mains des juifs, tenait ses portes grandes ouvertes et se montrait infiniment accueillante; on ne pouvait toutefois raisonnablement imaginer que quiconque eût envie d'aller vivre à l'ombre d'un Golgotha effondré ou sur les bords d'un Jourdain asséché. Cependant, nombre d'entre eux avaient élu cette destination comme la bénédiction d'un dieu fatigué et à moitié oublié. Nombre d'entre eux, mais pas tous: les plus entêtés étaient aussi les plus portés aux hallucinations et aux rêves de réunions sentimentales avec de fantomatiques parents éparpillés partout sur la terre résistante. Ils attendaient patiemment dans de longues files et entraient dans les box, serrant dans leurs mains des morceaux de papier à moitié déchirés, conservés on ne sait comment, alors qu'ils dataient de plusieurs dizaines d'années, et portant l'inscription d'adresses lointaines, et peut-être obsolètes, d'obscurs membres de leur famille dont ils ne gardaient qu'un vague souvenir d'enfance. Ces parents aussi vaporeux que des rêves existaient-ils vraiment? Il arrivait parfois qu'un cousin putatif, et la descendance de ce cousin, pût être excavé des entrailles de Buenos Aires, Cincinnati, Stockholm, Melbourne, Saint-Domingue, et de qui sait où encore. Et si ces pistes ne donnaient rien, il restait la Palestine, la partie du territoire tenue par les juifs, sur laquelle on pouvait toujours se rabattre. Le plus dur était de faire le tri dans le charabia des files d'attente; pour accomplir cette tâche, Kleinman avait trouvé, dans les rues sales du Marais, son équipe polyglotte. Il ne parvenait pas à les garder longtemps – eux aussi avait le cœur pris ailleurs. Kleinman lui-même avait donné son préavis, et partirait bientôt, pour – chose étrange s'il en était – San Antonio, qui aurait dû être en Espagne, mais se trouvait, comble de l'absurdité, dans l'État américain du Texas.

À cinq heures, ce lundi-là, le baron était venu s'enquérir des chiffres. Kleinman fit les comptes: durant la semaine qui venait de s'écouler, vingt-trois à destination de Rio de Janeiro, dix-huit de Rome (mais ce n'était qu'une étape), cinquante et un d'Israël. Et vers New York, combien ? Comme d'habitude.

C'était la fin de la journée de travail ; le personnel avait déjà quitté les lieux. Kleinman mit son chapeau. Il était resté un peu plus longtemps pour balayer les fragments de papier chiffonnés qui jonchaient le sol, jetés dans un mouvement de désespoir – de trop nombreuses adresses s'étaient avérées des impasses. Le baron étudia l'homme décharné : son chapeau lui donnait l'air d'un citoyen ordinaire. Il lui semblait étrange que son employé fût aussi grand que lui, bien que plus mince au niveau de la taille, qu'il eût des yeux aussi gris que n'importe quel Français, et que son chapeau eût l'audace de paraître presque neuf, acheté avec les francs du baron, sans nul doute. En fait, rapporta Kleinman, les files d'attente commençaient à diminuer, et Lipkinoff, son interprète précieux pour le russe et le géorgien – quelle chance, il parlait aussi le kivruli – était l'un des heureux candidats pour New York. Ce qui porterait le nombre d'employés à six, alors qu'à la vérité, cinq auraient largement suffi, en tout cas pour l'instant.

– Alors séparons-nous de l'un d'eux, ordonna le baron. Je ne tiens pas à ce que ma masse salariale soit plus étoffée qu'il ne le faut.

– Ce serait dommage, dit Kleinman dans son français teinté d'accent polonais. Ils sont tous tellement pauvres.

Il prononçait le *r* de pauvre avec un puissant roulement de la langue contre le palais. Le baron en fut dégoûté – ce répugnant bruit slave était l'une des nombreuses raisons qui avaient présidé à la fondation du Centre des émigrés : il fallait à tout prix effacer ces outrages. Les générations futures, croyait-il, se devaient d'œuvrer pour la pureté du français ; et Paris, sans parler de la France, était souillé par ces affreuses frictions linguales, comme par autant de traîtrises.

De l'un des box plongés dans l'ombre leur parvint un son indistinct, à mi-chemin entre le ronronnement et le hoquet.

Le baron remua les pieds, effectuant un petit cercle qui traduisait parfaitement son irritation.

– Je pensais, dit-il d'un ton grincheux, que vos gens avaient pris congé.

– C'est le cas, dit Kleinman.

– Vous êtes sûr ? J'ai entendu quelque chose.

Ils écoutèrent ensemble. Le regard scrutateur du baron semblait percer les cloisons fragiles qui se suivaient selon un motif géométrique régulier jusqu'au mur du fond, où les crochets de boucherie rouillés saillaient comme des faux.

– Un retardataire, peut-être, dit Kleinman. Parfois...

Mais la rougeur soudaine sur le visage de son patron le força à s'interrompre.

– Comment cela, un retardataire ? Ce lieu doit être vidé pour la nuit, et c'est votre responsabilité.

Kleinman résista : dans cinq semaines, il serait accueilli par une certaine Mrs Davies, la belle-sœur âgée d'une grand-tante récemment découverte et morte depuis longtemps. Mrs Davies avait signé le papier pour elle, et jamais plus il ne devrait rendre de comptes au baron. Il déclara :

– Parfois, monsieur, lorsqu'ils viennent de débarquer en ville, qu'ils sont à la dérive et n'ont pas d'endroit où dormir... je mets une couverture sur le sol pour rendre ça plus confortable, et quel mal y a-t-il si...

– Vous tenez un hôtel dans mon Centre si je comprends bien ?

– Non, non, c'est purement occasionnel, un toit pour dormir, ce qui ne contredit en rien la mission...

– Ce n'est pas un refuge pour vagabonds ici ! hurla le baron, tournant les talons avant d'effectuer de nouveau son petit trajet en cercle. C'est alors qu'il aperçut la femme debout dans l'encadrement de la porte du dernier box. Elle sanglotait.

– Lili, s'écria Kleinman. Il est arrivé malheur ? Comment vous portez-vous ? Qu'est-ce qui se passe ? Vous êtes malade ? Dites-moi !

Mais le baron ne lui laissa pas le temps de répondre :

– Si c'est une de vos employés…

Elle ne dit rien. Elle était en manteau. Son col était mouillé.

– … c'est d'elle que nous allons nous séparer, dit le baron en détachant chaque syllabe.

– Mais, monsieur, elle est remarquable à tout point de vue…

– Cette femme se cachait. Quelle femme respectable se cacherait ? Et pleurant comme un veau, par-dessus le marché. Nous n'avons pas besoin d'une pleurnicheuse, elle ne fera qu'encourager les files d'attente, et alors viendra le déluge… Le baron marqua une pause, le temps d'un sourire : Et sans Noé. Je ne suis le Noé de personne, Kleinman, et cet endroit n'est pas une arche, *n'est-ce pas* ?

Kleinman pensa : *Non, pas une arche. Un vide-ordure. Un siphon.* Avant la guerre, avant le massacre, il avait travaillé comme statisticien pour une grande compagnie d'assurances. Il avait une femme et deux filles. À présent, il était seul. Mrs Davies lui avait promis un poste de comptable dans le cabinet dentaire de son petit-fils. Dans sa jeunesse, avant son mariage, avant la guerre, avant le massacre, il avait adoré tous les films de cow-boys, le bétail, les cactus, les chevaux, le ciel. Il connaissait par avance les possibilités qu'offrait le Texas.

38

Lili éteignit la lampe et enfila son manteau. Novembre à la tombée du jour apportait un froid glacial venu du nord. Tout autour, la rumeur des au revoir, des semelles sur le pavé, de la hâte, un éternuement ou deux (la contagion habituelle en cours), des bouffées intermittentes d'air de la rue. Et à présent, le bruit du balai que passait Kleinman. Ils étaient tous partis, tous sauf Kleinman et son balai. Pourtant elle ne pouvait quitter les lieux ; elle ne voulait pas. Elle retomba sur sa chaise et appuya sa joue contre le bois de son bureau, refusant de bouger. Sa tête était aussi fixe que celle d'une figurine de cire, aussi immobile qu'une pierre ou qu'une météorite tombée du ciel. Elle pensa appeler : elle avait peur que Kleinman ferme le Centre à clé et qu'elle s'y retrouve piégée. Mais pourquoi pas, après tout ? Elle savait où il rangeait la couverture – un vieux *perene* tout décati, vraiment, un édredon de duvet qui perdait ses plumes. Il y avait pire pour passer la nuit ; elle avait connu bien pire, certaines nuits où un *perene* aurait été synonyme de paradis. Mais quant à rentrer à la maison… où était sa maison ? La chambrette délabrée que Julian leur avait dégottée ? Julian… un pauvre garçon, rien qu'un enfant, sans maison, sans défense !

Le balayage avait cessé. Des voix, l'une, française de souche, avec ses syllabes glissant comme de l'huile dans le goulot d'un bocal de verre, et l'autre, celle de Kleinman, un murmure empli de déférence ; et puis, alors qu'elle luttait pour y résister, un picotement derrière les yeux, à moitié réprimé, comme si un volcan avait été sur le point d'entrer en éruption. Une mer houleuse tanguait dans sa tête. Elle souleva le front, et un bouquet de larmes envahit sa bouche, un verrou céda, elle savait qu'elle n'aurait pas la force de le refermer, un bruit s'éleva de ses entrailles, et elle sut qu'elle était découverte.

Elle n'avait jamais vu le baron, mais elle comprit immédiatement que c'était lui – l'homme que Kleinman appelait leur bienfaiteur, l'homme qui avait juré de financer, l'un après l'autre, chaque départ de Ninive. Il était grand de partout, aussi haut que Kleinman, mais beaucoup plus large, un continent, comparé à l'étroite péninsule dessinée par le corps de Kleinman. Il donnait de petits coups sur le sol du bout d'une canne richement ornée ; il portait des gants de cuir vert. Il souriait tout en ordonnant à Lili de ne plus jamais remettre les pieds ici – et son sourire était doucereux, plus aimable que sardonique. Et comment aurait-il pu ne pas être aimable, c'était le fondateur du Centre, l'ami des personnes déplacées ? Elle n'avait pas saisi ce que les deux hommes, le baron et son directeur, disaient ; son petit box, juste à côté des crochets de boucherie, était trop loin pour cela, mais c'était forcément à cause de, oui forcément, sinon pourquoi le baron la renverrait-il ? Elle était arrivée au Centre avec plusieurs heures de retard ce matin, des heures atroces, elle était venue malgré son malaise et était parvenue, sans savoir comment, à le masquer par une sorte d'hébétude, personne n'avait rien remarqué, Kleinman non plus, si ce n'est qu'au lieu de commencer à neuf heures comme les autres, elle était arrivée à deux heures de l'après-midi, et elle comprenait évidemment, avait dit Kleinman, que c'était une faute sérieuse, ce n'était pas lui qui établissait les règles, c'était le baron, et, bien sûr, il ne la dénoncerait jamais, c'était seulement que cela le mettait lui-même en danger, car comment savoir à quel moment de la journée le baron, qui redoutait de voir son cher argent gaspillé en vain, débarquerait pour inspecter les lieux… *Mais il est l'un des nôtres*, avait pensé Lili, *Kleinman est l'un des nôtres, pourquoi me trahirait-il ? Cela ne m'est jamais arrivé, c'est la première fois*. Une terrible première fois. Et elle pensa de nouveau : *Mais il ne s'en soucie plus à présent, cela ne le concerne plus, il est sur le départ, d'une certaine manière, c'est comme s'il était déjà parti, il est libre, et nous, qu'allons-nous devenir, où allons-nous aller ?* Quelle erreur ! Elle avait cru possible de saisir l'instant de vie pour ce qu'il était, comme si le passé et l'avenir n'étaient rien d'autre qu'une brume. Comme si cette vie, ce garçon, était tout ce à quoi elle pouvait se raccrocher après la malédiction que constituait sa naissance. Comme si la naissance n'avait plus aucune valeur.

Dans la rue, elle inspira le vent froid du crépuscule. Elle devait tenir pour Julian, après tout. En partant – encore toute à sa douleur –, elle n'entendit pas la suite du dialogue de l'autre côté de la porte du Centre.

– Cette femme, disait Kleinman, est mutilée.

Durant l'été, alors qu'elle était seule dans son box en train d'examiner des papiers, il avait vu son bras dépassant de la manche de chemise qu'elle avait remontée à cause de la chaleur.

– Je n'y suis pour rien, ce n'est pas moi qui l'ai mutilée, répliqua le baron.

– C'est intolérable, monsieur, fit Kleinman, en fronçant les sourcils sous son chapeau. Il l'avait retiré un instant pour le remettre aussitôt. Il aurait voulu se passer du « monsieur », une habitude dont il espérait se débarrasser. Vous ne pouvez pas la renvoyer sans raison.

– Sans raison ? Vous avez vu ce que j'ai vu. Une crise d'hystérie. Elle a craqué, pas le moindre contrôle d'elle-même. Étant donné le but que nous poursuivons ici, venir en aide aux malheureux, proposer des conditions de vie plus favorables, ailleurs, à des personnes ayant souffert moralement…

Le baron avait adopté le ton de ses discours publics, des phrases fluides habilement mémorisées qui lui avaient si souvent valu l'admiration générale – et, au cours d'une cérémonie brillante, un éloge encadré et une médaille remise par un important représentant de la ville. Mais il se sentait exposé au ridicule – il le lisait dans l'œil de Kleinman, Kleinman qui osait le juger ! À quoi bon déverser ces perles face à ce métèque, qui ne le prenait pas au sérieux ? Alors, toujours souriant et sur le ton de la plaisanterie, plantant sa canne contre la poitrine du directeur, il dit :

– Vous verrez, *m'sieur* Kleinman, comment ils vous traiteront en Espagne !

39

Mais Julian n'était pas là. La chambre était plongée dans l'obscurité, seul un ruban blanc sur le mur était dessiné par la clarté d'un réverbère ; la fenêtre n'avait pas de rideaux. Lili se jeta sur le lit – son bas-ventre était encore endolori, elle était vidée, un peigne d'acier l'avait évidée, elle était trop épuisée pour se tenir debout, marcher ou même pleurer. Mais, de nouveau, les larmes jaillirent de ses yeux, pourquoi ne pleurerait-elle pas le vieil homme qui était mort dans ce lit ? Elle pleurait sur le vieil homme, sur elle-même et sur ce qu'elle avait provoqué aujourd'hui, et elle pleurait aussi avec une colère profonde et implacable parce que Julian n'était pas là, parce qu'elle l'avait autorisé à sortir – c'était absurde, elle avait exprimé sa désapprobation, mais trop faiblement sans doute. Il était parti à la recherche de François qui lui trouvait toujours des petits boulots de serveur, louches ou pas, cela lui était égal, François, l'ami du fameux Alfred qui était mort, aussi mort que le vieil homme, et elle pleura encore, sur le vieil homme, sur Alfred, sur elle-même et sur ce qu'elle avait provoqué aujourd'hui. Absurde et inutile, cette vie au jour le jour, d'un café à l'autre, comment cela pourrait-il les aider à présent ? Comment allaient-ils s'en sortir ? Ils s'étaient quittés ce matin, Julian pour partir à la recherche de François – mais troublée, distraite, elle n'avait que trop faiblement exprimé sa désapprobation ; son esprit était concentré sur ce qu'elle allait provoquer.

Elle était allongée sur le lit, déchaussée et recroquevillée, genoux contre la poitrine pour faire barrage à la douleur dans son bas-ventre, en attendant Julian.

Moins d'une heure plus tard, il arriva, un sac en papier à la main.

– Le dîner est servi, annonça-t-il.

Deux petits pains et quelques morceaux inégaux de fromages à pâte dure – un vieux truc à lui : il piquait les restes dans les assiettes. Il n'avait pas trouvé François. Il était allé partout, au Napoléon, au Monaco, les cafés habituels. Personne n'avait de nouvelles de François, on ne l'avait pas vu depuis plusieurs semaines. Un des types aux Deux Magots (mais il était nouveau et peu fiable) avait émis l'hypothèse que François avait eu des ennuis avec la police – une histoire de drogue, de boisson ou de prostitution masculine, comment savoir ?

Elle ne pouvait pas manger. Ne pouvait rien avaler. Il n'y avait rien à boire.

Julian dit qu'il allait demander une cruche d'eau à la propriétaire.

– N'y va pas, dit-elle.

Mais il partit quand même.

– Elle n'a rien qui ressemble à une cruche, lui dit-il en revenant. Elle a dit qu'elle allait récupérer autre chose. Je lui ai donné de l'argent.

– Aujourd'hui, dit Lili, je me suis fait renvoyer.

Elle vit qu'il était mi-inquiet, mi-stupéfait : fragile sous sa chair ferme et solide de jeune homme. Pourtant il fallait qu'elle le blessât.

– Fini, dit-elle. Plus rien. Il ne nous reste plus rien, maintenant.

– Fini ? répéta-t-il en écho.

Comme il avait l'air bête !

– Virée.

– Ce n'est pas grave. Je t'assure, Lili, je te promets. Je vais trouver quelque chose tout de suite, dès demain, il y a forcément quelque chose…

– Il n'y a rien, plus rien, dit-elle de nouveau en examinant sa bouche.

Une bouche de jeune homme, humide, qui se tordait, animée par une langue bondissante. Elle la détestait cette bouche, cette langue.

Elle détestait son corps tout entier, les longues cuisses, la poigne virile si trompeuse.

Avec lassitude, elle souleva le fardeau de ce qu'elle avait à lui dire, de ce qu'il devait savoir. La clinique, lui dit-elle, était très propre, on l'avait traitée avec douceur, comme ils étaient sympathiques, ça n'avait pas été une épreuve si terrible que ça, mais elle avait encore une douleur au bas-ventre, déjà la blessure refluait, ils l'avaient évidée, son corps était vide à présent.

– J'ai demandé à le voir, dit-elle. Ce n'était rien. Un petit bourgeon sanglant. Une petite tête ensanglantée, rien de plus. Pas une tête humaine. Pas humaine. Un petit poisson.

Elle l'avait bel et bien blessé – elle ne l'avait encore jamais vu avec tant de clarté : l'amour qu'il avait pour elle, le peu qu'il savait, la distance si improbable qui séparait les sentiments de la connaissance, et qu'importait qu'il l'aimât s'il ne comprenait rien, rien de rien ? Atrocement intacte, effroyablement intègre ! Cette petite chose semblable à un poisson qu'ils avaient arrachée à une mer de sang…

Le souffle de Julian était trop proche. Il lui prit la main. Elle le laissa faire, combattant un recul instinctif. Il offrit à sa tête l'abri de sa poitrine, et les boutons de sa chemise lui entamèrent la joue. Elle avait l'oreille collée à un coquillage tonitruant : les battements calamiteux du cœur de Julian.

– Pourquoi, dit-il. Pourquoi, pourquoi ?

– Pourquoi demandes-tu pourquoi ? Idiot, espèce d'idiot ! cria-t-elle avant de s'écarter violemment de lui.

– Mais il était vivant. Il était vivant, il aurait pu compenser…

Il s'interrompit. *Compenser*. Il avait appris que certains mots apparemment ordinaires étaient insupportables pour Lili.

Sur ses gardes, redoutant sa réaction, il reprit :

– Il aurait pu remplacer, remplacer…

Elle plaqua sa paume contre la bouche de Julian.

– Idiot ! Remplacer, ça n'existe pas !

Elle lui jetait la mort à la figure, et il la décevait. Pourquoi ne pourrait-on pas remplacer ? Pourquoi n'y aurait-il pas de renouveau possible ? Pour quelle raison s'était-il enfui au départ, si ce n'était dans l'espoir d'un renouveau ? Ne plus être le fils de son père ; recommencer à zéro. Il avait lu des choses sur la délivrance dans les psaumes. Il se sentait abattu, honteux. Elle pleurait à ses côtés, avec de longs sanglots qui lui soulevaient tout le corps. Le vieux matelas fatigué tremblait sous les secousses, et il se remémora le psaume 6, avec quelle lenteur et quel soin il l'avait lu puis recopié : *Je suis épuisé à force de gémir ; chaque nuit ma couche est baignée de mes larmes, mon lit est arrosé de mes pleurs*, l'inscrivant dans son carnet à marge rouge à la manière d'un scribe du Moyen Âge.

Un bruit dans l'escalier. Mme Bernard qui apportait de l'eau – il avait laissé la porte ouverte. Elle lui avait fait payer l'eau, elle se méfiait de lui, un de ces fainéants d'Américains, et cette petite femme toute noiraude, une juive sans doute, deux vagabonds, avaient-ils seulement de quoi payer le loyer ? Ses yeux plissés se fixèrent sur les sandales éculées de Julian. *Une cruche ?* Sa précieuse carafe de cristal, cadeau d'un mariage vieux de trente ans, elle la gardait pour les gens de qualité. Si on la payait, une bouteille vide ferait l'affaire.

Mais c'était sa sœur qui se trouvait sur le pas de la porte.

– Julian ? Il fait si sombre ici, ça ne va pas ?

– Tu n'es pas partie.

– Julian, qu'est-ce qui ne va pas, c'est Lili, qu'est-ce qu'elle a ?

– Elle a perdu son travail, et toi, qu'est-ce qui ne va pas chez toi ? aboya-t-il en retour. Qu'est-ce que tu fais ici ? Pourquoi tu n'es pas partie ?

– Je suis venue te le dire. Je voulais te dire…

– Tu n'as jamais eu l'intention de rentrer en fait !

– Je reste, c'est tout. J'ai décidé de rester. Phillip a dit que je pouvais rester. Je vais l'aider dans son travail, il me l'a demandé et…

– Reste, pars, cria-t-il, mais fiche le camp d'ici ! Tu ne peux pas nous laisser tranquilles, tu ne vois donc pas ?

Il la chassait, il la jetait dehors – les pas précipités jusqu'au bas de l'escalier. Sa sœur, une intruse, un témoin, il était abattu, et ne voyait-elle pas que leurs vies venaient de voler en éclats ? Lili secouée par des spasmes invraisemblables. Il aurait aimé que Dieu fût réel ; il ne l'était que dans les psaumes, nulle part ailleurs. Il aurait aimé que la chose en forme de poisson avec la tête sanguinolente vécût.

– Lili. Lili.

– Terminé, répondit-elle. Assez.

Quel âge avait-elle à ses yeux maintenant : paupières rougies, nez et lèvres gonflés. Les commissures de la bouche si sèches qu'elles en étaient craquelées. Hagarde. Cheveux en bataille. Les sanglots avaient pris fin ; elle retrouva le contrôle d'elle-même et déclara que c'était fini.

– Il est temps de rentrer à la maison, dit-elle.

– À cause de ton oncle ? Tu veux aller voir ton oncle, c'est de ça que tu parles ?

– Là-bas, ce n'est pas chez toi, ce n'est pas ta maison.

– Ne me quitte pas, Lili, par pitié, supplia-t-il, mais il connaissait sa propre force, la sentait dans ses épaules et dans ses mollets tendus. Ne fais pas ça, s'il te plaît.

Et avec son corps d'homme et sa peur d'enfant il se rua sur elle, suppliant, et elle céda, elle s'ouvrit à lui, les yeux secs, la bouche sèche, avec et sans surprise, ressentant la blessure là où ils l'avaient curetée le jour même avec un peigne en métal, il la blessa, la blessa encore, jusqu'à ce qu'ils se retrouvent hors d'haleine, poitrine contre poitrine.

40

Une comédie métropolitaine, des éclats de jazz sur fond de gratte-ciels, une descente au violoncelle sur l'ascenseur qui tombe en panne entre deux étages, les éternels violons pour le duo amoureux : la partition serait écrite en moins d'un mois. Cela laissait Leo parfaitement indifférent. Une série B de plus, du Brackman réchauffé, Brackman qui sombrait, emportant Leo Coopersmith avec lui.

Mais quelque chose s'était passé. Il s'éveillait avec cette sensation, elle ne pouvait lui échapper, elle avait pris racine dans ce qu'il imaginait être les lobes ridés de son cerveau ; bien que, trop fréquemment, elle descendît furtivement enflammer les tendres testicules secrets qui se cachaient, telles des planètes obscurcies, entre ses jambes. Il la sentait plus qu'il ne l'entendait, ou du moins c'était ce qu'il croyait parfois. Il la sentait dans ses parties génitales, et même jusque dans ses tétons durcis, comme une femme. Et, surtout – pourquoi le nier –, il l'entendait, dans son affreux fracas insaisissable, il lui arrivait aussi de la humer, comme le parfum de la terre fraîchement retournée par une bêche. Comment l'avait-elle produit, comment ces antiennes polyphoniques, si c'était bien ce dont il s'agissait, avaient-elles été fabriquées, et à partir de quel système non identifiable – comment pouvait-on nommer ce son ? Lorsqu'il s'efforçait de l'imaginer (il le faisait sans cesse), la chose était à peine stable, c'était une exultation flottante, ou encore un creux hideux, comme un anus, ou les griffes d'un animal sauvage qui grognait en fourrageant le sol. Ou – c'était alors insupportable – un crescendo fou et perpétuel. Il luttait pour se remémorer la position qu'avaient adoptée les mains de Do : la gauche, doigts écartés, de cela, il était presque certain, le long pouce dépassant l'octave ; mais la droite ? Cela n'avait pas de sens qu'elle eût fermé le poing. Un poing ne pouvait être responsable du frisson de beauté qui s'éveillait entre ses jambes.

C'était l'exultation qu'il recherchait. Il restait assis à son Blüthner des heures durant, à la traquer. De temps à autre, un pied effleurant doucement la pédale, il parvenait presque à en saisir un legato, en *do* mineur, dans les basses, un soupir comme le tremblement d'une feuille ; mais, bien sûr, elle s'était tenue plantée là, dans ses confortables chaussures de bonne femme, et que savait-elle de la pédale ? Il en comprenait le caractère fortuit, un genre de miracle musical – en clair, rien de plus qu'un accident. Elle était une nullité en musique, c'était la chance du débutant ; mais c'était arrivé, et si c'était arrivé une fois, il y avait moyen de le reproduire, de le retrouver. La chimère d'un accord perdu n'existait pas, cette chanson idiote composée par un imbécile qui, aspirant à l'opéra, s'était rendu célèbre en inventant des jingles pour la réclame. La chance du débutant, l'accident, le mystère étaient là, enfermés dans le Blüthner, à l'abri des yeux et des oreilles ; il ne lui restait plus qu'à élucider la combinaison. Elle existait, elle vivait dans les touches… elle était là.

41

24 novembre

Chère Madame (barré)
Chère Mlle Nachtigall (barré)
Chère Mlle Doris Nightingale,

S'il vous plaît, pardonnez-moi de vous écrire soudain cette lettre. Mon mari ne souhaite pas que je vous écris, mais à cause de nombreuses difficultés, il termine par être d'accord. L'anglais, je le lis avec plus d'habileté que je ne l'écris ou le parle, mais c'est toujours comme ça avec une langue qui n'est pas la langue maternelle. S'il vous plaît, pardonnez mes erreurs, et aussi ma mauvaise écriture sur ce papier bon marché. Je ne peux plus me servir de la machine à écrire parce que je me suis fait renvoyer de mon ancien travail. Les petites compensations que j'ai reçues après mon renvoi et que je n'attendais pas, elles sont déjà toutes dépensées.

Je vous écris maintenant parce qu'on m'a dit que vous êtes professeur dans une école américaine, et je crois que moi aussi j'ai les qualités qu'il faut pour être professeur dans une école américaine. J'ai un diplôme (est-ce que c'est comme ça qu'on dit ?) en langues modernes de mon université de Bucarest, mais malheureusement tous les documents qui font preuve sont pour raison malheureuse disparus.

Je peux enseigner le français, l'italien, l'espagnol, et (si nécessaire) l'allemand. (Je crois que personne n'a besoin d'un professeur de roumain dans les écoles américaines !) Je vous demande humblement si dans votre opinion un emploi tel est disponible, dans votre école ou ailleurs. Je sais aussi traduire, mais peut-être que ce n'est pas aussi utile en Amérique. Ici, à Paris, dans les semaines récentes, je traduis des œuvres littéraires de roumain en langue française. Mon mari n'a pas de travail.

À cause de nombreuses difficultés (je reconnais que je répète ça deux fois, mais c'est la vérité triste) nous ne vivons pas de bonne manière ici. Nous avons décidé d'aller en Amérique. Grâce à mon travail de translation, qui ne gagne pas beaucoup, nous avons quand même parvenu à acheter les billets pour le voyage. Mon mari étant citoyen des USA, nous sommes assurés que je pourrai moi aussi entrer sur le territoire sans beaucoup de problèmes. Je vous demande humblement et dans la gratitude, si vous nous accepteriez chez vous pour vivre un petit moment ? Nous arrivons à New York dans neuf jours. S'il vous plaît, répondez par avion à Poste restante 51, Paris.

Salutations distinguées,
Lili Nachtigall

Peut-être que vous pensez, mais qu'est-ce que va faire mon mari en Amérique ? Il retournera faire ses études.

Le plan était donc mis en pratique – la façon de penser malveillante et rusée de Marvin envahissait tout, implacable. Ses soupçons, son cynisme habile et alambiqué. Sa méfiance astucieuse. Le stratagème de Lili, car de quoi pouvait-il s'agir autrement ? *Mon mari, mon mari*, et Julian, nulle part en vue, ni par le nom, ni par l'expression de sa volonté. Un garçon, une fois marié, devient un homme, et on ne peut laisser se noyer un homme marié. Elle l'avait persuadé de récupérer ce qui lui appartenait : son Amérique, et par là même, son père, et, du coup, les dollars en abondance. Battue par la vie et appauvrie, elle n'était qu'une femme pleine de malice qui avait embobiné un jeune Américain jusqu'à se faire épouser par lui afin d'avoir accès à la fortune familiale ; elle comptait sur sa docilité : c'était une histoire vieille comme le monde. Elle était prudente, elle était intelligente, elle manœuvrerait étape par étape, feinte après feinte. La première de la série consistait à faire croire qu'elle serait indépendante – quelle blague cependant, une aspirante enseignante tout droit sortie d'un pays d'Europe de l'Est récemment devenu communiste, au moment même où (et qui mieux que Do pour le savoir ?) les directeurs d'établissement partout dans le pays engageaient fermement les professeurs à signer des serments de loyauté ; franchement, quelles chances avait-elle d'y arriver ? Et, cette autre feinte, encore plus improbable, qui voulait que Julian se rangeât sans difficulté à la volonté de son père : *Il retournera faire ses études*, quelle ruse, quel calcul !

Et tout l'ensemble reposait sur les épaules de Do. Sur le fait qu'elle ouvrirait sa porte à des vagabonds pour un instant de répit, avant la grande charge transcontinentale en direction de la Californie dorée. Tout reposait sur la certitude que Do avait aplani le terrain avec Marvin, qu'elle l'avait préparé à la conciliation – oh, mais elle n'avait rien fait de tout cela, alors que Lili sûrement comptait là-dessus ! Comme ils étaient explicites, habilement planifiés, ces préparatifs sournois pour le grand bond, assortis de recommandations pressantes : *Vous devriez lui dire ce que vous savez… Vous voyez, rien n'est caché.* Et, plus rusé que tout : *Je lui fais du bien.*

Les idées de Marvin, les obsessions de Marvin. Comme elles s'insinuaient dans votre esprit, comme elles colonisaient vos propres pensées, quelles qu'elles fussent !

Mais c'était le dernier argument qui faisait hésiter Do. S'agissait-il vraiment d'un stratagème, était-ce vraiment du calcul ? *Je lui fais du bien* – des mots qui, malgré tous les doutes qu'elle avait, portaient le sceau d'un monde en passe de s'élargir.

42

30 novembre
Le Royal Spa Bel Air
Suite 312

Chère Margaret,
Vous serez sans doute heureuse d'apprendre que nous avons de bonnes nouvelles de Paris. Julian est sur le point de rentrer. Il sera accompagné de Lili, son épouse.
J'espère que vous vous portez bien.
Bien à vous et meilleurs vœux de rétablissement,

Doris

•

30 novembre

Marvin,

Il y a quelque temps j'ai failli prendre le risque de te téléphoner, mais, redoutant tes hurlements, j'ai changé d'avis. Il y a un côté pacifique (si ce n'est même pacifiste!) dans le silence, en particulier s'il dure – je reconnais que je suis la seule à blâmer. Comme tu t'en es sûrement douté, j'ai pratiqué la rétention d'informations (rien de plus que des bribes, comme tu vas le découvrir dans la suite de cette lettre), et non sans poids sur la conscience. En bref, voici les faits : Julian est sur le point de rentrer. Ma courte visite – j'ai toujours pensé que, dans cette affaire, j'étais ta représentante plénipotentiaire ! – fut un échec diplomatique retentissant. Ton fils m'a rejetée dès le premier instant. Il s'est montré on ne peut plus moqueur et blessant, et je suis en mesure de t'affirmer qu'il était suffisamment enflammé et plein de ressentiment pour me considérer comme rien de plus substantiel que ton ombre. Ce qui semble motiver son retour s'avère être son attachement pour la jeune femme dont tu connais déjà l'existence – la qualifier de « petite amie » ne serait plus exact, et j'ai découvert récemment que cela n'a jamais été l'expression adéquate. J'ai rencontré cette personne rapidement, deux ou trois fois. L'impression qu'elle m'a laissée mêle une gravité hors du commun à une endurance exceptionnelle – rien de futile ni de frivole. J'en sais très peu sur ses origines, si ce n'est qu'elle est issue d'une famille cultivée de Bucarest et possède apparemment des talents littéraires dans plusieurs langues européennes, bien que son anglais soit raide et, par certains aspects, insuffisant. Elle est plus âgée que Julian, je dirais d'environ huit ou douze ans. Elle est veuve et a perdu un enfant – j'ai cru comprendre qu'elle avait été déportée avec sa famille pendant la guerre et qu'elle avait fini par échouer à Paris comme des centaines d'autres personnes déracinées.

J'espère en avoir dit assez pour te faire comprendre dans quel état d'esprit Julian rentre à la maison. Il revient en tant qu'homme marié. Mon appartement est petit, mais grâce à certaines modifications effectuées récemment, je vais être en mesure de les loger tous les deux durant le temps qu'il faudra. Ils devraient arriver le 3 décembre.

Bien à toi,
Doris

43

Iris n'était pas la première assistante du Dr Montalbano. Il en avait enrôlé (« embauché » ne décrivait pas fidèlement la situation) tout un énergique bataillon plein de vie au cours des années, en particulier à Milan, où il avait bénéficié des grâces d'une série d'enthousiastes brunes aux yeux noirs. Il les avait perdues une à une ; les plus vengeresses avaient l'habitude de dénoncer certains aspects de sa pratique aux autorités. C'était sans importance : il conservait ce qu'il appelait sa cagnotte de Noël ; c'est-à-dire, en jargon de Pittsburgh, un compte en banque réservé à un usage spécifique – il permettait de prévenir quoi que ce soit de plus sérieux qu'une amende en versant des pots-de-vin aux responsables concernés. L'Italie était coulante de ce point de vue, contrairement à Paris, ou, pire encore, à Lyon, où une atmosphère plus stricte régnait. Mais Iris était sa première Américaine, aussi blonde que Patsy et Mary Alice, ses sœurs aînées, mais avec une différence notoire : c'était une enfant gâtée qui nourrissait de grandes espérances ; elle donnait parfois l'impression de penser que tout lui était dû, comme si elle avait accompli quelque chose de remarquable, la rendant digne d'une récompense. Il était surpris qu'elle fût encore vierge – ce n'était pas un bébé, elle avait plus de vingt ans. Il se dit que c'était l'effet d'une pudibonderie purement américaine, différente de celle de type européen qui se fondait davantage sur la duplicité que sur les principes. Il avait constaté cette retenue débridée chez Patsy et Mary Alice avant leur mariage : jusque-là d'accord, mais pas jusqu'au bout. Leurs soupirants en devenaient fous et sortaient de chez elles à trois heures du matin, la braguette près d'exploser, tandis que les filles allaient se coucher en riant, rouge à lèvres étalé, bouche enflée.

Point de rire chez Iris – ce n'était pas une aguicheuse, en tout cas pas avec lui : c'était la gratitude qui la rendait malléable. Elle se concentrait sur lui avec beaucoup de sérieux, comme elle l'aurait fait pour un cours particulièrement difficile à l'école, guidée par la volonté de bien faire. Elle avait la raideur d'un cadavre (et d'ailleurs ne l'avait-il pas prise pour un cadavre la première fois qu'il l'avait vue ?) ; il jouissait trop tôt, cela le mettait en colère. C'était comme si elle n'avait pas eu le moindre instinct et qu'on devait tout lui enseigner – ou comme si elle suivait, dans sa tête, une tout autre leçon. Dans des moments pareils, elle parlait de son frère et de la femme de son frère ; elle demandait si tout le monde faisait l'amour de la même façon. … Bon sang, dit-il, à quoi tu crois que ça sert l'anatomie humaine ?… Non, fit-elle. Je veux dire, si quelqu'un a été blessé, si le corps d'une personne a été mutilé pour toujours, qu'il manque un morceau, qu'il y a un trou là où il ne faut pas, tu crois que ça change les sensations ?… Écoute, ma belle, lui dit-il, il n'y a qu'un trou qui compte et il est toujours au bon endroit… Mais cela ne la fit pas rire. Il l'avait accompagnée dans cette horrible pension de famille, avec la propriétaire tonitruante qui crachait des insultes ; mais le frère avait déjà disparu.

Au lit (elle le considérait encore comme son lit, à elle) elle l'épatait de temps à autre. Il l'avait prise pour une de ces jeunes Américaines qui se laissent pousser les cheveux jusqu'à la taille et s'acoquinent avec le produit d'importation le plus en vogue du moment, parfois un chanteur africain, parfois un cinéaste grec : Paris avait ses modes. Jusqu'à présent, il s'était tenu à l'écart des Américaines – un homme qui a grandi avec quatre sœurs à Pittsburgh est vacciné. Mais celle-ci était apparue de l'autre côté de sa porte, ivre morte ; il ne pouvait l'éviter, il ne pouvait la mettre dehors. L'odeur le dégoûtait. Depuis qu'il était né, ou presque, il avait senti cette odeur chez sa mère : lorsque son père les avait abandonnés, elle s'était trouvé un emploi dans un de ces bars-restaurants qui font plus bar que restaurant. Ses robes de coton sortaient de la machine parfumées à la bière. Il fut étonné lorsqu'il accueillit la fille, à condition que plus aucune bouteille n'entrât dans la maison, de voir qu'elle avait arrêté à la seconde – arrêté de boire, comme ça. Cela dépassait son entendement, et son expérience aussi. Il n'avait jamais réussi à convaincre Alfred d'arrêter, ni qui que ce soit d'autre, d'ailleurs : un ivrogne reste un ivrogne.

Il comprit de quoi il retournait le jour où ils partirent à la recherche du frère d'Iris.

– C'est fini, dit-elle.

– Quoi ? Qu'est-ce qui est fini ?

– Ce que j'ai essayé de faire.

– De quoi parles-tu ?

– J'ai essayé de l'aimer. Comme à l'époque où nous vivions ensemble à la maison. Je suis venue pour qu'il se sente mieux – pas seulement pour lui donner de l'argent. Mais il n'avait pas besoin de moi. Il avait Lili.

C'était une femme à projets. Elle se donnait des objectifs. Elle avait un programme. Elle pensait comme une scientifique ; elle avait fait allusion au fait que son père était dans la chimie, dans les plastiques. Le vin, en avait-il conclu, était une expérience délibérée : comme la cocaïne pour Freud, disons. Le frère avait été un projet raté, le vin était venu ensuite, étudié pour les sensations qu'il procurait, pour ses effets, mais après qu'elle était allée au bout, après le feu d'artifice, au terme de la descente, elle n'avait rien trouvé. Stupeur, évanouissement, sommeil. Face contre terre, tel un cadavre, de l'autre côté de la porte. Il lui avait dit d'arrêter ; elle avait arrêté. Elle était obstinée. Son frère, le vin ; et à présent elle avait choisi d'ouvrir ses cuisses pour lui faire plaisir. Il voyait que son but était de le satisfaire. Elle s'y employait avec diligence, comme un obstacle à surmonter, une épreuve qui exige le succès. Elle avait dans l'idée – mais comment avait-elle pu acquérir pareilles notions? – qu'il fallait agrémenter la chose de bruits, de petits grognements, de soupirs. Et même de cris.

Dans la clinique, elle se montrait utile et pleine d'initiative. Deux policiers s'étaient pointés un matin, exigeant de voir la carte professionnelle du docteur, première étape d'un processus dont il connaissait le déroulement. Il avait soupçonné la concierge, mais cela aurait aussi bien pu être la vengeance d'un client mécontent. Ses concoctions étaient la plupart du temps inoffensives, cependant il était naturel que, de temps à autre, elles fussent à l'origine d'irruptions, ou pire encore. Il était prêt à traiter l'effet secondaire indésirable, quel qu'il fût, mais certaines fois il ne parvenait pas à apaiser la rancœur du patient. Les policiers revinrent, plus menaçants. Il méprisait les lois; il alla se cacher pendant qu'Iris, gesticulant sur le pas de la porte, armée des maigres fragments de français appris à l'école (il n'en entendait que des bribes), les charmait, si bien qu'ils finirent par renoncer. Ils partirent le sourire aux lèvres et ne renouvelèrent jamais leur visite.

Il lui demanda comment elle s'y était prise.

– Comme tu l'aurais fait, dit-elle. Boniment et compagnie.

Elle manifestait ainsi son admiration, sa confiance en lui. Elle admirait la façon qu'il avait de s'y prendre avec les clients et s'y fiait totalement. Cela n'avait rien à voir avec ce qu'il leur donnait à mâcher, avaler, étaler sur leur peau ou entre leurs orteils; mais avec sa manière de mettre leur imagination en branle. C'était surtout son imagination à lui qui faisait le travail. Son boniment (elle l'avait appelé comme ça presque immédiatement) n'était pas plus faux que la nature elle-même. La nature était le vrai chaman de l'histoire; Iris le voyait, elle le comprenait, elle avait observé de semblables transmutations dans ses béchers et ses éprouvettes, liquides devenant solides, solides devenant gaz, gaz retournant à l'état liquide, moisissures qui, dans les boîtes de Petri, bourgeonnaient en une nuit, donnant naissance à des cristaux. Aucune des autres n'était aussi intelligente – ces filles gazouillantes qu'il avait embarquées dans l'aventure ici ou là, une véritable tribu, toutes aussi sexuellement disponibles et dont aucune n'était portée à l'écoute de grognements fantomatiques. Boniment, disait-elle, il saisissait ce qu'elle signifiait par là et s'en trouvait flatté : nature, intuition, inventivité. Et parfois aussi un soupçon d'escroquerie – mais quel mal y avait-il si cela rapportait des francs et des lires, tout en dispensant un peu de joie éphémère ? Il ne s'attendait pas à ce qu'elle montrât un intérêt si fort pour ces fameuses devises – il la considérait encore comme une princesse californienne –, mais il se rappela qu'en dehors de lui, elle n'avait plus rien. Elle conservait son billet de retour dans un tiroir de la cuisine, parmi ses spatules et ses louches collantes ; il imaginait qu'il avait dépassé la date d'expiration. Elle avait cela en commun avec lui – c'était comme le jeu de clés à moitié rouillées, ouvrant des cadenas hors d'usage quelque part à Pittsburgh, qui cliquetaient quotidiennement dans sa poche. Elle n'écrivait jamais à son père, bien qu'elle le mentionnât souvent. Il tenait pour acquis qu'elle était, comme toute chose, éphémère, de passage. Elle ne durerait pas.

Pour l'instant, elle lui faisait confiance ; tout comme il avait confiance en lui-même. Il ne doutait pas que ses propres désirs finiraient bientôt par émouvoir Iris. Elle ne doutait pas que d'ici peu ils se tiendraient côte à côte sur un sommet glacé des Alpes puissantes ou sur le rivage de Côme. Elle ne refusait pas l'invasion de sa bouche. Elle enroulait ses cheveux, menotte glissante, autour de son poignet à lui. Mais pour le reste, elle demeurait une énigme : nue sous sa nudité à lui, elle gisait, telle une Pompéienne inerte moulée dans le lit qui avait été le sien et seulement le sien, tandis que des vagissements, des cris rauques et des meuglements solennels parvenaient jusqu'à ses oreilles, jaillis de la bouche de son frère lorsqu'il faisait l'amour, ou de celle de sa femme écartelée par d'atroces cauchemars. Et quand, la nuit venue, les coups aveugles portés par le membre du prophète cognait et cognait tout au fond de sa chair, elle ne distinguait pas un cri de l'autre.

44

Tard dans l'après-midi du mercredi, avant Thanksgiving, Do mordillait son stylo rouge, assise à son bureau dans la salle de classe vide. Un crépuscule pluvieux brouillait les baies vitrées, et les rangées de chaises vides exhalaient les fétidités mêlées des jeunes mâles. Sa main reposait sur les comptes-rendus de lecture de ses élèves concernant Shakespeare : perceptions erronées, fautes d'orthographe, verbes et virgules jetés aux quatre vents, tournures maladroites en pagaille. Une famine de mots. Cependant, elle parvenait à détecter, dans ce buisson de taches et de ronces, une conscience souterraine : à la maison, ils connaissaient Iago et Goneril, Edmund et Lear, ils savaient ce qu'était un simulacre, ils connaissaient la peur, ils connaissaient la rage. Ils avaient percé à jour le tragique et elle n'avait pas honte de leurs erreurs. Leurs erreurs n'étaient que fantômes de papier éphémères ; mais eux étaient des garçons virils et habiles, ils ne mèneraient jamais des vies de papier. Son stylo rouge se refusait à les rabaisser.

Quatre jours de liberté, le week-end le plus long de l'année. Laura avait invité Do au dîner de Thanksgiving. Elles allaient tout préparer de *A* à *Z*, de la farce jusqu'aux patates douces confites, en passant par la sauce aux canneberges. Sans oublier le gâteau aux pommes ! Harold avait adoré le gâteau de Do. Jeremy, aussi incroyable que cela pût paraître, avait proposé de s'occuper de la salade de fruits. De plus, avait ajouté Laura, il y aurait une attraction spécialement pour Do – du théâtre en direct à la télévision.

Du théâtre en direct ? Cette nouvelle machine donnait naissance à de nouvelles expressions.

– De vraies pièces, expliqua Laura. Comme si on allait au cinéma sans quitter la maison. Il y a d'autres programmes que Sid Caesar et les retransmissions de championnats de lutte, maintenant. Et, de toute façon, il est hors de question que tu passes Thanksgiving toute seule…

– Ça ne me dérange pas, dit Do. J'ai pris un bouquin à la bibliothèque pour me tenir compagnie.

– Oh, c'est bien toi ça, dit Laura. Rater tous les préparatifs pour un livre…

C'était *Docteur Faustus*. Dans ce salon rance et fatigué, puant les mégots fantômes de cigarettes écrasées à la hâte, l'exemplaire vénéré de Leo, dans l'édition de la Modern Library, s'était trouvé tout près de son coude… et elle ne l'avait pas touché. Elle avait eu une certaine audace, mais n'avait pas été assez effrontée pour poser ne fût-ce qu'un doigt sur cette impalpable partie de lui qui hantait encore les pages. Au lieu de ça, elle avait pris la malheureuse photo des deux fillettes. Le piano à queue avait été banni, et son ombre effacée – mais demeurait encore ce spectre invisible, irritant et minant : le cerveau de Leo. Étonnamment, il continuait d'occuper de l'espace dans le sien. Comment s'en débarrasser ? Les jours paisibles à venir durant lesquels elle ne serait pas dérangée : il fallait qu'un dernier exorcisme solitaire s'accomplît.

Quelqu'un avait déposé une dinde en chocolat enveloppée de papier cristal sur un coin de son bureau. Autour de son cou, fixé par un élastique, un petit mot griffonné péniblement : *Un zozio pour Miss Titi Canari*. Cela la fit sourire ; elle ne l'avait pas remarquée tout de suite. Elle croyait pouvoir identifier le donateur, un garçon qui ne portait jamais de chaussettes et avait l'habitude de la dévisager avec solennité. Elle fourra la pile de devoirs dans un tiroir, et son stylo rouge avec. Terminé, quel soulagement, elle avait tout son temps, rien que pour elle, jusqu'à lundi. Elle prit son imper et éteignit les lumières avant de sortir dans le couloir silencieux.

Un homme venait vers elle d'un pas hésitant, jetant un œil par les portes ouvertes des salles de classe plongées dans l'ombre. Elle serra son sac à main contre elle et s'immobilisa, anxieuse. Ce n'était pas un après-midi de semaine comme les autres où les couloirs résonnaient de rixes, du vacarme rauque et pagailleux de l'apprentissage forcé, flottant d'un mur à l'autre, des bruits sourds et des cris montant du gymnase. Elle était consciente du vide, de l'abandon – tous, élèves et professeurs, s'étaient dépêchés de fuir pour profiter du congé. Mais, visiblement, il restait quelqu'un : dans le demi-jour d'une ampoule unique pendue au-dessus de la cage d'escalier, elle vit que l'homme était corpulent, sans chapeau et dégarni. Mr Elkins, sans doute, retardé, tout comme elle, par quelque tâche de dernière minute : vérifiant on ne sait quoi qu'il pensait avoir négligé. Do l'avait entendu se vanter dans la salle des professeurs de ne jamais quitter l'établissement sans s'être assuré que tout était parfaitement en ordre, une leçon pour les fainéants.

L'homme se rapprochait. Ce n'était pas Mr Elkins. Un intrus. Il n'avait rien à faire ici. Il semblait perturbé, agitait les mains, appelait, ses cris s'envolant dans les airs en échos, en éclats. Elle en saisissait quelques fragments : « … m'ont dit à l'accueil que c'était ton étage… partaient tous… z'ont dit que tu avais filé… pas chez toi, c'est là que j'ai essayé d'abord… »

À chaque pas, ses chaussures dessinaient des empreintes ovales et humides, jusqu'à ce qu'il s'arrêtât juste en face d'elle, si près qu'elle entendait sa respiration.

– Il pleut comme vache qui pisse, dit-il, et Do sentit son humeur s'attendrir sous l'effet de cette vieille expression de cour d'école, comme si, durant cet instant, ils étaient, lui et elle, redevenus des enfants.

Mais il n'eut pas d'autres mots pour lui dire bonjour.

– Quel bordel pour te retrouver là-dedans. Comment tu peux supporter ça, ça pue le vomi…

– C'est le désinfectant qu'ils utilisent pour lessiver les sols, dit Do.

– Ça pue quand même, sortons d'ici fissa. Escaliers de merde, y a pas un ascenseur quelque part ?

Il n'y avait pas d'ascenseur. Ils descendirent les cinq étages ensemble. Son corps, la masse haletante et encombrante qui peinait bruyamment à cause de l'effort, rappela à Do qu'il commençait à se faire vieux.

Une fois dans la rue, à l'abri d'une marquise toute proche déversant des gerbes d'eau à chaque extrémité, elle demanda :

– Tu loges où ?

Question de politesse que l'on poserait à un étranger en visite.

– Au Waldorf. Parfait pour les affaires.

– Tu es donc venu pour le travail…

– Non. Pour te voir.

Do réfléchit.

– Alors rentre avec moi.

– Où ça ?

– Chez moi. On peut prendre le bus, ce n'est pas loin.

– C'est nul. J'en viens, je suis trempé jusqu'aux os. Pas de portier, un tas de briques comme les autres, sacré standing…

– Ce n'est pas ton style, c'est sûr. Tu viens ?

– Écoute, je n'ai pas fait dix heures d'avion avec deux changements pour prendre une tasse de thé…

– Alors qu'est-ce qui t'amène ?

– Il y a quelque chose qu'il faut absolument que tu comprennes, et tout de suite, voilà ce qui m'amène, tu me suis ? Alors va pour chez toi, qu'est-ce que ça change au fond…

Il avait transformé son indifférence en exigence. Il leva un doigt autocratique. Un taxi se rabattit le long du trottoir, éclaboussant leurs jambes.

L'appartement de Do… C'était là que Marvin trônait à présent, et c'était aussi improbable qu'inconcevable : un monarque à la table qui occupait désormais l'espace précédemment dominé par le piano à queue. Il était là où elle ne l'aurait jamais imaginé, chez elle. Il desserrait le nœud de sa cravate ; il avait déjà ouvert le premier bouton de sa chemise. Un cou gras – elle reconnaissait au moins cela du fils chez le père. Elle avait pendu son imper dégoulinant de pluie à la tringle du rideau de douche.

– Pas si mal en fait, lâcha-t-il en jetant un coup d'œil alentour. Un deux-trois pièces, j'aurais cru que tu étais beaucoup plus à l'étroit.

– Je l'étais.

– C'est là que… ton mari et toi…

– Avons vécu ensemble ? compléta sèchement Do. Non, c'était il y a longtemps et loin d'ici.

– Bah, comment veux-tu que je sache ? Tu n'as pas donné signe de vie pendant des années.

– Pas plus que toi.

– J'avais une affaire qui tournait, voilà la différence. Et une famille, par-dessus le marché, qu'est-ce que tu sais de la famille, toi ? Et puis quand tu finis par te mettre à écrire, tu ne réponds pas, ça commence et puis ça s'arrête ; plus rien, et après, des miettes par-ci, des miettes par-là, allusions et cachotteries, et puis plus rien de nouveau. Ta dernière lettre, elle était sacrément froide, dis donc. Glaciale, même, et crois-moi, ça ne passera pas, plutôt crever que de laisser passer ça, tu me suis ?

– Marvin, qu'est-ce que tu racontes, pourquoi tu ne m'as pas dit…

– Dit quoi ?! Pour que tu me sortes une excuse bidon, alors que je veux tout bonnement que ça cesse, et immédiatement, un point c'est tout, comment peux-tu ne pas comprendre ça, tu es si bête que…

Il s'interrompit, et Do vit son regard se promener d'un coin à l'autre de la pièce, de la fenêtre à la porte, et balayer le nouveau parquet dénudé.

– Ne me dis pas que tu avais l'intention de loger mon fils dans ce trou à rats…

– Je compte leur laisser ma chambre, comme je l'ai fait pour Iris, elle n'y a passé qu'une nuit, mais Julian vient avec sa femme, et donc…

– Sa femme ! Sa femme ! Tu as perdu la tête ? Comment tu as pu m'envoyer une lettre pareille et penser que j'allais laisser faire? Ça ne va pas se passer comme ça, Do, ça ne va même pas se passer du tout, tu peux te mettre ça dans la tête?

– Ils arrivent dans six jours, déclara Do en se levant pour quitter la pièce.

– Où tu vas comme ça? lui cria-t-il.

– Me faire à dîner.

– Il faut que je te parle, nom de Dieu! J'ai planté une réunion en plein milieu, et je ne me suis même pas arrêté pour passer voir M… Margaret…

Elle l'entendit bredouiller; c'était presque un bégaiement, mais il se reprit bien vite:

– Fais-moi un café pendant que tu y es, tu veux? Et arrange-toi pour qu'il soit bon et chaud.

Dans sa petite cuisine – comme elle semblait étriquée, soudain, un trou à rats plutôt qu'une cuisine –, Do fit chauffer le café, battit une demi-douzaine d'œufs, fit griller quatre toasts, et apporta le tout sur un plateau.

– Qu'est-ce que c'est que ça?

– Le dîner de Thanksgiving, dit-elle.

– Écoute, il y a un restaurant tout ce qu'il y a de classe à mon hôtel, qu'est-ce que tu veux que je fiche de ça?

Mais il dévora le tout goulûment.

Elle ne savait que penser de lui. Il n'était pas rasé. Visage creusé, durci, vieilli par la barbe de trois jours. Son nez était plus épais que dans son souvenir. Sa bouche n'était plus qu'un mince trait tout sec au bas de son visage. Des flocons blancs parsemaient ses sourcils; deux ou trois poils plus noirs et plus longs que les autres s'entortillaient vers le haut, comme les antennes d'un insecte. Elle le trouvait encore plus dégarni que la dernière fois qu'elle l'avait aperçu, en route pour la piscine dissimulée derrière la haie de son jardin – mais elle l'avait vu de loin, depuis l'autre côté de la pelouse.

– Je ne vois pas ce qui te déplaît, fit-elle, prenant soin d'être aussi directe que possible, d'éviter les réflexions au vitriol. C'est exactement ce que tu voulais, non ? Ce que tu attendais, ce que tu attendais de moi, ce que tu m'avais demandé d'obtenir.

Une miette de toast pendait à la lèvre méprisante de Marvin.

– Qu'est-ce que tu sais de ce que je voulais ?

– Tu voulais que Julian revienne. Il revient.

– Mais nom de Dieu, pas comme ça ! Je n'ai jamais souhaité un truc pareil !

– Il est très jeune, reconnut-elle.

– La jeunesse n'a rien à voir là-dedans, Margaret et moi n'étions pas beaucoup plus vieux, et Margaret... Margaret était Margaret, c'est ça la différence. Margaret n'aurait pas pu accepter une chose pareille, elle n'était pas faite pour...

– Elle t'a accepté, toi.

– Et j'ai mis un terme à ça, tu comprends ? J'ai fait en sorte que ça ne se reproduise pas ; ce n'était pas censé passer à la génération suivante, et j'ai réussi, j'ai tout jugulé, dès le départ. Tu as vu Iris...

– Effectivement. On la croirait tout juste sortie du *Mayflower*.

– Ferme-la, Do, tu n'as pas de leçons à me donner. J'ai gardé mon nom tel qu'il m'a été légué par papa, ce dont, personnellement, tu ne peux pas te vanter, et il est hors de question que je laisse une vieille mémé qui parle anglais comme une vache espagnole se glisser dans ma famille. Ça me rend malade, je ne laisserai pas faire ça, ce garçon est un fieffé imbécile, je n'en dors plus, je n'arrive plus à penser, je suis à moitié mort... un imbécile, tu as tout vu, tu as gardé le secret, et maintenant tu crois que tu vas pouvoir l'aider à rentrer sous mon nez, comme si de rien n'était... Eh bien non, je suis ici pour empêcher ça, et je sais comment faire...

Marvin en pleine diatribe. Elle sentit sa gorge s'enflammer ; elle était gênée pour lui, et pour elle-même, ses vengeances mesquines : la remarque au sujet du dîner de Thanksgiving, la pique à propos du *Mayflower*, pourquoi était-elle si sardonique ? Ne souffrait-il pas authentiquement ? Et que ce fût de ses propres contradictions atroces n'y changeait rien. Il la fatiguait plus qu'il ne l'énervait.

Avec lassitude, avec lourdeur, elle dit :

– Pourquoi ne pas attendre de la rencontrer ?

Mais elle se rendit compte que cette réflexion était dépourvue de sens.

– Tu l'as rencontrée, toi, ça suffit amplement. Je refuse de voir cette femme. Je sais à quoi m'attendre, j'ai vu les films, comme tout le monde, et je ne veux pas de ça dans ma famille. Du sang a coulé sous les ponts. Terminé. Ce n'est pas mon affaire et je ne souhaite pas que ça le devienne. Et ne crois pas que je ne sache pas ce que tu penses...

– Tu voulais qu'il rentre, tu voulais qu'il rentre au moins pour Margaret...

– Sans cœur, voilà ce que tu penses, que je suis un sans-cœur, que je n'ai pas une goutte de comment tu appelles ça déjà – de compassion, c'est bien ça le mot qui te plaît ? Sans parler du fait que j'ai reçu ma propre petite médaille de guerre, et à quarante-quatre ans, s'il vous plaît, je ne sais pas si ça compte, mais bon, écoute, je veux bien aider ces organisations, quelles qu'elles soient, à hauteur de ce que je donne à la Croix-Rouge et aux autres du même style, et même plus, s'ils considèrent que la solidarité avec eux m'y oblige... la solidarité, tu parles ! Mais il est hors de question que je reçoive ces gens-là chez moi, j'en ai terminé avec tout ça il y a déjà bien longtemps, et puis regarde-toi, tu n'es pas différente de moi, en fait, tu es pire, tu n'as pas les moyens de faire le genre de donations que je peux leur balancer, moi, alors à quoi ça sert, tous tes bons sentiments si tu n'as pas le fric qui va avec ? Je ne veux pas la voir. Je ne veux pas la sentir. Et je ne veux pas voir mon fils, mon imbécile de fils... Bucarest, où diable cela se trouve-t-il, en Roumanie, en Bulgarie, qu'est-ce qu'on en a à fiche ? Il a reculé de trois générations, ce garçon déterre des squelettes...

– Mais tu es allé voir le hautbois, glissa Do. Rien ne t'a retenu de le faire.

Les yeux de Marvin bondirent : deux bêtes féroces dans leur cage.

– De quoi tu parles ?

– Leo Coopersmith.

– Comment tu sais ça ? Qui te l'a dit ?

– C'est lui.

– Comment ça ? Vous êtes en contact ?

– Non, mais je l'ai vu. J'ai vu sa maison ; j'ai vu son... instrument. Ce n'est pas un hautbois, ça n'a jamais été un hautbois.

– Bon sang, Do, c'est une vieille blague idiote, qu'est-ce que tu peux être rancunière...

– Quelqu'un pour qui tu as manifesté le plus grand mépris toute ta vie, et c'est lui que tu vas voir pour profiter de son influence...

– Ça n'a rien donné, quoi qu'il en soit. Julian a dans l'idée d'être une espèce d'écrivaillon, ils auraient pu faire quelque chose d'un garçon comme lui dans le monde du cinéma, pourquoi pas ?

– Tu as pensé que tu pouvais m'utiliser pour accéder à Leo.

– Quel mal ça t'a fait, et, nom de Dieu, je ferais n'importe quoi pour mon fils, tu ne comprends pas, ou quoi ? Même maintenant, même maintenant...

Do le regarda se lever de sa chaise, tel un bison, le dos voûté et le menton épaissi, comme pour pratiquer une reconnaissance, mesurer la distance qui séparait les murs ou inspecter impatiemment ce que ses narines avaient reniflé : un ruminant agité cherchant son fourrage. Après un tour ou deux, il revint vers elle et jeta un papier sur la table, parmi les assiettes sales.

– Ça, dit-il, c'est un gros paquet d'argent. Un énorme paquet. On pourrait dire qu'il y en a assez pour vivre décemment pendant quinze ou peut-être même vingt ans, tout dépend, et que ça ne se fait pas de le donner de cette manière, j'ai des avocats, j'ai des banquiers, c'est une chose à voir avec le conseil d'administration, tout le pataquès, je sais parfaitement comment on doit procéder en pareil cas. Mais au diable ces conneries, je ne veux pas d'avocats, pas pour l'instant, les complications, je m'en occuperai plus tard, je veux agir à ma manière, et, pour l'instant, c'est ainsi que je vois les choses – en toute simplicité, peu importe ce que ça cache, mon garçon n'en sait pas plus qu'un bébé de deux ans sur la marche du monde réel. Je veux agir de façon à ce qu'il comprenne. Son cou et son front s'étaient couverts de sueur ; son souffle était court : Alors, écoute-moi bien, voilà ce que tu vas faire, tu vas envoyer ce chèque à mon fils fissa, en express par avion, tu me suis ? Avant qu'il ne mette un pied dehors, où qu'il soit. Et tu lui dis de ne pas bouger. Qu'il reste là où il est. Aussi loin que possible. Il est tombé dans le pétrin là-bas, qu'il y reste.

Do continuait à l'observer : la large poitrine sous la chemise humide enflait dangereusement.

– C'est vraiment ça que tu veux faire, dit Do. Alors qu'il se décide enfin à rentrer ?

– Il verra bien que ça lui profite, je te le garantis.

– Mais tu as pensé à Margaret ? poursuivit Do. Tu as dit que c'était pour Margaret qu'il devait rentrer, sa santé en dépend…

– Ça ne sert plus à rien, c'est trop tard. Elle a complètement perdu les pédales, ces dernières semaines elle s'est mise à délirer. Je te l'ai dit, elle a des hallucinations, des visions, on croirait qu'elle voit les choses avant qu'elles n'arrivent… Mon Dieu, Do, j'ai perdu mon épouse, je vis comme un moine.

– Vraiment ? dit Do – le chemin ombragé, la jeune femme en cape, la piscine ; mais elle laissa filer. Et si Julian refuse ton argent ?

– Il n'est pas bête à ce point, et s'il l'est, l'autre ne l'est pas. Les gens qui ont traversé tout ça là-bas ont forcément un sens pratique, ils prennent ce qu'ils trouvent.

– Tu penses que c'est une profiteuse…

Elle lui tendait le monde comme un miroir.

– Quoi d'autre ? Pourquoi s'accrocherait-elle à un garçon comme Julian ?

– Et malgré tout ce que tu penses, tu es prêt à subvenir aux besoins de cette femme ?

Il leva les bras au ciel et hurla :

– Il a épousé cette créature, oui ou non ?

Il lança un jappement fêlé que Do, au début, ne reconnut pas pour ce qu'il était : le commencement d'un accès de rire aigu, presque des gloussements, un paroxysme d'hilarité chagrinée. Elle le comprit alors – son frère, tout brusque qu'il fût, était capable de développer une ironie épouvantable. Elle eut envie de l'étreindre, de tenir sa tête serrée contre son corps protecteur tandis qu'il vomissait ces caquètements convulsifs ; mais elle ne fit rien ; et s'il s'était mis à pleurer, peut-être aurait-elle pleuré avec lui, à cause de la pitié qu'elle éprouvait pour lui (oui, il lui inspirait une irrésistible pitié à présent), mais il ne versa pas une larme, et que pouvait-elle faire de son rire ?

Après qu'il fut parti, elle se rappela qu'il avait à peine mentionné sa fille. De son côté, elle n'avait pas parlé de la visite clandestine qu'elle avait rendue à sa femme – le mensonge par omission d'une dissimulatrice, un de plus.

45

Elle débarrassa les assiettes et les porta à la cuisine pour les laver. Quand elle eut terminé, elle regarda vaguement en direction du chèque de Marvin, inerte sur la table, à l'endroit où il l'avait jeté, et, songeant à la longue soirée qu'elle avait encore devant elle, elle alla chercher le livre dont Leo Coopersmith avait dit qu'il était son talisman – il l'avait dit d'un air de défi, ou d'un air défensif, dans cette vaste demeure criarde qui empestait les vieux mégots. Mais lorsqu'elle revint, *Docteur Faustus* à la main, elle constata que le chèque, aussi fin et léger qu'une feuille, voletait de-ci de-là, comme à la recherche d'une issue – alors elle le ramassa et le coinça entre deux pages du livre pour l'empêcher de s'échapper de nouveau. Comme il était fin, ce chèque, comme il était léger : mais la somme inscrite pesait son poids. Une fortune inimaginable, un trésor, la rançon d'un roi : cette somme contenait plus de cent fois vingt ans de salaire ; vingt ans de sa vie. Marvin, pensa-t-elle, cédait volontiers à son fils – et à l'épouse de celui-ci –, il leur accordait un héritage princier. Mais à quelles conditions ! Un héritage doué du pouvoir de punir par le fouet et la blessure de l'exil, un héritage qui claquait sur eux une porte de fer inexorablement fermée. Il ne pouvait s'imaginer que Julian pût refuser. Et encore moins Lili… *Les gens qui ont traversé tout ça là-bas ont forcément un sens pratique, ils prennent ce qu'ils trouvent.* Quoi qu'il fût d'autre, Marvin était avant tout rompu aux usages du monde, il était intelligent, et c'était un virtuose de l'intérêt personnel.

Le bout du chèque, translucide, dépassait du milieu du livre. Elle l'avait inséré entre ces pages sans y penser, au hasard. Mais il lui apparut soudain qu'elle pourrait, pour le plaisir de l'expérience, se livrer à une tentative de divination, comme ces croyants qui ouvrent une page de la Bible et posent le doigt de manière aléatoire sur un passage qui, une fois lu, déterminera leur destin. Ainsi procéderait-elle avec le talisman de Leo. C'était le destin de Leo qu'elle souhaitait voir – son destin présent, pas son futur, pas ce qu'il lui restait encore à vivre ; plutôt sa situation à l'instant précis, ou, si cette option n'était pas disponible, elle se contenterait d'identifier le germe souterrain qui l'avait amené à être là où il en était, seul avec son Blüthner sacré, privé de la présence de ses fillettes. C'était un jeu, et ce n'en était pas un ; c'était une superstition délibérée et son exact opposé : un désengorgement, un dernier grand nettoyage – le lien prophétique entre la divination et l'exorcisme. Trouver Leo, l'analyser quasi grammaticalement, finir par le voir, par voir en lui… pour le chasser. Et enfin, l'asticot qui rampait sur ses nerfs mourrait. L'empereur Titus avait un moucheron dans l'oreille, dont le bourdonnement incessant le rendait fou. Comment Titus s'était débarrassé de l'insecte, Do l'ignorait, et les légendes n'aident que rarement les égarés ; mais ce dont elle était sûre, c'était que le talisman lui permettrait, à elle, de se débarrasser de Leo. Et qu'y avait-il de mieux à faire pour meubler les heures mourantes de cette folle journée durant laquelle Marvin avait débarqué dans son univers sans prévenir, porté par la tempête fanatique de son propre stratagème ?

En toute hâte, comme si ce qu'elle faisait était honteux et risquait d'être découvert trop promptement, elle feuilleta le volume jusqu'à tomber sur la page où s'était coincé le chèque, humblement dissimulé, moitié par la force de l'électricité statique, moitié par celle de sa volition propre. Et, sur cette même page (c'était la 379), elle fit tournoyer son doigt une première fois, puis une deuxième et, enfin, une troisième ; les yeux fermés, elle le laissa se poser sur les syllabes muettes auxquelles son tournoiement l'avait amené.

Voici ce qu'elle lut :

> et cette même crainte, cette impuissance timide et inquiète, je l'éprouve devant le déchaînement de joie satanique qui déferle à travers cinquante mesures. Il commence par le ricanement d'une voix isolée et grossissant à une allure rapide, s'empare du chœur et de l'orchestre, enfle sinistrement, avec des syncopes et des contretemps rythmiques, jusqu'au *fortissimo tutti*, débordement sardonique, salve infernale, railleuse et triomphante où se confondent, effroyables, des hululements, glapissements, grincements, bêlements, rugissements, hurlements et hennissements – le rire de la géhenne.

Le déchaînement de joie satanique, la jubilation de l'enfer, le rire de la géhenne. Oui, oui, oui, Leo en personne, ridiculisé et défait. L'homme qui aspire à devenir, mais qui est trop craintif pour devenir. Devenir quoi ? Le Mahler de la *Sixième Symphonie*, quand le marteau s'abat, le Beethoven de l'allegretto de la *Septième Symphonie*, quand les vents assemblés viennent mourir dans une mélancolie secrète, Hindemith et ses hésitations tranchantes... Peu importe, elle n'entend rien, cinquante mesures, cent mesures, tout cela est perdu pour elle, elle est exclue du geignement et de l'ardeur de ces notes – cependant, elle voit clair dans le jeu de Leo, dans la terreur de Leo, dans le non-devenir de Leo. Elle s'imagine une poire très rouge, très mûre sur une branche ; mais bientôt, envahie par l'horreur de s'écraser sur le sol, la poire cède à la stupeur d'un pourrissement intérieur, développant son propre ver dévorateur sans ver pourtant qui la dévore.

Ce n'était pas un jeu. Ce n'était pas une superstition. Qu'était Leo Coopersmith pour Do, à présent ?

Elle sut immédiatement ce qu'elle devait faire. Elle retourna à la cuisine et jeta le chèque de Marvin dans l'évier. Puis elle gratta une allumette et regarda le morceau de papier aussi léger qu'une feuille s'enflammer et se consumer, jusqu'à être réduit en un petit tas de cendres noires. Puis elle fit couler l'eau.

46

Le sud de la Californie, même fin novembre, garde un sourire estival : le soleil est à sa place habituelle, projetant des ombres rousses, et parfois la flèche insupportable et aveuglante d'un rayon ricoche sur une fenêtre, un pare-brise ou un cadran de montre. La lumière obligea Margaret à plisser les yeux tandis qu'elle observait au loin le parc du Royal Spa Bel Air, grêlé de parterres de fleurs roses et blanches. En ce jour particulier elle était décidée à rentrer chez elle. De nombreuses voisines de couloir étaient déjà parties pour Thanksgiving ; emmenées par leurs familles, dont le sens du devoir dictait la vigilance, emportant les sacs à cordon orange, couleur caractéristique du Spa, qui contenaient des fioles parfumées. Marvin, lors de sa dernière visite – quand était-ce déjà ? Ici l'intemporalité régnait – avait lui-même proposé ce qu'il avait appelé une petite permission d'automne, une sortie dans tel ou tel restaurant raffiné pour fêter Thanksgiving ; mais elle avait refusé. Tant que Julian n'est pas là… quand Julian sera de retour… « Toujours les mêmes palabres », avait grommelé Marvin, partant comme il était venu, lui laissant de l'argent pour se faire gâter. Elle comprit qu'il voulait parler de bakchich pour le petit personnel. Les médecins étaient incorruptibles.

Les médecins avaient eux aussi disparu pour la journée ; ainsi que (c'est du moins ce qui lui semblait) plus de la moitié du personnel. Une somnolence plus profonde que la torpeur habituelle. Le hall d'accueil comme une coquille de marbre, froid sous ses pieds. Deux figurines de porcelaine sur le comptoir de la réception : un couple de pèlerins, lui en chapeau à large bord ceint d'un ruban à boucle, elle en bonnet et tablier, et posé entre eux deux, un grand carton carré annonçant NOTRE MENU SPECIAL THANKSGIVING, 15 h 30. Venues du fond d'un couloir à l'arrière, deux ou trois voix rieuses. La femme qui aurait dû se trouver à la réception n'était nulle part en vue – qui aurait pu l'en blâmer, alors qu'il n'y avait rien à faire ni personne à surveiller ? Margaret traversa sans être vue la véranda aux colonnes blanches et fauteuils garnis de coussins endormis ; les bancs de chêne poussant çà et là dans l'herbe étaient inoccupés. Le seul chemin visible qui serpentait, comme dans un labyrinthe, parmi les parterres de fleurs la ramena à la véranda ; elle décida donc d'un autre itinéraire, coupant à travers la pelouse, avec pour objectif la grille qui donnait directement sur l'autoroute. Le grésillement furtif d'une abeille qui s'était aventurée trop près de son oreille brouilla momentanément le vrombissement plus constant des voitures au loin. Elle se rappela qu'il y avait un arrêt de bus, juste là, à la grille – elle avait entendu le petit personnel en parler. Des tas de pièces de monnaie dans la poche de sa blouse – ils lui avaient dérobé son chevalet, mais pas sa blouse de peintre. Les voleurs, qui qu'ils fussent, avaient été trop bêtes pour convoiter sa blouse. Elle avait choisi de la porter aujourd'hui parce qu'elle était grande et lui permettait de passer inaperçue, de se rendre invisible, personne ne pouvait la juger, personne ne pouvait s'emparer du motif de joie renfermé dans sa poche sans fond – l'autre poche, pas celle qui contenait les piécettes lourdes et carillonnantes… Combien de fois, depuis la minute où il lui était parvenu, avait-elle déplié et replié son motif de joie ? Si souvent qu'à présent les plis s'ouvraient d'eux-mêmes ! Et dire que le motif de joie avait été envoyé par la sœur de son frère, une personne détestable s'il en était, cette sœur avec laquelle il n'avait entretenu aucune relation pendant des années et des années… Et pourtant, c'était bien elle, la sœur de son mari, qui avait surgi de nulle part pour apporter le premier soupçon du motif de joie ! *Une personne déplacée*, bien sûr, quoi d'autre ? La guerre et ses bouleversements, ces rois, ces ducs et ces comtesses, toutes ces personnes de haut rang déchues de leurs trônes, déposées et déplacées, chassées de leurs terres, se cramponnant encore, dans des villes étrangères, à leurs titres légitimes... Était-il possible que Julian eût épousé l'une d'entre elles ? Possible et même probable, l'une de ses grandes cousines, Roseanna, véritable légende familiale, n'avait-elle pas fui à Cracovie dans les années vingt pour se convertir au catholicisme et épouser un comte polonais ? Il n'avait pas un sou, mais il vivait avec sa mère, la comtesse, et ses cinq sœurs, dans les vestiges d'une vieille bâtisse grandement délabrée, qui avait été célèbre autrefois pour ses douze écuries et ses pur-sang... Motif de joie doublement joyeux, Julian de retour, enfin, Julian à la maison, Julian dans les bras d'une épouse aristocratique ! Et tous ils seraient là – le jour même de Thanksgiving qui plus est –, Iris et Marvin, forcément, et oh, Julian et sa princesse, et très bientôt, après la demi-heure de trajet en bus, elle les verrait tous réunis, festoyant, et comme il l'accueillerait Julian, avec son regard enfantin et brillant, lorsqu'elle ferait son entrée avec, dans une poche, ses piécettes carillonnantes, et dans l'autre, la lettre de la sœur de Marvin ! Depuis l'instant où le motif de joie avait atterri entre ses mains, ce dépliage et ce repliage incessants, jusqu'à ce que les plis finissent par connaître eux-mêmes le chemin...

Mais voilà qu'elle avait atteint la grille. L'arrêt de bus n'était pas où elle pensait. Elle plaça sa main au-dessus de ses yeux pour se protéger du soleil (un passant aurait pu croire que cette femme, pieds nus, dans son accoutrement malcommode d'ange déchu, effectuait une sorte de salut) et se rendit compte qu'elle s'était trompée. L'arrêt de bus était de l'autre côté de l'autoroute. Il y avait forcément un moyen de traverser. Un feu tricolore susceptible de stopper le flot sans merci de voitures – et d'ailleurs il y en avait un, logiquement, à un ou deux pâtés de maisons sur sa gauche, sauf que dans ce lieu retiré, il n'y avait pas trace de vie urbaine, seulement cette route torrentielle reliant une banlieue à une autre... Une brûlure, un picotement sous ses plantes de pied. Tiens, elle avait oublié de mettre ses chaussures… Mais non, elle n'avait pas oublié, à cause du motif de joie elle ne faisait qu'un avec l'air, elle planait à quelques centimètres du sol, ou voletait comme un colibri. Alors pourquoi cette brûlure, pourquoi ce picotement. Elle leva un pied pour voir. Un caillou logé dans le talon. Elle leva l'autre pied. Une coupure sous les orteils, qui saignait, et comme il paraissait loin, à présent, douloureusement loin, ce feu tricolore ! Voiture après voiture le flot filait devant elle en hurlant, plus fort à son approche, un cri qui mourait dans l'instant et renaissait aussitôt dans le cri suivant et celui d'après et celui d'encore après. La procession folle des cris lui donnait un peu le vertige, mais voyons – encore et encore et encore, un espace apparaissait dans les deux colonnes parallèles de voitures chargeant dans des directions opposées, un espace dans la file la plus proche, un espace dans la plus lointaine ; et, de temps à autre, les deux coïncidaient miraculeusement, ouvrant un andain semblable au passage ouvert dans la mer Rouge, et comme il serait facile de se glisser dans ce double espace, tout droit, jusqu'à l'autre côté de la route ! Et, par chance, au même moment, s'élevant parmi les cris affolants, un grognement, une vibration, un grincement : le bus lui-même, au début pas plus distinct qu'une tache bleue, ses flancs aux multiples fenêtres miroitant alors qu'il approchait, à peine visible, avant de ralentir dans un frisson au niveau de l'arrêt marqué par un panneau. Margaret comprit que c'était l'occasion ou jamais : malgré la brûlure et les picotements, elle s'élança dans l'espace le plus proche ; elle était à mi-chemin du second lorsque son talon, celui dans lequel s'était incrusté le caillou, dérapa sur une flaque de graisse, ou d'huile, ou d'une autre substance inconnue répandue à cet endroit, et elle bascula vers l'avant, face contre terre, tandis qu'un nouveau cri, plus puissant que tous les autres, résonnait dans sa tête, et l'espace se referma sur un tas d'os et de chair vivante écrasés.

Quand la police et l'ambulance arrivèrent, le bus était parti depuis longtemps (aucun usager n'attendait à l'arrêt, qu'il n'avait, du coup, pas marqué), et Margaret, la lettre de sa belle-sœur ensanglantée mais toujours lisible dans la poche, était morte.

47

2 décembre

Chère tante Do,

Dès que j'ai reçu ton câble, j'ai écrit à papa que j'allais vite rentrer pour être auprès de lui. Tu sais mieux que quiconque à quel point je me suis mal comportée – c'est le premier signe qu'il reçoit de moi depuis que je suis arrivée ici, mais il a répondu par courrier express qu'il était heureux de savoir enfin où j'avais passé tout ce temps. Il n'avait même pas l'air fâché – plutôt brisé, absolument brisé, c'est si triste, si horrible, et personne ne semble comprendre pourquoi cela s'est produit, ni où maman comptait aller. Papa a dit que le seul indice était une enveloppe qu'ils avaient trouvée sur elle, contenant un mot de toi. Je n'avais pas idée que toi et maman entreteniez une correspondance, je ne crois pas l'avoir entendue une seule fois prononcer ton nom. Et mon pauvre papa, il est vraiment tout seul à présent, je dois donc partir aussitôt que possible. Mon vieux billet de retour n'est plus valable – je viens de l'apprendre –, ce qui signifie que je dois attendre le retour de Phillip pour qu'il m'avance l'argent nécessaire. Papa n'hésiterait pas à m'envoyer l'argent lui-même, mais je préfère qu'il ne sache pas que j'ai vécu aux crochets de Phillip tout ce temps. En fait, je suis seule ici, et j'imagine que c'est une bonne chose, autrement j'aurais pu être en Grèce à admirer le Parthénon, ou aux Offices à Florence, auquel cas, je n'aurais jamais reçu ton câble. Du coup tout est bien… je ne peux pas dire qui finit bien, n'est-ce pas, alors que tout est si atrocement triste et choquant. La Grèce, ça ne s'est pas fait finalement, pas plus que Florence, Phillip a été appelé en urgence à Milan et il a dû partir du jour au lendemain, à cause d'une vieille cliente, je crois – il avait pratiqué une chirurgie légère sur elle (il est chirurgien, tu te rends compte !), et il m'a demandé de garder la maison ici, au cas où il en aurait pour une semaine à régler le problème. Donc, comme tu vois, nous n'avons pas eu le temps de faire les voyages dont nous avions parlé, la clinique n'a pas désempli, mais Phillip m'avait promis que la prochaine fois qu'il devrait se rendre à la clinique de Milan, il me prendrait avec lui et que nous descendrions à Florence un week-end pour visiter les Offices, où il y a une madone de Michel-Ange et d'autres choses magnifiques, mais quand il y a eu cette urgence avec la fameuse Adriana, une vieille hypocondriaque qui lui cause beaucoup de soucis, il a pensé qu'il serait préférable que je reste ici à l'attendre. Voilà où j'en suis ! Je pense à maman tout le temps, je n'arrête pas de pleurer. Julian a toujours été plus proche d'elle que moi – c'était son chouchou, peut-être parce que, déjà quand nous étions petits, Julian se réveillait presque toutes les nuits à cause de ses cauchemars. Il est difficile de dire si maman était aussi heureuse d'être mariée à papa qu'il l'était lui-même d'être marié avec elle. C'est bizarre ces histoires de mariage, non ? Parce que, pardonne-moi si tu me trouves trop indiscrète, mais toi aussi tu as été mariée autrefois, et j'imagine que ça n'a pas dû beaucoup te plaire, vu que tu as fini par divorcer. Je suis pratiquement sûre que je n'aurai jamais envie de me marier, il y a vraiment certaines choses dans le mariage qui, j'en suis certaine, ne me plairaient pas, et peut-être que j'ai ça dans le sang, de ne pas vouloir me marier, je veux dire, j'ai entendu parler des trois vieilles filles du côté de papa, et il y a peut-être un lien. Si je peux me permettre, tante Do, je ne peux pas m'empêcher de penser que tu as vécu, la plus grande partie de ta vie, entièrement seule, et c'est exactement ce que j'ai l'intention de faire. Et s'il y a une chose que j'espère éviter à tout prix, c'est cette histoire de croissez et multipliez, cette citation biblique que maman m'envoyait à la figure d'un ton sarcastique quand je l'énervais vraiment trop. Elle le disait surtout quand j'étais obligée de passer beaucoup de temps au labo et que j'y restais tard le soir. Je crois qu'elle avait décidé une fois pour toutes, il y a un certain temps, que je ressemblais trop à papa, qui s'est toujours laissé absorber par son entreprise, mais elle ne penserait plus la même chose si elle savait comment j'ai vécu, ici, à Paris ! Seulement, maintenant, elle ne le saura jamais. Et Julian, où qu'il soit, ça le tuera quand il apprendra pour maman. Mais peut-être pas, vu cette bizarre atmosphère de secret qu'il a créée avec Lili et tout le reste. Je ne lui ai jamais dit, et je ne l'ai jamais dit à Phillip non plus, mais la nuit d'avant leur départ, alors que moi aussi j'étais censée partir le lendemain, ils dormaient et avaient tout emballé, sauf le carnet de Julian, j'y ai jeté un coup d'œil, et il a l'air obsédé par la religion, tu peux le croire ? Je suppose qu'à présent il s'est trouvé un coin dans le désert, à l'ombre d'un ricin, ou un truc dans le genre. Il ne semblait pas en adorer l'idée, mais on ne sait jamais, vu qu'il est pieds et poings liés à Lili.

J'ai de nouveau écrit à papa pour le prévenir que je risquais de mettre quelques jours à pouvoir attraper un vol. J'ai dû baratiner un peu, je ne pouvais quand même pas lui dire que je devais attendre le retour de Phillip – il avait l'air vraiment très soucieux au sujet de cette cliente dont j'ai parlé, il a dit qu'il voulait compenser le dommage qu'il avait pu lui causer. Et voilà, maintenant il y a peu de chances que je voie les Offices, les Alpes, le Parthénon, le lac de Côme, ni quoi que ce soit de la sorte. Et je vais abandonner mon petit studio pour m'installer avec papa et tenter de le rendre heureux. Il sera content si je retourne au labo et que je décroche mon diplôme, et je crois que c'est ce qu'il faut que je fasse. Peut-être qu'un jour, quand je serai vieille, je partirai faire un voyage organisé, avec un guide et une carte. Tante Do, est-ce que ça t'ennuie si je continue à t'écrire de temps en temps quand je serai de retour à L.A. ? Pas seulement pour te demander pardon pour tout ce que j'ai fait avant, mais pour essayer de comprendre ce que ça fait de vivre seule pendant toute une vie. Très franchement, je ne m'en étais jamais rendu compte avant ces jours-ci, mais tu es incroyablement courageuse !

Iris

48

En Amérique, il est toujours facile de voyager durant la période de Thanksgiving, surtout en train ou en avion. Tous les gens qui rentrent chez eux pour une réunion de famille, ou partent faire la fête avec des amis dans des régions lointaines, sont déjà arrivés et ne repartiront vraisemblablement pas avant deux ou trois jours. Cet entre-deux fit que Marvin se retrouva seul dans la cabine des premières sur le vol de la Pan Am à destination de Los Angeles, avec une escale forcée de deux heures à Dallas. Le rugissement explosif des quatre réacteurs provoqua un sifflement étouffé mais constant dans ses oreilles, la sensation familière de sirènes internes dont il savait qu'elles continueraient à hurler longtemps après la fin du voyage, se prolongeant comme les cris perçants de démons en colère. Il avait pris un magazine dans le terminal de LaGuardia et le feuilletait distraitement : en Corée telle bataille et telle autre, Eisenhower bat Taft aux primaires du parti républicain, peintures rupestres représentant des élans irlandais découvertes dans le sud de la France, opération militaire contre les rebelles Mau Mau au Kenya, poètes juifs soviétiques persécutés… Il congédia d'un geste l'hôtesse et son plateau de rafraîchissements, bien qu'il eût commandé son double gin tonic habituel à peine trois minutes plus tôt. Il avait mal dormi dans la mollesse pâteuse de son lit d'hôtel. Entre deux bâillements et les deux côtes rivales du continent, il avait l'impression de n'avoir pas fermé l'œil de la nuit. Il ressentait pourtant le gonflement familier de l'accès de puissance, une débauche d'allégresse, comme au terme d'une séance particulièrement tendue de négociations débouchant sur un triomphe, ou le plaisir qu'il éprouvait plus souvent qu'à son tour lorsqu'il parvenait à devancer son équipe de chimistes et d'ingénieurs. Son cerveau fonctionnait à merveille en temps de crise : il était capable de résoudre l'insoluble. Comme toujours, il y avait là une leçon à tirer pour le vaincu. La science de Marvin – ou du moins l'étroite portion qui jouxtait la psychologie – était ancrée, comme il aurait pu le dire lui-même, dans la génétique mendélienne. Il était le fils d'une mère forte, ce qui expliquait clairement sa propre énergie débordante – mais il était aussi le rejeton d'un père faible, commerçant fils de boutiquier, une chiffe molle sans aspiration, enclin à s'affaler durant les heures ouvrables sur une banquette vétuste pour se tuer les yeux à lire des montagnes de livres pleins d'un baratin irréaliste ; et ce penchant pour le gaspillage, hautement transmissible et presque irrépressible, s'était malheureusement mêlé à l'héritage de Julian. Il y avait certainement une leçon à en tirer – pas pour son garçon, porteur malchanceux d'une déficience prédéterminée, mais pour sa fille. Quelle était, précisément, la leçon qu'il était en mesure d'en tirer pour sa fille, il ne le savait pas vraiment – elle pendait devant lui, mais confusément, masquée par un voile. Iris était partie à la recherche de son frère, elle avait, dans un mouvement impénétrable, décampé pour aller vivre avec lui et cette femme, et qu'est-ce que cela signifiait, qu'est-ce que cela présageait ? Une tête sur les épaules, mieux faite que celle de son frère, grâce à Mendel et ses petits pois, et grâce aussi au chaudron ancestral ; Margaret n'était pas pour rien dans tout cela. Iris était devenue une jeune femme saine. En tendre pragmatique qu'elle était, son objectif, en se lançant à la poursuite de Julian, avait très bien pu être de dénoncer sans renoncer, comme si l'intimité ancienne avait pu conserver une quelconque influence. Une mission radicalement différente de celle qu'avait entreprise Marvin quand il s'était précipité à New York : couper court et une fois pour toutes. Une leçon qui ne s'adressait pas au garçon, non ! (ce pauvre enfant était perdu pour la cause) mais à cette jeune fille industrieuse et brillante, douée d'un esprit résolu, comme le sien. Iris verrait la justice de ce qu'il avait fait – l'équilibre calculé et professionnel de sa décision : répudiation sans abandon. Il y avait une leçon là-dedans, une leçon pour sa fille, mais elle lui échappait sans cesse, dès qu'il croyait la saisir, elle se dispersait…

Il sonna l'hôtesse.

– Où est mon gin tonic ?

– Je vous l'ai apporté et vous avez dit que vous n'en vouliez pas…

– Eh bien je le veux maintenant. Et donnez-moi aussi un masque pour les yeux, je vous prie.

Il but, et l'épaisseur de son cou fut envahie d'une chaleur inquiétante, sa nuque grasse et la graisse qui entourait sa pomme d'Adam ; et les sirènes dans ses oreilles diminuèrent (mais à peine, de manière fantomatique) ; il ne parvint pas à trouver le sommeil. De quelle nature était la leçon, et s'il réussissait à en tirer les enseignements – elle dérivait presque, comme à la périphérie crépusculaire de ses pensées –, la jeune fille en reconnaîtrait-elle la pertinence, l'adopterait-elle, en ferait-elle une règle de vie ? Quels pouvaient bien être les griefs de ses enfants, comment les avait-il offensés ? Son fils et la femme de son fils, là, d'accord, à eux deux, ils l'avaient clairement offensé ! Tandis qu'Iris, avec son esprit résolu, comme celui de son père, quoiqu'un peu plus coulant… Il en avait perdu un, était-il sur le point de perdre l'autre ?

Plusieurs heures plus tard, alors que Marvin gravissait péniblement le chemin menant à sa maison, terrassé par l'épuisement lié au manque de sommeil, il fut surpris de voir que la lourde porte à l'imposte en vitrail était grande ouverte, et que la gouvernante aux cheveux blancs se tenait sur le seuil, en habits de ville, serrant contre elle son sac de linge sale – elle avait depuis longtemps cédé à Margaret qui exigeait le port d'un uniforme de soubrette, lequel était rapporté chez elle deux fois par semaine pour passer en machine. Un homme beaucoup plus jeune – un motard demandant son chemin ? – lui montrait ce qui ressemblait à un morceau de papier sale. La gouvernante poussa un cri et tapota le coude de l'inconnu pour attirer son attention sur son patron qui venait vers eux.

– Je m'apprêtais à partir, monsieur, fit-elle. Et mon Dieu, c'est terrible, c'est la police.

Plus tard, Marvin se souvint, sans raison, que l'agent, lui aussi, s'était présenté en costume de ville.

49

Marvin au téléphone, le lendemain de Thanksgiving, enroué, harangueur, accusateur, qu'est-ce qu'il racontait, pour l'amour du ciel ? Une confusion totale, impossible à démêler. Une action en justice, disait-il, il porterait plainte contre eux et leurs cerveaux de crétins, il leur extorquerait jusqu'à leur dernier centime, un manquement au devoir comme il n'en avait jamais vu, il avait cependant découvert que ce n'était pas la première faute professionnelle de cette idiote, elle avait déjà reçu un avertissement, elle était censée surveiller les allées et venues, faire signer le registre aux visiteurs, etc. ; ils avaient renvoyé cette bonne femme sur-le-champ, mais à quoi bon, maintenant ? Et sans chaussures, avec ça, les pieds en sang, c'était atroce, ce salopard de conducteur, intenter un procès à la compagnie de bus, ne pas les laisser s'en tirer comme ça, homicide pur et simple, et la lettre, la lettre qu'ils avaient trouvée dans sa poche, trempée de sang, malade ou quoi d'envoyer une lettre pareille à une femme dans son état, l'agitation que ça avait provoqué, et pieds nus, nom de Dieu, pieds nus au milieu de l'autoroute, homicide pur et simple !

Marvin, dans la souffrance. La voix éraillée, la fureur anxieuse tête baissée.

– Tu vas devoir le dire à mes enfants, c'est toi qui vas t'en charger, je ne peux pas le faire, impossible, pas la force, même si je savais où les joindre, pas un mot d'Iris durant tout ce temps, et mon fils… Mais tout est fini avec Julian. On doit quand même lui dire, Margaret aurait voulu qu'il sache…

Et Margaret : folle ou saine d'esprit ? Un peu des deux. C'était sain, pour sûr, de résister à Marvin, de voir clair dans son jeu et même de s'opposer à lui ; voir dans son jeu vous obligeait à vous opposer. Mais quelle importance à présent que Margaret ait vu, résisté, se soit opposée ? Un corps brisé sur une route de Californie.

– Et qu'est-ce qui t'a pris d'envoyer à ma femme ce petit mot absurde, Julian s'est marié, il sera là bientôt, exactement les sornettes qu'elle sortait dans ses accès de délire, tu n'as jamais connu Margaret, tu n'as jamais rien eu de commun avec elle, impossible, tu as vécu pratiquement toute ta vie comme une bonne sœur, putain, et si tu veux savoir, c'est toi et ton petit mot qui l'avez tuée...

Do déclara faiblement, avec contrition :

– J'ai pensé que ça la rendrait heureuse.

– Heureuse ?! Do, elle est morte, ma femme est morte.

Et soudain, le silence électrique des milliers de miles qui les séparaient.

Mais, une fois encore, il l'avait lestée d'un de ses inévitables impératifs : cela lui revenait, à elle, en propre – une fois encore ! – d'être l'émissaire de la parole de Marvin. Inévitables ? Elle était déjà passée maître dans l'art de la trahison – tout ce que Marvin ignorait ! Tout ce qu'elle lui avait caché ! Il ne savait pas qu'elle était allée voir Margaret, il ne savait pas qu'elle avait aperçu la jeune femme en cape de bain, il ne savait pas qu'elle avait brûlé son chèque. Il ne savait pas que sa fille était dans les griffes d'un escroc ! Do évalua la situation, elle retourna l'affaire dans tous les sens, pesa les conséquences probables d'une confession – imaginons qu'elle avoue toutes ces choses à Marvin –, au final, cela revenait au même. Margaret était morte. Morte, disculpée ou non de ses hallucinations. Marvin était probablement un époux adultère. Julian exilé par son père ; aucun recours possible. Et Iris... Dans tout cela, Do se considérait comme irréprochable : elle avait pris le parti de l'horizon le plus lointain. Quant aux cendres dans l'évier, elle s'était contentée de contrecarrer la déraison par le bon sens : le bon sens consistait à contrecarrer Marvin ! L'argent libère, certes – elle aurait pu complètement libérer Julian, elle aurait pu donner l'héritage au fils en omettant de stipuler à quelles conditions il était en droit de le toucher. Mais l'argent aliène – si Julian avait été tenté de le prendre, ou persuadé par quelqu'un de l'accepter (par qui ? Lili ?), cet argent, pour toujours et à jamais, aurait brûlé de l'emprise de son père, du mépris de son père. Suivant la logique de sa trahison, elle avait libéré Julian de l'étau humiliant dans lequel son père souhaitait le maintenir. Liberté ! Expurger pour libérer ! Pas le moindre vestige d'attachement, pas de lien ultime…

L'exorcisme de Leo Coopersmith. L'exorcisme des cendres dans l'évier. Fondus dans une seule et même nuit.

D'un autre côté – oh, le tourment de cet éternel autre côté –, n'avait-elle pas liquidé l'occasion qu'aurait eue Julian de choisir, de prendre l'argent s'il l'osait ? De le prendre, même si pour cela il avait dû connaître les conditions de la transaction ? En l'absence de choix, où était la liberté ? Quant à l'épouvantable acte d'accusation de Marvin – était-ce vrai ? Y avait-il le moindre soupçon de vérité là-dedans ? Cela ne pouvait être vrai ! Le chagrin est un cauchemar, le chagrin est une gargouille : le choc du deuil avait dû remuer ces fantasmes grotesques d'assassinat. Un accident sur l'autoroute ! Ou, à Dieu ne plaise, un suicide. Dans ce mausolée somptueux et vide destiné aux vivants, avec quelle violence elle s'était adressée à Margaret – cependant était-il possible qu'un simple morceau de papier, envoyé en dédommagement, pour calmer le remords, ait eu le pouvoir de tuer ?

50

Parce que le baron avait planté la pointe de sa canne dans son sternum – lieu de sa virilité indignée où ses plus secrètes intuitions étaient remisées – Kleinman sut qu'il devait se rendre chez Lili le soir même. La faute (le péché !) était du côté du baron ; il se sentait humilié par cette pique. Mais Kleinman aussi était coupable ; il s'était montré servile, spectateur neutre du mauvais traitement infligé à Lili. Il avait laissé le baron le haranguer, lui enfoncer sa canne dans la poitrine, se moquer de lui, et, tout du long, il était resté servile et terrifié. Terrifié de rappeler Lili – il l'avait laissée partir, il ne l'avait pas rappelée, ne fût-ce que pour lui donner les émoluments d'une demi-semaine qui lui étaient légitimement dus. Et Lili était mal en point, il était clair qu'elle était malade. Malade et rejetée, comme Hagar, dans le malheur inconnu qui était le sien – mais Hagar avait eu la consolation de son fils, Ismaël, alors que cette pauvre Lili n'avait pas d'enfant. Quoique… Kleinman l'avait aperçue avec un jeune homme qui semblait être venu tout exprès pour la voir, un grand garçon enveloppé portant des sandales de style américain, qui n'avait rien de commun avec les gens des files d'attente. Kleinman ne s'immisçait pas dans les vies douloureuses de son personnel. Leurs histoires étaient forcément tristes.

Dans son registre – il le tenait admirablement, les chiffres y étaient scrupuleusement notés (le baron n'aurait pu en contester la moindre ligne) – il découvrit où habitait Lili. Le quartier ne lui était pas familier et le surprit. Les gens comme lui, ou Lipkinoff, par exemple, trouvaient à se loger dans un coin ou un autre du Marais surpeuplé. Mais ça – cette façade de pierre digne d'une forteresse, avec ses hautes fenêtres en ogives, ses lourdes portes et ses bas-reliefs – ça, c'était un édifice ! Il avait apporté avec lui un mince paquet : la poignée de francs qu'il devait à Lili et une bafouille de quelques phrases qu'il avait griffonnées en vitesse, remords et regrets, honte et excuses (il était complice, il l'avait laissée partir sans rien de plus qu'une faible protestation n'exprimant que sa lâcheté), il tenait à lui faire savoir que sa foi intime, sa loyauté étaient de son côté à elle ; il n'avait jamais eu l'intention de la mettre au rebut, telle une quelconque Hagar, c'était le baron que l'on devait blâmer pour ce péché, pas lui ! Il n'avait pas les moyens de la consoler, il était lui-même sans enfants, et sans femme, par-dessus le marché, mais au cas où elle serait dans le besoin…

Les phrases s'étiraient sur la page, et il comprenait que des phrases comme celles-ci avaient été écrites des milliers de fois dans l'histoire du monde et qu'à la vérité, elles ne recelaient pas une once de réconfort et se dissiperaient comme une vapeur dans le néant. Les étendues sauvages du Texas l'attendaient (*bamidbar*, le désert, le lieu où s'était accompli le destin de Hagar), mais pour Lili, qu'y aurait-il, où irait-elle ? Leurs chemins se séparaient, il irait vers l'ouest, elle irait vers l'est… Elle avait parlé d'un oncle, était-ce vers cet oncle qu'elle irait ? Et en même temps, comment les quelques francs qu'elle gagnait au Centre avaient-ils pu lui suffire à s'installer dans une splendeur pareille : vestibule à l'épais tapis luxueux, cage d'ascenseur dorée, concierge à l'expression amère, dont l'accent était aussi étranger que le sien.

Depuis l'autre côté d'un comptoir en marbre, la femme leva une main autoritaire pour l'arrêter.

– Qu'est-ce que vous venez faire ici ?

– Je viens voir une amie.

Comment le formuler autrement ?

– Vous êtes de cette bande, c'est ça?

Elle l'avait aussitôt évalué; elle avait su au premier regard ce qu'il était. Dans tout Paris, les gens savaient. Ils étaient capables de déceler ça du coin de l'œil. Serait-ce la même chose au Texas? Pourquoi pas, c'était pareil partout.

– Je ne crois pas que ce soit ouvert encore, pour autant que je sache, dit la concierge. Il vient juste de rentrer. Il n'y a que la fille là-haut. Et ce garçon qui vivait là comme un parasite, il est parti aussi, mais j'ai jamais su si c'était un juif ou pas, peu importe, il avait un nom typique, en tout cas.

Kleinman, pâlit. Le prenait-elle pour un client de bordel?

– *Sixième étage*, c'est le monsieur Montalbano que vous voulez voir, non? Du moment que j'ai mon pourboire, c'est pas mes affaires…

En s'élevant dans la cabine d'ascenseur, il pensait: *Non, pas Lili, il ne peut pas s'agir de Lili*… Cependant, le monde était plein de contradictions. Il appuya sur la sonnette et attendit; un accès de honte s'empara de lui, de honte pour Lili, de honte pour le quiproquo dont il venait d'être l'objet. La porte s'ouvrit et une jeune femme à demi vêtue apparut devant lui – il vit immédiatement qu'elle était américaine: il y a quelque chose de particulier dans le visage des Américains. Un air de – comment dire – un air d'exemption. Il l'avait remarqué aussi chez le garçon qui était venu voir Lili, celui qui ne ressemblait pas à ceux des files d'attente. En Amérique, la population était composée de cow-boys et de gangsters.

Il expérimenta son anglais tout neuf. (Avec quelle application il l'avait étudié!)

– *Excuse me*, dit-il.

La phrase sonnait parfaitement juste, exactement telle qu'il s'était entraîné à la prononcer. Mais elle était tombée de sa langue avec trop de timidité, comme s'il avait fait un pas en arrière. Le fait qu'elle se tînt devant lui si arrogante, sans gêne, dans un déshabillé pareil!

La jeune Américaine dit d'une voix américaine tout ce qu'il y avait de plus professionnelle :

– Désolée, nous sommes fermés, pas de clients avant la semaine prochaine.

– C'est Lili que je veux voir.

– Lili ? Elle est partie…

– Il faut que je la voie, absolument. S'il vous plaît, dites-moi où je peux trouver Lili.

– Vous feriez mieux de la laisser tranquille, elle est malade, elle ne veut voir personne.

– Malade, je le savais ! s'écria-t-il. J'ai de l'argent, alors il faut absolument…

Quelle formule malheureuse ! comme s'il ne cherchait pas à voir la Lili qu'il connaissait, mais une quelconque… putain.

– S'il vous plaît, répéta-t-il. Sa tête, sa poitrine inondées par la souillure de ses paroles. Je vous en supplie, dites-moi où trouver Lili.

Alors Iris le lui dit, referma la porte et cria à Phillip, qui s'était déjà glissé, nu, dans son lit :

– Ça y est ! J'espère que je m'en suis sortie comme il faut. Ma première intervention officielle pour la clinique, dit-elle joyeusement. Mais en y repensant, elle estima qu'elle n'avait pas dit la stricte vérité : Enfin, ce n'était pas vraiment pour la clinique, reconnut-elle. C'était quelqu'un du travail de Lili, tu sais, un de ceux-là – la manière qu'il avait d'insister, on aurait cru que c'était la fin du monde. Mais j'ai tout de suite su que ce n'était pas un client.

Dans le hall de l'immeuble, sous le regard méprisant de la concierge, Kleinman sortit son stylo à plume – le bon, celui qu'il utilisait pour le registre du baron – et ajouta soigneusement quelques mots à la fin de sa petite lettre rédigée à la hâte, mais non sans ardeur.

« Quelle que soit votre situation », écrivit-il.

Il était sept heures passées quand il arriva à la pension. Une pauvre adresse dans un coin minable. Il s'était trompé de quartier après avoir emprunté le mauvais bus et avait dû revenir sur ses pas pour reprendre à zéro. Le crépuscule s'était épaissi. Il n'y avait qu'un réverbère en service, les autres étaient brisés et ne dispensaient pas la moindre clarté. Il faillit trébucher sur une fissure dans le sol, devant l'entrée, et lorsqu'il se redressa il constata que la porte n'avait pas été verrouillée. Le couloir empestait, une odeur sucrée et désagréable masquait la puanteur ; mais il reconnut bien vite qu'il s'agissait en fait de l'haleine sale d'une femme. Elle avait jailli de l'ombre (l'ampoule manquait au plafonnier) et s'était pratiquement collée à lui, la bouche presque à hauteur de la sienne. Elle mâchait un caramel.

– On est complet, dit-elle. J'veux dire, si c'est une chambre que vous voulez.

– Non, non, je suis juste venu pour voir une amie…

Et Kleinman, en s'entendant répéter ce refrain, se sentit comme un voyageur dans un conte oriental.

– Et qui qu'ça peut bien être ?

– Elle s'appelle Lili.

– Je sais pas comment les gens s'appellent, je connais la tête qu'y z'ont et je sais s'y paient à l'heure.

– Petite. Cheveux noirs. Très mince.

– Celle qu'avait besoin d'eau, c'est elle. Comme si qu'j'avais le Saint Graal à portée de main et qu'j'allais le refiler au premier clochard venu. J'ai rincé un flacon de vinaigre et je lui ai fait payer, à lui…

– Lui ? dit Kleinman.

– Un sacré charivari qu'y nous ont fait, je crois bien qu'y se sont disputés. Et vous êtes pas le premier à passer aujourd'hui – l'autre s'est tirée vite fait ; vous feriez mieux de faire pareil. Je ferme au quart.

Il grimpa l'escalier et écouta. Lili ; puis un homme ; et Lili encore. Sons déformés, s'élevant et mourant, s'élevant et mourant, comme si leurs gorges avaient été noyées de sang. Les sons l'effrayèrent. Il n'osa pas frapper. À la place, il fit glisser le mince paquet sous la porte et partit.

Encore un de ceux-là, se dit la logeuse en tournant la clé dans la serrure.

51

Comme on pouvait s'y attendre, le directeur de Do lui opposa une fin de non-recevoir.

– Un professeur de langue étrangère ? Vous avez perdu la tête ; alors que vous êtes la mieux placée pour savoir que nos gars ne s'en sortent déjà pas avec leur soi-disant langue maternelle ?

– Non, fit Do, je me demandais si vous aviez gardé des contacts dans l'autre école où ils font du français et du latin – là où vous faisiez…

– Faisais, c'est fini, maintenant je suis ici. À ma vraie place, comme on dit. En plus, vous me dites qu'elle vient de chez les cocos ; qui prendrait le risque ces temps-ci ?

Finalement, ce fut Harold qui trouva la solution.

– Harold a un vieux copain d'école, dit Laura, ils n'étaient pas dans la même classe, le type a un an de plus, mais il dirige un gros cabinet de comptables, il a des affaires partout en Amérique du Sud et en Europe. Je vais voir si Harold peut lui demander, d'accord ?

Et, quatre jours plus tard :

– Il se trouve qu'ils cherchent justement quelqu'un, je ne suis pas sûre à cent pour cent, mais je crois que c'est de l'espagnol vers le français, vers l'allemand… quelque chose comme ça. Ça tombe bien, ils viennent de perdre un de leurs traducteurs, la personne a déménagé à Londres…

Lili avait donc de la chance. Do prit la carte de visite que Laura lui avait donnée et la posa sur la table de nuit dans la chambre à coucher. Il y aurait probablement un entretien préalable. Comment

Lili se présenterait-elle, comment serait-elle habillée, comment s'exprimerait-elle ? Cette carte était porteuse d'espoir.

Elle vida deux tiroirs de la commode et fourra le tout dans le troisième. Elle retira des vêtements sur leurs cintres de la penderie de la chambre et les transféra dans le placard plus étroit qui se trouvait dans le vestibule. Les placards de la cuisine étaient plus remplis que de coutume. Les provisions pour une femme seule ou pour trois, ce n'était pas la même chose. Trois, dans un trou à rats ? L'appartement avait de nouveau l'air minuscule. Elle eut le pressentiment d'un désordre imminent... Ce bas qui pendait d'un abat-jour, ou d'un tableau – ce ne pouvait être celui de Lili. Lili était tenue trop serré dans sa peau cireuse. Celui d'Iris alors ; mais Iris refermait les portes de sa vie. Seule avec son père dans la maison de celui-ci, lancerait-elle jamais un de ses bas sur un abat-jour ?

Do passa la nuit sur le canapé. Son grand lit, avec ses draps frais et immaculés, ses oreillers moelleux et profonds, était prêt pour les invités. Son dos souffrit un peu de la surface inhabituelle – quelque chose de dur, les ressorts implacables du rembourrage. La journée qui s'annonçait ne l'enchantait pas. Elle avait peur de Julian – peut-être encore plus que de Lili. Elle avait peur des deux et de ce à quoi elle s'était engagée, de ce qu'elle devrait dire à Julian. Et de ce qu'elle avait fait ! Ce petit incendie secret. C'était secret, c'était privé ; mais c'était honteux aussi, était-ce seulement pour contrecarrer Marvin, ou était-ce davantage Julian qu'elle avait plus cruellement contrecarré ? Contrecarrer, ce n'était pas comme se venger, n'est-ce pas, s'il s'agissait seulement de défendre sa dignité bafouée ? Tout au long de sa vie, Marvin l'avait maltraitée. Et voilà que son fils la maltraitait à son tour, son barbare de fils qui était un étranger pour elle, qu'elle n'avait vu tout au plus que deux fois ! Vu, sans recevoir un regard en retour. Elle ne lui avait pas même effleuré la main.

Elle se réveilla dans une lumière anormalement pâle – une clarté filtrée, comme si sa fenêtre avait été transfigurée par un sombre éclat galactique. Les carreaux étaient obscurcis par des motifs étoilés de cristal. La neige! Dans la rue, des paquets de blancheur chapeautaient les trottoirs, tandis que les rares voitures avançaient précautionneusement contre un vent blanc et cinglant. Les aéroports étaient fermés, les vols retardés jusqu'à nouvel ordre. Annonce après annonce; beaucoup de grésillements dans la radio. L'étrange lumière dispensait une odeur étrange – le parfum de l'appréhension.

Elle les attendait avant midi. Il était plus de minuit lorsqu'ils arrivèrent. Leur avion avait été dévié sur une autre ville, Lili n'aurait su dire laquelle, ils étaient restés à bord des heures durant, puis étaient repartis en direction d'un autre aéroport, où ils avaient tourné, tourné, tourné, sans pouvoir atterrir. Tout cela était extrêmement déroutant, ils étaient extrêmement fatigués, non, ils ne voulaient pas une bonne soupe chaude, et merci bien mais s'il vous plaît où pouvaient-ils dormir?

Les pieds de Julian, dans ses sandales californiennes miteuses, étaient trempés jusqu'aux chevilles. Sous son manteau (qui était fort heureusement muni d'une capuche) Lili portait un chemisier parfaitement approprié pour une partie de campagne cinquante ans plus tôt, froncé au col, avec des manches bouffantes et une double rangée de volants aux poignets. Des manches longues par temps froid, mais quelle paire de manches! Lili avait-elle pu se choisir elle-même un costume pareil, cette enfant de Bucarest qui savait parler tant de langues européennes? Ils semblaient tous deux appauvris; ils l'étaient d'ailleurs, véritablement. Les deux valises usées de Lili, les fermetures cassées, la ficelle à colis qui les tenait fermées. Julian traînant après lui un grand fourre-tout trop rempli et trop lourd. Des nomades urbains, l'air aussi étrangers l'un que l'autre.

Do leur montra la chambre. Aussitôt ils fermèrent la porte; elle entendit des sifflantes étouffées; et plus tard, plus tard... halètements sourds, cris contenus. Do n'avait jamais fermé la porte de sa chambre. Contre quoi l'aurait-elle fermée? L'atmosphère ambiante? Mais ces deux-là étaient, ostensiblement, mari et femme.

Le matin se montra presque aussi sombre que la nuit qu'il avait laissée derrière lui. La chute de neige muette s'était changée, en quelques heures, en un blizzard agressif, qui bombardait les fenêtres avec une monotonie bavarde, avertissant les gens qu'aujourd'hui encore le monde extérieur resterait fermé – magasins, bureaux, routes, écoles. Depuis son poste d'observation, arrachée au confort amical de la montagne d'oreillers dont elle avait l'habitude, Do trouvait qu'autour d'elle tout avait pris une apparence différente, comme sous la lumière chiche d'une grotte : une mince fissure dans le plafond, qu'elle n'avait jamais remarquée, les gravures de Kollwitz comme des taches monstrueuses sur les murs. Elle avait le dos perforé ; son cerveau était encore peuplé de lambeaux de rêves qui se retiraient lentement vers l'oubli. Elle avait dormi profondément, d'un sommeil diabolique. Ses rêves avaient été pleins de traîtrises.

Non loin d'elle, un froissement, un tintement, le bruit de l'eau qui coule, la bouilloire et son haleine grave, l'odeur douloureuse du grille-pain : Lili s'affairant dans la cuisine minuscule de Do. Elle se leva, troublée. La table était mise, assiettes à petit déjeuner et couverts ; et Julian, penché au-dessus d'une volute de vapeur s'élevant de sa tasse de thé, à la place qu'avait occupée son père, exactement là où Marvin avait présidé à l'infamante expulsion de son fils. La tempête continuait de battre, grêlons mêlés de neige fondue. De temps en temps le grondement du tonnerre hivernal. Ils étaient confinés ensemble entre quatre murs, Do, son neveu et sa femme.

À trois heures de l'après-midi, un crépuscule factice se teintait déjà des couleurs de minuit. Les lampes étaient allumées. La journée s'était passée en politesses décousues – aveux de gratitude de Lili, silence plutôt penaud de Julian. Il bâillait ; semblait bouder ; engrangeait ses pensées. Parfois, sans que l'on pût comprendre ce qui l'avait provoquée, une rougeur naissait à chaque bout de sa maigre moustache couleur paille. Était-ce sa manière de reconnaître que sa cruauté parisienne avait été récompensée par le lit chaud que Do lui offrait à New York ? Mais seule Lili exprimait de la gêne.

« Vous excuserez mon mari », disait-elle. De nouveau, *mon mari*, cette suprématie de la possession. Ou encore, avec une insistance pleine de nervosité et de lassitude : « Il est tellement si *fatigué*, le voyage a été si difficile, bientôt il se sentira mieux… »

Les deux femmes avaient presque épuisé le sujet de la tempête. Il n'y avait plus grand-chose à en dire, et, de toute façon, la violence glaciale commençait à refluer, laissant la place à des voiles de pluie serrés. Un chœur de pelleteuses éleva son chant depuis la rue. Les camions de la ville étaient de sortie, en mission de salage des rues.

– Je crois, fit Do, détournant la demande de pardon, que je pourrai retourner au travail demain. Mais peut-être pas, vu comment ça se passe pour le moment. Et Lili, ajouta-t-elle consciencieusement, quand ce temps affreux cessera, si vous voulez, vous pourrez vous rendre à un entretien, il y a peut-être du travail pour vous. Un ami m'a donné un tuyau, ça a l'air de convenir parfaitement.

Les sillons parallèles qui se creusaient dans le front de Lili se resserrèrent.

– Et Julian… commença-t-elle, avant de laisser mourir sa question.

– Je n'ai pas pensé à Julian… Je n'ai rien trouvé pour lui… Je n'ai pas vraiment essayé non plus…

C'était un constat insensible. Elle n'avait pas pensé à Julian, à ce qu'il pourrait… Mais ce garçon était-il bon à quoi que ce fût ?

– Il souhaiterait reprendre les études. Apprendre.

– Son père a mentionné un jour que Julian poursuivait des études de sciences, je ne sais plus lesquelles…

– Son tempérament le porte ailleurs, je crois, dit Lili.

Elles parlaient de lui comme s'il était parti. Ou s'était changé en statue, sourde et aveugle. Il avait passé la journée le nez dans son livre, en retrait de la conversation. La sociabilité tranquille de Do – déterminée, forcée ; les plaisanteries anxieuses de Lili. Il n'y avait pas la moindre intimité entre eux.

– Qu'est-ce qu'il voudrait faire, alors ? demanda Do.

– Pas faire. Être.

Lili traversa la pièce pour rejoindre Julian qui était assis, voûté (toujours sur la chaise de Marvin, personne ne l'avait occupée depuis), et enroula ses bras autour de son cou. Docilement, il prit ses doigts et les porta à ses lèvres, tout en continuant à lire. Le garçon et la femme, songea Do, étaient étroitement mêlés. Ils composaient à eux deux une image vieux jeu du bonheur domestique : il ne manquait qu'un feu dans la cheminée, ou un enfant. Le garçon (l'homme, corrigea-t-elle) avait un long dos puissant et masculin. Une jambe étendue vers l'avant, l'autre autour d'un des barreaux de la chaise – une posture enfantine ; mais sa nuque, penchée sur la page, semblait vieille. Surprise, elle saisit en Julian une image évanescente de son propre père, dans sa niche oisive à l'arrière de la boutique ; son père doux, peu sûr de lui, accommodant, et son sempiternel roman ; son père, si peu matérialiste, et sa voussure studieuse, rabbinique. Elle examina le garçon : un regard de tout le corps, chaque pore de la peau comme un œil. L'image d'un désir inaccompli la frappa – la douleur, la langueur. Sa tête avait une beauté inattendue, même dans la tendre courbe de son menton lourd. Sa chair portait le poids de ses sentiments ; son appétit pour la viande, elle le comprit soudain, n'était qu'une faim de sentiments. Elle le considéra comme quelqu'un qu'elle aurait manqué ; sur qui elle se serait méprise ; qui n'avait pas retenu son attention comme il l'aurait mérité. Et elle lui avait infligé une colère sans pitié. Sa main était aussi souillée que celle de lady Macbeth. Sa main était une guillotine.

– Qu'est-ce que tu as là ? lança-t-elle – dans la lumière grise et pluvieuse, à la traîne des ruisselets coulant sur les carreaux mouillés, il lui paraissait étonnamment éloigné. Tu as le nez plongé dans ce livre depuis ce matin, ajouta-t-elle de sa voix de tante bienveillante, supposée attirer ses bonnes grâces, et qu'il avait haïe à Paris.

C'était un épais volume, comme un livre de classe. Le dos était noir avec des lettres jaunes – ou dorées ? Elle pensa qu'il s'agissait peut-être de sa vieille anthologie, de *Beowulf* à Wordsworth. Il l'avait sans doute prise, conjectura-t-elle, dans la petite bibliothèque de la chambre où elle rangeait ce genre de lectures : souvenirs de sa jeunesse. Le stylo à plume que Leo avait abandonné là, avec sa pointe rouillée, y était encore ; oublié.

– C'est rien, dit-il.

Il avait raison : quoi que ce fût qui l'attirât, cela lui appartenait en propre et n'était rien pour elle. Cette piqûre de componction, ce point entre les côtes – était-ce le regret, la jalousie ? La jalousie qu'il n'y eût personne pour saisir ses doigts à elle et les porter vers une jeune bouche masculine ? Le dos long de Julian, ses jambes. Une vieille femme convoitant un garçon. L'air était chargé de la présence de son neveu et de sa femme. Leur éloignement et leur proximité emplissaient chaque coin de la pièce.

D'un geste résolu, Lili se défit de l'étreinte de Julian. Elle tendit ses paumes vers Do : comme la sébile vide d'un mendiant.

– Il porte toujours beaucoup, beaucoup de livres !... Très lourds, toujours ! Et vous voyez, s'exclama-t-elle, comme il ressemble à un étudiant ! Maintenant, il faut qu'il prenne des cours, normalement, dans une école normale... À cet instant, elle hésita, le mot lui manquait, elle ne parvenait pas à le sortir ; jusqu'à finir par mettre le doigt dessus : Des cours de *religion*.

– Vous ne voulez pas parler de théologie, tout de même ?!

Impossible pour Marvin de supporter un fils pareil. Une pousse malencontreuse germée de la dure graine paternelle.

Julian leva la tête. Pour la première fois – pour la toute première fois – il tourna ses yeux plissés vers Do.

– Rien de tout ça, tu n'as pas compris. Je ne crois à rien de tout ces machins, pourquoi j'y croirais ? Et Lili pas plus que moi. Toutes ces dénominations, peut-être qu'elles signifiaient quelque chose autrefois pour ma mère, mais moi, je ne suis rien, il n'y a pas d'autre vérité que celle-là.

– Lili a parlé de religion...

Les paupières tatares clignèrent.

– Ce n'est qu'un mot. Lili sait ce que je pense. Ce n'est pas à

Dieu que je veux réfléchir. Ma question, c'est : pourquoi n'y a-t-il pas de Dieu ?

– Je ne connais aucune école où l'on enseigne ça.

Pourtant elle voulait lui faire plaisir, le dorloter. Pas s'opposer à lui.

– Il en existe sûrement une quelque part. Ou un professeur. Ou peut-être, lança-t-il, que je pourrais en trouver un.

La dernière hypothèse était clairement ironique, mais comment ce garçon pouvait-il avoir des conceptions aussi faussées, il était à la recherche du non-Dieu ! Et s'il n'y avait pas de Dieu, il était donc à la recherche de rien ; et comment en vivrait-il ? Marvin, dans sa grande sagesse, avait fourni les moyens nécessaires à son fils – oui, oui, avoue-le, la sagesse de Marvin, irréfutable ! – et Do, dans sa grande sournoiserie, dans sa méchanceté, les avait immolés.

Et Julian avait parlé de sa mère.

– Lili a l'air de penser à quelque chose de plus conventionnel, dit Do.

La petite bouche de Lili se contracta – par spasmes, comme agitée d'un battement erratique. Dans ce chemisier ridicule qui cachait ses bras osseux, ses bras secrets, elle semblait désarmée et clownesque.

– Non, dit-elle. Julian sera. Et moi, je ferai.

Et, de nouveau, Do songea, comme elle l'avait fait en voyant les crochets qui pendaient au plafond, pour les manteaux ou pour la viande : *Elle est habituée à tout. Le monde est comme il est. Elle s'attend à n'importe quoi.* Lili s'était-elle imaginé que ce garçon rêveur, une fois rendu aux privilèges de sa naissance, serait prêt à endosser la gravité (*la théologie*, rien que ça !) d'un érudit ? Renfermait-elle en son cœur le fantôme d'un mari perdu et espérait-elle que le nouveau imiterait, d'une certaine manière, l'ancien ? Cependant, le monde est comme il est ; il était évident que Lili était prête à porter ce garçon – son poids, sa faim – sur ses épaules frêles à jamais. Elle travaillerait dans des bureaux sans âme et gagnerait ses maigres salaires, tandis que Julian resterait assis en compagnie de ses livres (quels qu'ils fussent, dos noir et lettres d'or), à méditer sur le Grand Zéro, le non-Dieu qui ne parvient pas à gouverner l'univers. Lili était donc complice, obstinément complice ; emmêlée. Et peut-être auraient-ils un enfant ? Un enfant dont le père était une apparition, un traqueur de néant. Do n'arrivait pas à se figurer un enfant. Elle était triste de penser aux reins qui ne donnent pas de fruits. Elle était triste pour Julian. Quelque chose – mais quoi ? une simple humeur passagère, ce confinement dans la caverne d'une tempête implacable, qu'est-ce que c'était ? –, quelque chose en elle s'était modifié ; avait tourné. Dans les profondeurs de la nuit, ces bruits derrière la porte de la chambre. Elle avait vu Julian sucer les doigts de sa femme, comme s'il avait pu téter sa substance. N'avait-il pas aussi sucé le lait noir de ses cauchemars ?

Il referma son livre et se leva. Son regard n'était pas pour Lili. Il était pour Do.

– Parle-moi de ma mère, dit-il.

Elle avait besoin d'un appui ; elle ne faisait pas confiance à ses jambes. Elle lui répondit platement :

– Bien sûr.

Puis elle s'effondra sur la chaise qu'il venait de quitter. La chaise de Marvin : était-ce un sortilège ? C'était la chaise qui l'avait forcé à dire ce qu'il disait.

– Je veux la voir. J'ai pensé que quand on partirait pour la côte Ouest…

– Comment ? dit Do.

– Julian, interrompit Lili. Nous devons attendre un peu avant que tu dises ça, ce n'est pas comme ça que…

– Lili ne veut pas de ce boulot de toute façon, fit-il sèchement, rapidement.

– Mais j'avais cru comprendre, d'après sa lettre…

– Changement de plans, on est en transit. On ne reste pas.

Puis Lili prit la parole, avec sa prudence, sa vigilance forcée :

– S'il vous plaît, vous êtes tellement gentille, avec votre hospitalité remarquable, nous sommes reconnaissants à vous, nous faisons de grandes difficultés dans votre maison…

– Le problème, poursuivit-il, c'est que je ne tiens pas à tomber sur mon père. Il faut que je voie ma mère, même si pour ça je dois aller dans… dans cet endroit. Mais seulement si lui n'y est pas.

Do demeura silencieuse : le silence de la peur. C'était maintenant ; maintenant. Cela ne pouvait être remis à plus tard. Elle avait planifié ; avait répété la scène – comment commencer ; encore et encore, elle l'avait répétée. Mais dans la scène, telle qu'elle la jouait dans son esprit, c'était toujours elle qui commençait. Elle se sentait prise au lasso : il la tenait dans un nœud coulant.

– Mon père a dû te dire comment ils s'arrangent. Les heures de visite, les jours où il va la voir, tout ça. Histoire que je ne le rencontre pas.

– J'y suis allée, finit par dire Do. J'ai pris l'avion jusque là-bas à mon retour de Paris.

– Tu as vu ma mère ?

– Elle peignait.

– Elle peignait ?

– Un paysage, oui. Une scène nocturne, une sorte de champ. C'était… ravissant. J'ai vu… qu'elle avait un immense talent. Est-ce moi qui avais mal compris – ou les explications d'Iris –, je ne m'attendais pas à ce que ce soit un endroit comme celui que j'ai découvert quand je suis arrivée là-bas. Je m'attendais à… tu sais, une maison de repos, c'est comme ça que l'appelait ton père. Marvin et son sens de la satire…

– Un asile de dingues. C'est là qu'il l'a collée, c'est ça ?

– Elle m'a dit que c'était elle qui avait choisi de partir. Dans un accès maniaque, Do ajouta : Ou, plutôt, qui avait été choisie.

– Elle t'a dit ça ?

– En fait, c'est plutôt une… résidence. Une résidence d'artistes. Marvin s'en moquait ouvertement, il refusait de prendre ça au sérieux. Des rangées de chevalets partout, sur toutes les pelouses. Et de la musique ! Du piano. Des compositeurs, des concerts du matin au soir. Ils avaient même un Blüthner…

– Qu'est-ce que c'est que ça ? demanda Julian, saisi, ravi.

– Un célèbre piano à queue, un genre de Steinway européen. Ta mère avait l'air très heureuse. On doit... On doit poser sa candidature pour être accepté dans un environnement pareil. C'est un honneur d'être admis. C'est l'équivalent d'une distinction, d'un prix.

– Mais Iris... tu l'as entendu comme moi, elle a dit que maman commençait à perdre les pédales...

– Je n'ai rien constaté de semblable, pourquoi Iris dirait-elle des choses pareilles ? Par dépit, peut-être – à cause de la brouille. Elle est partie, tu sais bien, sans dire à Margaret qu'elle partait. Ta mère et moi avons eu un très bel échange lors de ma visite, nous ne nous étions pas vues depuis des années. Nous avons parlé, parlé.

– De quoi ?

Do temporisa.

– Eh bien, elle était, je dois dire, un peu en colère contre ton père. Tu sais comme il peut être sarcastique parfois. Elle m'a dit qu'elle était heureuse de pouvoir s'échapper quelque temps.

Un soupçon de vérité dans un tourbillon d'inventions. Ces folles affabulations, ce robinet à sornettes. Elle s'était laissé emporter par un invincible torrent qui la dévorait, mensonge, mensonge, mensonge, une véritable dépravation ! Et il la croyait, il ne demandait pas mieux que de la croire. Elle l'emplissait de joie. La peau de son visage rougeoyait autour des filaments jaunes de sa moustache. Lui, le poète (« Les colombes du Marais »), n'était autre que le rejeton d'un peintre, d'une artiste primée !

Et, cependant, comme tout cela était risqué – ce fruit de son imagination pouvait si facilement être contredit. Le fils garderait ses distances avec son père, de cela on était sûr, mais s'il avait l'intention de se rendre en Californie, où Iris serait bientôt cloîtrée, alors Iris... Non ! Une éventualité insensée. Julian ne ferait pas le voyage pour aller voir sa mère, il n'y avait pas de mère à voir...

Impossible de remettre la révélation à plus tard.

Avec circonspection, Do avança à tâtons :

– Si vous comptez aller à L.A…

Lili coupa sèchement :

– D'abord nous allons au Texas.

Comme ce nom était grotesque dans sa bouche. Il ne s'accordait pas avec sa nature.

– Au Texas ? Pourquoi le Texas ? Vous connaissez quelqu'un là-bas ?

– Lili a un ami, enfin, pas exactement un ami. Elle a eu de ses nouvelles juste avant notre départ, ils travaillaient ensemble. Il pourrait être son père, rien qu'à voir la joie qu'il a eue d'apprendre qu'elle n'était pas seule. Qu'elle m'avait, moi, avec la bague au doigt.

– Il vient de Pologne, dit Lili. C'est un brave homme.

– Et il y fait sans doute aussi bon vivre que n'importe où ailleurs sur terre, remarqua Julian. Peut-être même meilleur, pour nous. Cette fois, Lili ne sera pas la seule – nous serons tous les deux… tu vois… des étrangers.

– Mais de quoi vivrez-vous ?

– On s'en sortira. Lili s'en sort toujours. Et Kleinman – c'est cet ami – dit qu'il y a toutes sortes de possibilités pour quelqu'un qui se débrouille en espagnol…

Des possibilités, parmi les scorpions et les étendues désertiques ! Et Julian, qui s'arrangeait pour être un étranger dans son propre pays.

– Ensuite, dans une semaine ou deux, quand on sera de nouveau sur pied, on ira voir ma mère. Je n'aurais jamais imaginé qu'elle pratiquait une activité artistique, elle n'en avait pas autrefois, et papa se serait moqué d'elle si elle avait essayé. Vu comment il s'est conduit avec moi…

Dans cette histoire inventée de toutes pièces, il croyait à tout ! Et Lili ? Pourquoi n'y croirait-elle pas, et quelle importance, puisque Margaret était morte ?

– Julian, dit Do. Elle rampait vers la vérité, sur le ventre, comme un chien apeuré… J'ai dit à ta mère que tu rentrais au pays. Je l'ai mentionné dans une lettre à mon retour à New York, elle était si impatiente et heureuse à l'idée de te revoir…

À ces mots, il se hérissa.

– Oui, mais je ne rentre pas vraiment au pays. Pour nous, pour Lili et moi, le Texas est un autre pays, c'est ça l'idée.

C'est ça l'idée. Le jargon de Marvin, l'insistance de Marvin. Mais, sous l'écorce dure, le tendre garçon.

– Ils l'ont retrouvée dans sa poche, ce n'étaient que quelques lignes. La poche de sa robe. Parce que… parce que… tu vois… c'était un accident, un accident de la route, elle a été percutée, personne ne sait où elle allait…

Lili poussa un cri. C'était le même que celui que Do avait entendu dans la nuit.

– La route ? dit Julian. Quelle route ?

– Celle qui passe… juste devant la résidence d'artistes.

Cette expression mensongère la dégoûtait à présent. Elle n'avait gorgé son neveu de joie que pour mieux l'anéantir. Anéantissement sur anéantissement.

– Alors elle est à l'hôpital…

– Non, dit Do. Non.

– Julian, murmura Lili, et elle saisit les mains de Julian, qu'elle plaça de force autour de sa poitrine pour les y maintenir.

Il la serra dans ses bras avec un hennissement qui se brisa en éclats, pour ne plus ressembler à un hennissement – mais qu'était-ce alors ? Un bruit malade et labyrinthique qui ne venait pas du fond de la gorge, mais sortait d'un organe sans nom, enfoui, difforme – la musique du diable –, Seigneur, le garçon se noyait dans le rire de son père !

– Quelle blague, la théologie, tu es folle ou quoi ? J'aimerais, j'aimerais, dit-il d'une voix éraillée, qu'il puisse y avoir un Dieu, mais il n'y en a pas, il n'y en a pas, il n'y a rien…

Il quitta la pièce à la suite de Lili. La porte se referma, comme fondue dans le mur. Il avait laissé son livre sur la chaise. Et Do put voir de quoi il s'agissait : *La Pureté du cœur*. Bientôt ils seraient partis, en route vers ce nouveau pays de leur éclipse consentie. Elle ne le regrettait pas. Elle ne s'attendait pas à les revoir un jour. Ce tendre, tendre garçon… l'engouement faiblirait.

La symphonie qui jamais ne fut, le Dieu qui n'est jamais.

52

À huit heures, le soleil trempé de décembre avait déjà commencé à changer les caniveaux en rivières infranchissables. Do enfila ses caoutchoucs ; elle allait au travail. Le retour à l'ordinaire, au prévisible : dans une heure, César serait assassiné, et ses jeunes hommes (c'étaient presque des hommes) laisseraient exploser leur vacarme festif. Shakespeare leur enseignait le cynisme, et pourquoi pas ?

La porte de la chambre s'ouvrit. Lili sortit, encore en chemise de nuit.

– Comment va Julian ? demanda Do.

– Il s'est endormi. Aujourd'hui nous partons.

La chemise de nuit était sans manches. Un trou dans le haut du bras. Une seconde bouche, au mauvais endroit – sans lèvres, sans paroles.

– Aujourd'hui ? Déjà ?

– C'est ce que mon mari souhaite.

– Je pensais que vous voudriez rester au moins quelques jours…

– C'est ce que souhaite mon mari.

– Je l'ai blessé, pas étonnant. Je ne pouvais pas faire autrement, dit Do. Je ne pouvais pas ne pas lui dire. Sa mère… j'étais forcée de lui dire, il fallait qu'il sache.

– Parfois, dit Lili, le fou recherche la mort.

– Personne ne sait ce qu'elle avait en tête.

La lettre dans sa poche, suis-je donc à blâmer ?

– Mais sa tête n'allait pas vraiment bien ?

– Oui et non. C'est difficile à dire, nous nous connaissions à peine. Pauvre Julian, je lui ai brisé le cœur…

– Sa mère était une femme brisée, non ?

La peinture fécale, la fuite pieds nus.

– On peut dire ça, reconnut Do.

– Cette autre femme – elle est entière, intacte. Entière et habile.

– De qui parlez-vous, quelle autre femme ?

– L'artiste, la femme qui peint…

– Ah, dit Do.

Comme elle était transparente pour la femme de Julian : comme s'il avait épousé une sibylle.

– C'est elle qu'il conservera dans son cœur, maintenant, cette autre femme. La mère habile qui peint.

– Ce n'est pas vrai, Lili. Vous savez que ce n'est pas vrai.

– Pour mon mari, c'est vrai. Comme vous êtes bonne ! dit-elle.

– Il y croira ? Pourtant vous…

– Il est comme un ange, comme un enfant, il voit tout et il ne voit rien.

– Vous avez dit, un jour, que c'était un homme, dit Do d'une voix lourde.

Sur le petit visage foncé de Lili, les sillons fatigués dessinaient un delta, comme au front d'un tigre.

– Seul un homme est capable de pleurer dans son lit, répondit-elle. Puis de nouveau : Comme vous êtes bonne !

53

Soir de Noël

Chère tante Do,

Je suis toute seule ce soir – seule avec papa, comme presque tous les jours – et j'ai pensé que j'allais t'écrire, car j'imagine que tu es seule aussi, mais tu ne fêtes pas Noël, je crois. C'est juste qu'il est arrivé quelque chose de bizarre cet après-midi, et je me suis dit qu'il vaudrait peut-être mieux que je te mette au courant. Papa n'était pas très bien disposé à l'idée de faire un sapin cette année, je ne peux l'en blâmer, mais notre jardinier a livré un bel et grand épicéa bleu, comme il le fait tous les ans, aussi loin que je me souvienne. Personne ne lui a dit de ne pas le faire, alors j'ai demandé à Mrs Hruska (c'est la femme de ménage de papa) de m'aider à remonter les décorations de la cave. Deux boîtes pleines de ces drôles de colifichets que maman a amassés durant des années, des petits ânes et des petits moutons argentés, des boules brillantes rouges et vertes que Julian et moi voulions lécher quand on était petits, et l'étoile orange pour le sommet. Nous avons tout accroché, sauf les guirlandes lumineuses, parce que les fils étaient trop emmêlés et que Mrs Hruska a peur de toucher tout ce qui fonctionne à l'électricité ; elle déteste utiliser l'aspirateur. Papa a vu le travail terminé – c'était vraiment très beau –, mais il n'a pas dit un mot. Je n'arrive pas à savoir si cette merveilleuse odeur de conifère et l'atmosphère de la maison toute décorée pour Noël lui remontent le moral ou le rendent encore plus triste. Il a presque arrêté d'aller au bureau, mais il est au téléphone toute la journée, et ce n'est pas comme s'il avait lâché les rênes – en fait, c'est plutôt que, depuis l'accident, on dirait qu'il ne veut plus voir personne. Quand Phillip a fini par rentrer de Milan, il était beaucoup trop tard pour que je puisse assister aux funérailles, mais Mrs Hruska m'a tout raconté : une foule à l'église, a-t-elle dit, y compris ces riches hidalgos du Mexique avec qui papa est en affaires. Je me suis rendue sur la tombe de maman, quand même (la tombe de maman, c'est horrible d'avoir à dire ça), mais papa n'a pas voulu venir avec moi, alors j'ai dû y aller toute seule et lire ce qu'il y avait écrit sur la pierre tombale : ÉPOUSE CHÉRIE, MÈRE AIMÉE. C'était tellement rebattu et ordinaire que, d'une certaine manière, j'ai trouvé que ça ne rendait pas justice à maman, je ne sais pas pourquoi. Peut-être parce que si elle avait pu choisir elle-même son épitaphe, elle aurait choisi quelque chose de neutre, une citation de la Bible ou des Évangiles, quelque chose de semi-religieux comme ça. Il y a une semaine à peine, papa a reçu un mot par la poste de la part d'un des cousins de maman à Boston, quelqu'un dont je n'avais jamais entendu parler, il a vu la signature et m'a tendu la lettre sans la lire. C'était de la part de Malcolm Alexander Breckinridge III, et ça disait combien il chérissait le souvenir des parents de maman pour lesquels il avait le plus grand respect et la plus grande admiration, il espérait que les enfants de Margaret avaient été élevés en bons chrétiens malgré tout, et la lettre se terminait par des condoléances pour Julian et moi, pas un mot pour papa, comme s'il n'existait pas. Papa a reçu beaucoup d'autres lettres de condoléances, surtout de la part de relations de sa boîte, et des épouses des hommes qui travaillent dans ses équipes. Il les regarde à peine. Je n'arrive pas à savoir ce qu'il pense. Même aujourd'hui – le soir de Noël ! – il a passé des heures au téléphone, les affaires, rien que les affaires, il a dit qu'il me ferait installer une ligne personnelle pour que je puisse recevoir des appels de mes amis, comme si j'en avais quelque chose à faire. Depuis que je suis rentrée à la maison – depuis Phillip –, j'ai pratiquement perdu tout intérêt pour les choses telles qu'elles étaient avant. Et, quoi qu'il en soit, ça n'a pas de sens de retourner au labo alors que j'ai raté un semestre entier – et d'ailleurs ils ne m'accepteraient pas, le directeur du département a posé son veto, et mon ancien collaborateur, livré à lui-même, a fini par boucler le projet sur lequel on travaillait, en modifiant une protéine pour activer la cristallisation – ce qui, soit dit en passant, était mon idée. Nous avions disposé plusieurs boîtes de culture remplies de protéines dans la chambre froide et nous attendions – ou plutôt, nous espérions comme des fous – qu'elles cristallisent et croissent suffisamment pour qu'on puisse les passer aux rayons X. Cela peut prendre des semaines et des semaines, parfois plusieurs mois avant que les cristaux de protéines ne se développent, et, bien entendu, tout ça s'est produit pendant mon absence ! Ne crois pas que je sois jalouse, je suis sûre que je pourrai reprendre en septembre prochain, peut-être autour d'une idée différente, et, pour faire plaisir à papa, je le ferai. Je voudrais l'impressionner. Le problème, c'est qu'il y a tellement de temps à tuer d'ici là, seule dans cette maison, avec lui dans cet état, complètement à plat… C'est peut-être à cause de l'arbre, des boules rouges et vertes, ou de je ne sais quoi d'autre, mais quand il a fini par raccrocher le téléphone pour donner ses étrennes à Mrs Hruska (elle est partie tôt, juste après qu'on avait fixé l'étoile, moi sur l'échelle et elle la tenant fermement pour que je ne risque pas de tomber), tout d'un coup, il s'est mis à poser des tas de questions sur Julian, savais-je où il était, avais-je eu de ses nouvelles. J'ai dit en toute franchise que je ne savais rien, seulement ce que lui savait aussi – je n'ai pas osé lui dire qu'ils étaient sans doute partis retrouver l'oncle de Lili –, et à ce moment-là, on a sonné à la porte et papa a disparu. « Je ne suis pas d'humeur, donne-leur deux dollars et qu'on s'en débarrasse », m'a-t-il dit – on pensait tous les deux que c'étaient des enfants qui faisaient du porte-à-porte pour proposer des chants de Noël. Mais c'est un homme qui s'est présenté sur le seuil, un homme d'une cinquantaine d'années, je crois, et qui voulait parler à papa. Il a expliqué qu'il avait essayé de téléphoner toute la journée, mais que la ligne était constamment occupée, notre téléphone était-il en dérangement, et comme il habitait plus ou moins dans le coin, il s'était dit qu'il aurait aussi vite fait de passer. Bon, tante Do, en bref, il voulait savoir si papa avait ton adresse à New York – et qui crois-tu que c'était ? Ton mari ! Enfin, ton ancien mari. On s'est mis à parler, je lui ai même proposé d'entrer, il a failli dire oui, mais il a préféré repartir. Do ! Ton mari ! Il veut reprendre contact avec toi !

J'espère que ton Noël est aussi joyeux qu'il se doit. Plus joyeux, en tout cas, que le nôtre, et sans doute le sera-t-il.

Iris

54

Il avait emballé la chose dans trois épaisseurs de papier et l'avait protégée avec deux solides plaques de carton avant de l'insérer dans une enveloppe matelassée – cependant il savait que rien ne pourrait la retenir, ni l'atténuer, pas plus que s'il avait voulu enfermer une flamme dans un paquet de feuilles mortes. Cela continuait de brûler, cela brûlait, malgré tout ce qui la protégeait, la dissimulait. Elle aurait les mains en feu en l'ouvrant ! – ces mains qui l'avaient rendu fou, la gauche étirée à fond comme l'aile d'un cormoran, la droite serrée en marteau rapace. Ses empreintes digitales se dissoudraient et ses articulations se changeraient en cubes noircis ; elle avait récolté ce châtiment, elle était un succube vengeur, elle avait fondu sur lui soudainement, en embuscade, décidée à l'émasculer. Son châtiment passerait par l'aveuglement de sa vision – la clarté aveugle de sa vision : elle serait forcée de regarder ces notes noires et rondes, debout sur leurs tiges, comme des cigognes noires et hurlantes – un cryptogramme de taches et de filaments qui n'étaient déchiffrables que par le son –, et elle – elle qui s'était moquée de son impuissance – ne pourrait pas, ne saurait pas les entendre ! Ses oreilles étaient aveugles à ces gouttelettes de sang noir qui s'abattaient en averses, à queue, en barre, certaines confinées à leur portée, d'autres laissées libre de s'élever au-dessus et au-dessous d'elle, sécrétant, depuis le chaos de leur territoire, des syllogismes, alors même qu'ils entraient en éruption dans une turbulence critique…

La chose était accomplie, terminée, arrachée au Blüthner, arrachée aux poumons de Leo, à ses testicules, à son ambition, à son désir écrasé et desséché. C'était la vengeance, c'était le courroux. Et, ici et là (il le sentait, comme un philosophe sent la vérité), cela donnait naissance à la Beauté. Le courroux était inscrit dans sa chair, mais le sublime lui était venu d'un pouvoir masqué par un voile. Le sublime serait son châtiment : elle demeurerait enfermée dehors par les barreaux de son ignorance. La clé, le code, la voix des notes, tout cela resterait muet. Elle était ce qu'il avait toujours pensé qu'elle était : une nullité musicale.

Et de ces mains nulles et sourdes, l'une fermée, l'autre étirée, avait jailli l'exultation ! Par-delà le dépit, il entrevoyait la gloire. L'orchestre au complet, les plus grandes salles (Chicago, New York), le chef d'orchestre avec sa crinière blanche – il dressa un bref inventaire des sommités qu'il préférait – et le public debout, terrassé par le ravissement, un ravissement enflammé, provoqué par le produit de son cerveau-matrice, les quatre mouvements atteignant l'acmé dans un coup de maître, un chœur de minuscules faussets nains (on pourrait sans doute recruter de tels chanteurs miniatures) sur fond d'explosion de timbales. Il désirait que l'œuvre fût connue – c'est ainsi que le monde entier l'appellerait – sous le nom de : *La Symphonie de Coopersmith en* do *mineur.*

Mais cette appellation ordinaire était loin d'offrir toute satisfaction, et, de toute façon – au cours de sa longue expérience dans le cinéma, Leo avait depuis longtemps appris à adopter un réalisme amer –, il était fort probable qu'elle ne serait jamais jouée : le pays pullulait de symphonies ratées. Peu importe, la chose était faite, achevée. Une victoire sur l'incrédulité. Mais comment la lui faire parvenir ? Où habitait-elle à New York ? Après toutes ces années, sans doute pas dans le vieil atelier encombré du Bronx.

Le frère. Le magnat suppliant. Le frère lui avait laissé sa carte – non qu'il ait eu l'intention de la garder.

... Prenez-la, il y a tous mes numéros, et, s'il vous plaît, n'hésitez pas à me dire si vous entendez parler de quelque chose qui pourrait convenir à un garçon doué pour l'écriture, mon fils a l'air de penser qu'il se débrouille bien dans ce secteur, des scénarios par exemple. Vous ne le regretterez pas si vous lui trouvez quelque chose, quoi que ce soit…

Leo l'avait envoyé paître – un rustre qui négocie avec une relation fanée de sa sœur : un mariage mort, enterré, oublié. Mépris. Dégoût. Pourquoi Leo Coopersmith se laisserait-il importuner par le mémento d'une toquade ancienne, d'un mauvais tournant dans sa vie ? Mauvais et inutile – que lui avait-elle apporté de bien ? Qu'avait-elle fait d'autre que de le harceler à force d'attentes – qui, il faut l'avouer, correspondaient à ses propres prétentions et projets, ce qui rendait la chose encore plus agaçante. Et ce rustre haletant et ventru avait eu le cran de tendre sa carte à celui-qui-avait-été-son-beau-frère-autrefois, réduit à un simple étranger ! Debout dans le vestibule (où, de temps à autre, il lui arrivait de sentir les relents puants du chien de l'acteur du muet), Leo avait balancé la carte par-dessus son épaule, à la manière des gens superstitieux qui crachent dans leur dos pour éloigner le mauvais sort. Il s'était débarrassé de ces poursuites et suppliques, il avait fichu ce type dehors.

Un mois plus tard, il découvrit *Marvin Nachtigall, design aéronautique*, légèrement cornée aux angles, sur le plan de travail de la cuisine – Cora, imaginant que c'était une carte de valeur, l'avait sauvegardée. Trouvaille imprévue : pour atteindre la sœur, il passerait par le frère.

Mais ce fut une fille qui lui ouvrit la porte. Une fille nerveuse, en jupe longue, s'affairant sur une barrette dans ses cheveux. Des cheveux qui avaient l'exacte couleur de l'un des panneaux d'ambre de l'imposte au-dessus de sa tête.

– Ah, fit-elle, surprise. Mais alors c'est pour ça qu'on n'entendait pas de chants…

– De chants ?

– Les chorales de Noël. C'est en général vers cette heure-là qu'elles se présentent.

Il l'examina. Sa nervosité se concentrait dans le tremblement de ses narines, dans sa langue qui s'immisçait entre les lèvres pour les humecter. Derrière elle, dans la pièce sombre, il distingua la silhouette d'un sapin non illuminé mais couvert de babioles. Cependant, pas le moindre signe de festivité. L'obscurité, le silence.

– C'est pour une collecte ? Cinq dollars, ça ira ?

Elle était sur le point de lui fermer la porte au nez.

– Marvin Nachtigall, articula-t-il. Je crois que c'est là qu'il habite, non ? Je suis à la recherche de sa sœur. Doris Nachtigall.

Elle rouvrit la porte en grand.

– Mais c'est ma tante. La sœur de mon père.

– Et c'est à votre père que j'aimerais parler. J'aimerais lui parler de sa sœur, savoir comment la retrouver…

– Je peux vous le dire, moi. Qu'est-ce que vous lui voulez ?

– Je lui dois quelque chose, dit-il. J'ai essayé d'appeler, pour voir si votre père…

– Elle ne s'appelle pas Nachtigall, elle a un autre nom.

Léger pincement de surprise :

– Elle est donc mariée ?

– Plus maintenant, elle l'a été il y a des années.

Elle ferma la barrette sur ses cheveux comme si la force qu'elle y mettait avait le pouvoir de le faire disparaître. Ce qu'il avait pris pour de la nervosité était en fait de l'impatience.

– Qu'est-ce que vous lui devez au juste ?

– Un cadeau. Un cadeau musical.

Comment pouvait-il dévoiler si spontanément cette chose si énorme sur le pas d'une porte, à l'air libre ? C'était l'audace de l'anonymat. Il avait l'impression d'être un imposteur.

– J'imagine, dit-il, que vous ne connaissez rien à la musique.

Comment aurait-il pu en être autrement ? Son sang l'en empêchait.

– Ma mère était assez musicienne, je crois – elle nous a dit un jour que lorsqu'elle était adolescente, elle devait chanter dans la chorale de l'église, ça ne lui disait rien, mais bon. Elle est morte, maintenant, elle est décédée. Les paupières pâles de la jeune fille papillonnèrent.

Presque personne dans ma famille n'est musicien. Ma tante Do est la seule, elle a un énorme piano à queue chez elle, qu'elle traite comme si c'était un autel…

– Il était à moi autrefois, dit-il.

– À vous ? fit-elle d'un ton méditatif.

– J'en ai un autre aujourd'hui, dit-il en lâchant ce que – perversement – il savait être un sourire dangereux. Un autre instrument, une autre vie. J'ai même eu d'autres femmes.

– D'autres femmes ?

Comme électrifiée, elle laissa la stupéfaction derrière elle pour ménager une place à la compréhension.

– Elle s'appelait Doris Nachtigall quand nous nous sommes rencontrés.

– Elle se fait appeler Nightingale.

– Alors qu'elle a l'oreille d'un corbeau. Si vous pouviez m'aider à savoir où lui envoyer…

– Entrez un instant, je vais vous écrire l'adresse.

– D'accord.

Mais il songea que ce n'était pas une bonne idée. La jeune fille était parfaitement serviable, inutile de voir le père. De plus la donne avait changé : qui serait le suppliant à présent, qui mendierait pour obtenir un service ?

– Et, s'il vous plaît, n'en voulez pas à mon père, prévint-elle. En dehors des affaires, il ne parle à personne, il fait un genre de dépression. Il n'aimerait pas vous voir ; en ce moment il ne supporte personne.

Irritabilité. Ou était-ce de la fureur ? De l'ennui, peut-être.

– J'attends dehors, dit-il.

Lorsqu'elle revint à la porte pour lui tendre un morceau de papier arraché d'un carnet, elle demanda :

– C'est quoi cette histoire de corbeau ?

– Oubliez les contes de fées. Dans la vraie vie, lui enseigna-t-il, les rossignols ne chantent pas mieux que les corbeaux.

En réponse à cette boutade, elle lui accorda un sourire. Éclat furtif de ses dents du haut : un joli rang de petites touches blanches.

– Vous allez parfois au cinéma ? dit-il.

– Vous m'invitez à sortir avec vous ?

– J'ai peur que non. Je suis trop vieux pour ça.

– À Paris, j'avais un amoureux qui avait quarante ans, ça ne me dérangerait pas.

– Paris ?

– Je voyage pas mal. Ou, plutôt, je voyageais.

– Eh bien, si un jour vous allez voir un navet qui s'appelle *La Boutique de Betsy* – il se joue dans toutes les salles en ce moment –, considérez que je vous en dédie la musique.

– Et qu'est-ce qui me vaut cet honneur ?

– Vous m'avez permis de retrouver votre tante. Vous entendrez deux jolis petits scherzos.

– Qu'est-ce qui vous fait croire que ça m'intéresse ?

– C'est moi qui les ai écrits.

– Vraiment ? J'avais cru comprendre, lança-t-elle, que vous ne jouiez que du hautbois.

Il eut envie de la gifler. Elle savait à qui elle avait à faire depuis plus de dix minutes ; elle s'était jouée de lui, comme on amuse un chat avec un bout de ficelle. Pire, elle avait hérité de son père un naturel insultant. Mais c'était une jolie chose, un genre de scherzo, sautant d'un mode à l'autre ; ce n'était pas une innocente. Elle lui expliqua qu'elle avait, du moins temporairement, quitté l'université. Elle lui dit que sa mère avait été fauchée par un bus sur l'autoroute et qu'elle avait dû rompre avec Phillip à Paris, qu'elle avait travaillé dans une clinique, et aussi qu'elle était excédée par son père, qui était souvent un tyran, même s'il l'était moins en ce moment. Elle ajouta que c'était son père qui l'avait facétieusement baptisée du nom de la déesse vierge qui loge dans les nuages ; elle laissa planer cette extravagance, mais il perçut, à la façon dont elle bataillait de nouveau avec sa barrette (voilà qu'elle s'y remettait), qu'elle inventait cette légende au fur et à mesure.

Tout cela sur le seuil d'une maison, au-dessous de l'imposte.

– En un sens, dit-elle – et son sourire prit une pente complice –, vous êtes pratiquement mon oncle.

Cela le remua : c'était comme trouver le tempo juste pour une ritournelle sans intérêt.

Depuis le bout de la rue, une chorale de Noël approchait. « Oh, venez à moi, vous, mes fidèles », chantait-elle.

Et, pour une raison qu'il n'aurait su donner, ce fut sur le seuil d'Iris Nachtigall, et grâce au souvenir parcellaire d'un conte logé dans sa mémoire d'enfant languissamment plongé dans les livres, que la vérité de son grand œuvre s'abattit sur Leo Coopersmith. Il l'appellerait – le monde l'appellerait – du nom d'un oiseau douteux au bec coupant.

55

Iris se sentait de nouveau ridiculement grande, un Gulliver parmi tous ces êtres minuscules se tortillant sur les dix rangées devant elle, et sur les innombrables qui se trouvaient derrière, ainsi que sur la longue chaîne bleue de fauteuils en velours qui se déroulait à sa gauche et à sa droite; leurs petits regards levés vers le haut, comme une herse de têtes d'épingle, convergeaient vers elle. L'homme qui aurait pu être son oncle n'avait pas fait la moindre allusion au fait que *La Boutique de Betsy* était un film pour enfants, et même pire – un dessin animé! Betsy était en fait une grosse dame castor portant un tablier plein de poches, qui tenait une boutique de fruits confits au creux d'une souche, le long d'un ruisseau, non loin d'un barrage. Le barrage constitue un rempart contre une forêt menaçante, où un méchant sorcier, au masque de loup polisson, cache une sinistre fabrique au fond d'une grotte décorée de toiles d'araignées et flanquée d'étagères chargées de fioles, de pots et de bocaux de verre, tous emplis de fausses confiseries richement colorées.

Une nuit, alors que Betsy dort en ronflant de tout son cœur, il s'introduit dans le barrage construit avec de la boue et des branchages par la dame castor et envahit sa boutique. Son sombre projet consiste à substituer ses confiseries dangereusement colorées aux fruits confits, bons pour la santé, de Betsy, aussi goûteux que de la crème fouettée mais doués d'autant de pouvoir vitaminé que les carottes, les épinards ou les choux-fleurs. Tous les enfants du coin ont l'habitude de se réunir autour de la joyeuse boutique de Betsy:

souris, écureuils, ratons laveurs, un ou deux porcs-épics comiques, une troupe de poussins bavards, ainsi que les nièces et les neveux à fourrure brune de Betsy, qui font claquer leur queue plate d'excitation. Dans une charmante scène d'ouverture, accompagnée par des arpèges à la harpe, les enfants animaux dansent en cercle autour de Betsy, qui plonge les mains dans les profondeurs de ses grandes poches pour faire pleuvoir une averse de ses fruits confits si bons pour la santé. Et juste à ce moment-là, alors que les enfants réjouis se précipitent pour les ramasser, le gazouillis musical devient encore plus joyeux, encore plus pétillant – des papillons s'élevant en un nuage poudreux : le scherzo de Leo Coopersmith.

Mais ce n'était pas pour le plaisir d'entendre ce passage riant des harmonies de cordes qu'Iris était venue, pour la deuxième fois de la journée, s'enfermer patiemment afin de subir cette histoire : le sorcier à tête de loup qui s'introduit dans l'échoppe obscure pour remplacer le contenu bienfaisant des bocaux de Betsy par ses contrefaçons funestes, et les enfants animaux qui ingèrent innocemment les mauvais bonbons et tombent dans une stupeur inflexible, une hypnose de soumission qui les conduit, sur les ruines du barrage, vers l'enfer laborieux de l'usine souterraine, où, yeux charbonneux et muets, on les force à touiller le caramel factice dans d'immenses cuves, sans cesse renouvelées afin de tromper d'autres troupes d'enfants et de les amener à servir les sombres desseins du méchant sorcier. Voilà qu'à présent l'assaut beuglant de la contrebasse explose, suivi du tremblement perçant des fifres, des battements denses d'un tambour – sons effrayants. Tout autour, les enfants humains halètent et crient – certains sont en larmes et hoquettent –, mais soudain, notre brave Betsy surgit, épaulée par un détachement de la police des castors… Et ainsi de suite, jusqu'à ce que le sauvetage soit accompli et que le joli petit scherzo reprenne le dessus.

Au stand de confiseries, dans le hall grouillant de monde, Iris remarqua une large corbeille emplie de bonbons rouges, jaunes, bleus et violets emballés de cellophane, et portant les mots : LES FRUITS

CONFITS DU MARCHÉ DE BETSY. Elle ne se rappelait aucun moment dans l'intrigue où il eût été question d'un marché, ou de quoi que ce fût du même ordre : les scénaristes s'étaient-ils fait couper une de leurs idées maîtresses au tournage ? Ou était-ce que les enfants esclaves récemment libérés étaient embarqués dans la reconstruction urgente du barrage ? Le sauvetage a un prix, une forme de servitude en remplace une autre, et supposons un instant qu'ils aient appris à aimer la vie souterraine plus sombre et silencieuse ? Une ruse, pensa Iris – le travail d'esclave sur le barrage présenté comme un effort collectif produit dans la joie. Mais le public se précipitant vers la sortie ne s'en souciait guère, et en moins de cinq minutes, il ne restait plus un sachet de bonbons dans la corbeille.

Iris ne s'en souciait pas non plus. C'était un de ces divertissements rances à la Disney : le joueur de flûte de Hamelin, avec un fil ou deux empruntés à l'histoire du haricot magique – créatures qui parlent, tourbillon de couleurs, animation guindée, édulcorée ! Édulcorant et poison. Le labeur forcené déployé sur l'écran n'était que pur gâchis, et rien à voir avec... le sentiment... Sauf peut-être cette histoire de poches de tablier qui sèment, sans le savoir, les confiseries funestes du sorcier... Ce qui se trouve dans une poche peut parfois être mortel. Et supposons que c'eût été un film sérieux pour adultes, *Le train sifflera trois fois*, par exemple, avec Gary Cooper (Iris avait vu les affiches partout – c'était l'un des deux gros films américains sortis cet été à Paris, avec *Whispering Winds*), le réalisateur, l'histoire et les mouvements de caméra ne se seraient pas montrés plus divertissants que ce dessin animé pathétique. L'inutilité de ces arcanes réservés aux cinéphiles ; cependant elle s'était mise en quête, ces deux dernières semaines, d'une salle, à Santa Monica, réputée pour passer des classiques et d'un cinéma miteux de Pasadena spécialisé en reprises, et de tous les endroits possibles et imaginables où elle pouvait se précipiter dans les houles et le ressac des vibrations produites par Leo Coopersmith. C'étaient les vibrations – les tremblements – qu'elle traquait. Dans ces musiques (il y en avait tant et tant) se cachait la chose privée, la chose secrète qu'elle avait à cœur de découvrir : qu'y avait-il chez le mari (le mari !) qui avait permis à Do de se débarrasser de lui, de le laisser partir ? Tel un sorcier, il était apparu après une longue, longue éclipse, pour s'insinuer expressément dans l'orbite vacante de Do. Mais Do était inextricablement à part : elle était irrécupérable. Elle avait épousé un mari et l'avait laissé partir. Ce moment pivot du « laisser partir », comme un verrou dissimulé qui soudain cède : de quelle nature était-il vraiment ?

Les musiques lui fourniraient la réponse. Iris écoutait, écoutait : elle fermait les yeux, draguant les fonds. Accouplements lascifs parmi les flûtes en volutes – elle les ramenait à la surface. Elle était dégoûtée par les accouplements de ce monde. Amoureux, amants, maris, flâneries indolentes (n'avait-elle pas été à deux doigts de flirter avec l'homme qui aurait pu être son oncle ?), tandis que dans les régions insues de la terre, des montagnes enneigées et des lacs ridés d'éclats de lune attendent, et que, dans la cité blanche et marmoréenne de Rome, se dresse le puissant Moïse de Michel-Ange ! (Les promesses avortées de Phillip, qu'était-il advenu de Florence, de Côme et des Alpes aperçues depuis Milan ?) Au lieu de ça, ces accouplements d'élevage, l'accouplement fatidique de son père et de sa mère, ces mal assortis ; cela avait rendu son père avide et sa mère imprudente. Son frère avec sa femme étrangère, très loin dans un pays étranger pour ce qu'elle en savait, s'agrippant l'un à l'autre sous un ricin qui les abritait du brûlant soleil de la Méditerranée – et lorsque vient la nuit, les bruits de charogne, mourants, hagards et furieux. Et Phillip nu, jonglant avec ses promesses de montagnes et de lacs, la nudité affreuse de la nuit, la force nue qui s'en dégageait : l'accouplement... la copulation. Les pénétrations effrayantes. Le coït, un pouvoir vorace capable de rendre fécond le minuscule fruit secret, confit au fond de son ventre... Ses cristaux paisibles entreposés dans la chambre froide étaient parvenus à s'ériger en excroissances vertigineuses sans passer par des impératifs aussi bassement charnels ! Elle continuait de prêter l'oreille aux accouplements dans les nombreuses musiques, leur chaleur et leur rythme polluants, transitoires et changeants. Elle écoutait ; elle voyait. La réponse de Do reposait, enroulée comme un serpent, dans ces houles et ces ressacs, ces flèches et ces fléchissements, ces pulsations et ces retraits, ces encerclements et ces éloignements… Et Do s'en était libérée, elle avait laissé les musiques s'enfuir. L'homme qui avait été son mari ne la retrouverait jamais, peu importait qu'il crût lui devoir tant, peu importait qu'il eût voulu la corrompre en lui proposant un marché dont la rétribution n'était que des mélodies confites, en retard d'une vie.

Dans le cinéma à peine éclairé, des scintillations criardes d'orange, de vermillon et de violet pleuvaient depuis l'écran illuminé pour inonder d'un arc-en ciel de clarté les petits visages attentifs des enfants. Iris les dépassait de plusieurs têtes, semblable à une ogresse grotesque et rougeaude. Ses cuisses étaient longues. Ses mollets, durs comme la pierre. Elle aurait aimé être un enfant, comme ceux autour d'elle. Elle aurait aimé être une petite fille, avec son petit frère à côté d'elle, léchant en secret les boules de Noël rouges et vertes. Elle aurait aimé pouvoir congédier ses longues cuisses de femme et l'usine souterraine qu'était son ventre de femme. Plus jamais elle ne chuterait dans la folie de l'accouplement, jamais elle n'aurait de mari. Elle vivrait avec son père pour toujours. Elle voulait être libre. Elle voulait être Do.

56

10 janvier 1953

Do, j'ai appris par mes comptables que le chèque en question n'avait pas été encaissé, et je pense que tu es en devoir de m'informer, au cas où tu saurais quoi que ce soit – je ne peux croire qu'il cracherait sur une affaire de cette ampleur, et je suis certain qu'ELLE saurait quoi en faire. Est-il possible qu'il ne l'ait pas reçu à temps, s'est-il perdu dans le courrier ? Pour l'amour de Dieu, tu l'as bien envoyé par avion et en recommandé ? Toute autre hypothèse serait fichtrement stupide.

Marvin

•

12 janvier

Cher Marvin,

Ton courrier express par avion a bien été livré ici même, tôt dans la matinée d'hier. J'ai cru comprendre que tu prenais toutes ces précautions dans l'idée de m'administrer une leçon concernant les communications longue distance. Parfait, je prends note, mais cela n'a aucun rapport avec ce que je ne puis qu'appeler une affaire de cœur. Il est clair que ton fils souhaite faire sa vie à son idée – ne peux-tu lui reconnaître ce droit ? S'il a rejeté ton argent, il n'y a rien à redire. Cela signifie aussi qu'ELLE l'a rejeté, malgré le jugement que tu portes sur elle, en aveugle. Pour te dire la vérité, Marvin, il m'est arrivé, à moi aussi, de nourrir de temps à autre de tels soupçons à propos du mariage de Julian. Je pensais exactement comme toi – à ma grande surprise, tu as eu cet effet sur moi. Mais il est possible que ces deux-là recherchent autre chose dans ce monde – je ne sais comment le décrire, ni comment l'évaluer, mais la dernière fois que j'ai vu Julian

À cet instant, Do leva son stylo pour se concentrer : elle était sur le point de placer, en équilibre précaire, un mensonge de la taille d'un galet au sommet d'une montagne de tromperies qui s'était construite pierre par pierre. Julian chez elle, assis sur la chaise de Marvin ; mais elle ne pouvait l'avouer. À la place, elle écrivit ceci :

la dernière fois que j'ai vu Julian – c'était à Paris, la veille de mon départ, au cours de ce dîner dont je t'ai déjà parlé –, il lisait Kierkegaard ! Alors tu vois un peu où il a la tête – il a des inclinations métaphysiques, comment le dire autrement ? Cela l'a rendu un peu grincheux – il ne se soucie pas des choses triviales. Et elle a l'air d'être à peu près dans les mêmes dispositions – comme si sa blessure l'avait purifiée, d'une certaine manière, c'est difficile à expliquer, c'est quelque chose dans sa façon de parler, de penser, non que j'aie eu le loisir de passer beaucoup de temps avec l'un ou l'autre. Mais c'est peut-être aussi qu'elle lui fait du bien, et pourquoi ne pas l'accepter ?

J'espère que la nouvelle année t'apportera quelque consolation. Cela doit être un grand réconfort d'avoir ta fille auprès de toi, de nouveau.

Bien à toi,
Do

•

17 janvier

Do, je n'ai pas la moindre bribe d'idée de ce que tu entends par toutes ces balivernes. Kierkegaard, c'est quoi ce machin ? On dirait le nom d'un déodorant, ce qui signifie, en d'autres termes, selon moi, que ça pue comme l'enfer. J'ai fait opposition au chèque, un point c'est tout. J'avais l'intention de dire à Iris ce que j'avais fait – je me disais qu'elle reconnaîtrait la beauté du geste. Mais depuis qu'elle est rentrée, j'ai réfléchi et j'ai changé d'avis. Un paquet pour son frère qui n'a rien accompli, qui n'est rien – comment le prendrait-elle, cette fille qui a derrière elle des années d'huile de coude ?

Elle vit très mal la mort de Margaret, elle n'en dit pas un mot, en tout cas pas quand je suis là – elle appelle ça « l'accident », comme si sa mère pouvait encore être remise en état. Et si tu veux tout savoir, j'ai collé une équipe d'avocats au cul de ce soi-disant institut. Pareil pour la compagnie de bus, tu peux être certaine qu'ils vont le payer cher. Quant à cette lettre de cinglée que tu lui as envoyée, ça continue de me ronger, qu'est-ce qui aurait pu lui donner l'idée de partir, à part ça ? Je ne dis pas exactement que c'est de ta faute, peut-être que j'ai dépassé ce stade, mais regarde un peu ce qui s'est passé, qu'est-ce que je suis censé en penser, moi ? D'accord, je vais te dire précisément ce que j'en pense ! Ça m'a pris un moment pour recoller les morceaux, il fallait que j'aie les idées claires, et bon sang, ma pauvre femme, avec cette merde que tu lui avais écrite dans la poche ! Je me suis dit que ce n'était sans doute pas la première fois que tu lui écrivais, il avait dû y avoir des précédents – tu lui as dit des choses, tu savais des choses que tu ne m'as jamais dites, mais que tu lui as balancées à elle, derrière mon dos, tu lui as dit que Julian s'était marié là-bas !

Tu lui as dit des choses et je ne l'ai pas crue quand elle me les a répétées – comment j'aurais pu la croire, personne ne la croyait, elle était malade, c'était un des symptômes. La dernière fois que je suis allé la voir, est-ce que je ne te l'ai pas écrit noir sur blanc, ils avaient arrêté cette connerie de thérapie par la peinture pour la mettre au tissage, une activité ridicule, elle devait fabriquer des sets de table, tu te rends compte du degré d'imbécillité ? Margaret a toujours eu en horreur ces trucs petits-bourgeois, elle appelait ça du linge de table pour Irlandais de Boston. Elle a tenté de me les cacher, mais j'en ai vu un – c'est eux qui lui ont fait faire cette merde ! Tout blanc avec des étoiles à chaque coin, des étoiles bleues à six branches, et, en plein milieu, une grosse croix jaune. Non, me dit-elle, ce n'est pas une croix, ça montre simplement ta façon de penser, c'est le signe « plus », et je l'ai mis exprès pour symboliser l'argent. Le mépris, voilà à quoi ils l'ont occupée des heures durant, c'est ça leur thérapie ! Et pendant ce temps, tu lui bourrais la tête de choses qui ne pouvaient que la bouleverser concernant Julian, lui disant qu'Iris avait lâché la fac, tu as abusé d'une femme malade ! Maintenant que j'y pense, si tu n'avais pas été à Paris, j'aurais presque pu croire que tu étais allée la voir sournoisement, sans me le dire – c'est ce qu'elle a prétendu ! Elle a dit que tu lui avais rendu visite dans ses appartements et que tu avais vu ce qu'elle peignait, pour moi ce n'était pas plausible, dans la mesure où tu avais pris un vol direct pour New York depuis Paris, mais elle n'arrêtait pas d'insister sur ce point, comment aurais-je pu croire une histoire pareille ? Surtout quand on sait que, pas une seule fois dans ta vie, tu ne t'es écartée des sentiers battus, toujours terrée dans ton trou perdu. Et pourtant, tu es allée à Paris… Je ne sais pas, je ne sais pas, mais ce que je peux te dire tout de suite, Do, c'est que si je finis par découvrir que tu as effectivement fourré ton nez dans les affaires de Margaret, si, d'une manière ou d'une autre, tu as réussi à t'introduire là-bas pour jouer avec le cerveau de ma femme, tu le paieras, ne me demande pas comment. Elle était malade, mais ce n'était pas une menteuse ! Je suis au bord de penser que c'est toi la menteuse, et pendant ce temps, j'ai cru comprendre que tu t'étais rapprochée de ma fille, Iris m'a dit qu'elle aimerait te voir de temps en temps – mais n'oublie pas que je peux mettre un terme à tout ça si je le désire. Ma fille est mon unique secours aujourd'hui, ce sont les paroles d'un hymne ou de quelque chose que Margaret chantait à l'église quand elle était enfant, Seigneur en toi seul mon secours, en toi seul mon bonheur – tu as sans doute appris qu'Iris n'avait pas pu assister à l'enterrement, il devait bien y avoir une raison, j'ai envoyé je ne sais combien de télégrammes, j'imagine qu'elle a pensé qu'elle ne le supporterait pas. Je n'ai pas eu envie de me rendre au cimetière avec elle quand elle a fini par rentrer à la maison – pour voir ma petite fille brisée par le chagrin, à quoi bon ? Rien à faire. Le pire de tout, c'est qu'elle a trop de temps pour ruminer, elle s'est coupée de tous ses amis, elle refuse de dire pourquoi. Et pour couronner le tout, elle va devoir redoubler son année de fac – pendant qu'elle avait le dos tourné un polar aux dents longues en a profité pour mener à bien l'expérience géniale de cristallographie qu'elle avait mise au point elle-même. Ce salopard s'en est attribué tout le crédit – l'homme est un loup pour l'homme, comme dans les affaires, même chose. Iris me dit de ne pas le prendre trop à cœur, elle rattrapera ça au prochain semestre. Ma fille n'a rien à voir avec mon garçon ! Elle m'a toujours pris pour modèle, pour commencer – même si je ne peux pas continuer de diriger l'entreprise depuis la maison, c'est comme ça que je me suis arrangé ces derniers temps, j'espère me reprendre et remonter en selle assez vite. Ce qui compte, c'est qu'un de mes enfants ait encore un avenir, je ne me fais aucun souci pour elle, ne te méprends pas – ce n'est pas bon pour une fille comme elle de rester enfermée dans cette maison vide, elle l'a très bien compris, elle sort beaucoup, elle va au cinéma, parfois deux fois par jour, ça me tue qu'elle arrive à supporter ça. Le virus de Hollywood, à son âge, j'imagine qu'ils l'ont tous. Elle dit qu'elle y va pour la musique – la musique de film, tu y crois, toi ? Si elle en retire quelque chose, je ne peux pas me plaindre.

J'essaie de ne pas penser au garçon. Le garçon est parti – un point c'est tout.

Marvin

57

Qu'est-ce que c'était ? Strate sur strate, emmailloté, comme avec les bandelettes d'une momie, scellé, comme pour un voyage vers l'éternité – qu'est-ce que cela pouvait être ?

Elle arriva enfin au dernier emballage et le défit. Des taches et des pois noirs, certains munis de fragiles queues de poisson, dansant sur des pattes d'insecte le long de voies parallèles ; une marque courbe en forme de cimeterre, ou arrondie comme le ventre d'une esperluette ; une autre ressemblant à un bossu, ou encore à une virgule obèse. Aigus et graves. *Allegro, legato, sostenuto, sforzando*. Leo parlait en langues.

Sur une unique feuille sans taches, elle lut :

L'Épine du rossignol
SYMPHONIE EN *DO* MINEUR
de
Leo Coopersmith

Épaisse liasse de papier. Lourde. Énorme. Comment nommer un pareil tas ? Une rame ? Une balle ? Un recueil ? (Un recueillem ? Un requiem ?) Et parmi ces milliers de notes, pas une notule, pas une explication, ni de pourquoi, pas la moindre clé concernant son envoi. Mineur – une rumination ? une péjoration ? Quel genre de rôle mineur avait-elle joué dans sa vie ? Une éclaboussure, un grain de poussière. *Do* mineur, comme Doris mineur, était-ce cela qu'il voulait dire ? Qu'avait-elle à voir avec cette histoire ? Que voulait-il qu'elle en retirât ? Il l'avait composée en hâte, en toute hâte – il était clair, au moment où elle l'avait surpris dans son repaire flamboyant, qu'il n'avait rien en cours. Une enveloppe vide. Mais qu'en savait-elle ? C'était peut-être le résultat de longues années de travail silencieux ; de plusieurs dizaines d'années. Un langage qui la maintenait à distance, si toutefois il s'agissait d'un langage. La musique, ce langage universel, l'éloquence des vibrations – quel mensonge. Les mots, la souveraineté des mots, leur particularité excluante, c'était ça, le langage. Qu'était-elle censée tirer de cet éparpillement de taches se déroulant de bas en haut des portées comme des bestioles sur un escalier mécanique ? Cette tour de Babel muette et mutante ? Un matériau étranger. Elle n'y entendait rien. Qu'attendait-il d'elle ?

Elle déploya les feuilles volantes en éventail, comme un jeu de cartes géant, sur la large table de la salle à manger : il y en avait trop pour qu'elles ne se chevauchent pas. Bulles noires éclatant au sommet de tiges nues. Ballons noirs sur de maigres baguettes, petites voitures noires lancées à pleine vitesse. Mais en silence ; en silence.

Qu'attendait-il d'elle, alors qu'il savait qu'elle n'avait rien à donner ? Une symphonie en *do* mineur : le genre de petit calembour acide qu'il affectionnait, comme le *diabolus in musica,* sobriquet qu'il donnait à son orteil en marteau.

Elle avait vendu le grand queue et arraché jusqu'à son ombre. Elle s'était débarrassée de lui ! Et voilà que l'instrument revenait (ce qui aurait pu en sortir, du moins), les taches qu'il avait laissées sur la moquette arrachée réincarnées en autant de minuscules tatouages d'encre ; l'exorcisme diabolique auquel elle s'était livrée se retournait contre elle. Et, cependant, c'était un cadeau – un genre de cadeau. L'esprit de Leo ! Ce qu'elle avait espéré voir fleurir des années plus tôt. Elle continua à feuilleter, patiemment, examinant, examinant – elle n'était pas plus avancée que l'aurait été un chien promenant sa truffe sur les pages d'un livre ouvert.

Mais il y avait une certaine excitation à le faire, un déchaînement glorieux sous le sternum, un métronome sonnant la charge entre ses tempes – ces gouttelettes projetées par la queue d'une sirène de glace. Leo en feu. Son cœur à elle, en cage, comme un corps étranger – il n'avait aucune raison de succomber à cette frénésie, ce délire de savoir et d'ignorance.

Elle pensa : *Comme il est difficile de changer sa vie.*

Et elle pensa encore : *Comme il est simple, si affreusement simple, de changer la vie des autres.*

Des mouches aux mains d'enfants espiègles.

Le lendemain matin, contre toute attente – ses jeunes garçons agités ploieraient bientôt sous le joug de la discipline militaire –, elle reprit *Le Roi Lear*. Et presque aussitôt le bourdon des bavardages se mit en route, ponctué par un unique cri haut perché : *Des mouches, des mains, des garçons ! Une mouche dans la soupe aux troufions !*

Dans la salle des professeurs, après ça, elle dit à Laura :

– Figure-toi que j'ai eu des nouvelles de ton cousin. Il a fini par écrire une symphonie…

– Pour le cinéma ? s'exclama Laura d'une voix stridente. Ça n'a pas de sens !

Pour la postérité, rétorqua Do en silence. Ce commentaire aurait été trop épineux ; et Laura n'aurait fait qu'en rire.

Et quand bien même, dans la longue, longue guerre contre Leo, n'était-ce pas Do qui, pour finir, l'emportait ?

Réalisation : PAO Éditions du Seuil
Achevé d'imprimer par CPI Firmin-Didot à Mesnil-sur-l'Estrée (27)
Dépôt légal : mars 2012. N° 814 (109561)
Imprimé en France